ROUGE

DU MÊME AUTEUR

Mort aux cons, Hachette Littératures, 2007 ; Livre de Poche, 2009.

Les poissons ne connaissent pas l'adultère, JC Lattès, 2010 ; Livre de Poche, 2011.

Fermeture éclair, JC Lattès, 2012 ; Livre de Poche, 2014.

Carl Aderhold

ROUGE

roman

LES ESCALES

DOMAINE FRANÇAIS

© Éditions Les Escales domaine français, un département d'Édi8, 2016
12, avenue d'Italie
75013 Paris – France
Courriel : contact@lesescales.fr
Internet : www.lesescales.fr

ISBN : 978-2-36569-193-2
Dépôt légal : Mars 2016
Imprimé en France

Couverture : Hokus Pokus Créations

À ma petite Vera Zassoulitch
et à Rud, mon prince

« Je n'ai pas l'intention de mourir lentement...

— Je sais, courte et bonne.

— Écoutez Édouard, la seule chose que je redoute c'est d'agoniser dans mon lit. Je ne veux pas m'en aller un peu chaque jour. J'espère tomber sur un gars qui tirera plus vite que moi et qui m'étendra sur le coup. »

Sept secondes en enfer

Je croyais pourtant avoir tout oublié. J'avais tout oublié. La porte ouverte dessine un rectangle de lumière sur le carrelage. Des grains de poussière volettent dans l'air. Je traverse la pièce, tâtonne pour trouver la poignée de la fenêtre. Le bois des persiennes a joué. Je pousse d'un coup violent. Le soleil m'éblouit, inonde l'intérieur. Des meubles surgissent, indifférents et las. Des bibelots familiers se dissimulent sous une épaisse couche de crasse. Les souvenirs qui s'en échappent ont le sourire grimaçant des cadavres qu'on déterre.

J'ai soudain neuf, dix ans, excité, effrayé, comme chaque fois que j'entrais dans sa chambre en son absence. Son ombre flotte au-dessus de ma tête, surveille mes gestes. Je me sens déjà coupable. Parfois il posait sur moi un regard d'une tendresse si intense que j'aurais pu mourir pour lui. Je voudrais en chasser la vision.

Dans la salle à manger, la table, les chaises sont dévorées par les journaux. Il était incapable de rien jeter. Comme un dernier appel de sa part, un dernier reproche aussi. De vieux numéros de *L'Humanité* côtoient la collection complète des *Cahiers du communisme* et de *La Nouvelle Critique*, « la revue du marxisme militant » qui s'adressait aux intellectuels et qu'à partir de onze ans, il m'obligeait à lire.

Je m'approche d'une pile. Je fais semblant de me plonger dans leur lecture, pour dissimuler mon malaise. J'étais un homme sans mémoire. Quand la partie fut perdue, je veux dire quand il devint impossible de nier l'échec, quand après la défaite nous dûmes faire face aux révélations accablantes sur les régimes communistes, quand il ne fut plus possible d'atténuer, encore moins de justifier, alors la mémoire me manqua. L'histoire familiale était si intimement imprégnée de cette espérance, je coupai tout passé, un court-circuit. L'oubli a rétréci ma peine, comme l'opium les pupilles du fumeur. Je devine la même gêne chez ma sœur. Elle me tend un cahier qui m'a appartenu. Sur la première page est écrit « Histoire de ma famille » et en sous-titre « De Cologne à Paris, quatre générations d'Aderhold ».

Il voulait que je sois notre mémorialiste. Je consignai les témoignages de ma grand-mère, de mon oncle, des cousins. J'en rédigeai une vingtaine de feuillets. Il avait surchargé les marges de commentaires, des années, des lieux pour contredire le récit de sa mère, tracé des points d'exclamation à certains endroits.

Est-ce qu'il espérait que je les lise un jour ? J'allume une cigarette. Ce n'est pas de la gêne, mais du rejet, ce que je ressens. Il a écrit à la fin une série de dates suivies de brèves indications. Toutes me concernent. Depuis ma naissance jusqu'à mon entrée chez Larousse comme éditeur, il a porté les principaux moments de mon existence. Tout est noté avec la sécheresse propre aux chronologies. De brefs tremblements m'envahissent. Le choix des événements me révèle ce dont il entendait conserver le souvenir. Il n'a pas consigné mon mariage mais mon adhésion à la CGT. La naissance de mes enfants n'apparaît pas non plus, en revanche mon élection au comité d'entreprise est rapportée.

Je relis. Soufflé. Une autre fois encore. L'exaspération me submerge. Ce n'est pas comme s'il ne m'avait pas vu grandir. Pas comme ces mères qui refusent d'admettre que leur fils n'est plus le petit garçon à l'air candide qui se précipitait dans leurs bras. Il a continué à me faire suivre la ligne du parti. À mon insu. Connard ! Connard ! Je hurle. Aussitôt, le regret de l'insulte, la peine de l'avoir déçu. Je ne peux m'empêcher de lire à nouveau. Il m'a ramené, réduit à ces seuls faits. Des instants épars, des survivances presque, dont il a fait mon histoire. J'hésite puis je déchire les feuilles du cahier une à une. Je n'ai jamais été pour lui qu'un militant. Un putain de militant. Les insultes me submergent à nouveau. La rage est un trou noir. Je m'acharne, j'en fais des confettis. Tu ne veux pas le garder... ? s'étonne ma sœur. Qu'il n'en reste aucune trace. Rage de rage. L'enfant me tient à nouveau sous son emprise. Sa vision naïve, ses peurs me reviennent. La tête me tourne. Je lui en veux de ça aussi, surtout de ça. Je ne suis pas.

Je n'étais plus. Je voudrais clore l'histoire, l'effacer. Une joie mauvaise m'emporte. Si je pouvais, je brûlerais tout. Je ne garde rien, ni les journaux que je prends plaisir à réduire en lambeaux avant de les balancer dans la benne au milieu de la cour. Ni les meubles, ni les draps marqués aux initiales de mon grand-père, ni les services d'assiettes en porcelaine et les verres du Royal-Trudaine, le café de ma grand-mère, tout ce qu'elle a accumulé comme autant de petites victoires.

Rien ne doit survivre.

Ni les programmes des pièces dans lesquelles il a joué, les lettres qu'il a écrites aux metteurs en scène pour obtenir un rôle, tout ce qu'il a conservé, couches d'alluvions sombres et sales.

Rien. Absolument rien.

Ma sœur essaie de sauver quelques souvenirs, plaide la cause de bibelots.

Jette, je lui dis. Jette.

Elle me toise, réprobatrice. Elle s'arrête à chaque objet, tente de m'amadouer avec sa litanie de remémorations.

Je m'en fous ! Balance ! Détruis !

— Et ça tu te souviens… ? demande-t-elle du ton railleur avec lequel, enfant, elle me faisait enrager et je réagissais avec la même exaspération, prêt à exploser.

Un porte-lettres en bois, que j'avais confectionné pour la fête des pères, peint en rouge avec une faucille et un marteau en jaune, un des menus que nous dessinions à chaque réveillon de Noël, des jouets fabriqués par mon grand-père, une grue en fer blanc et un bateau tout en bois, une boîte à musique. Ma sœur s'attendrit, elle a survécu à tous les déménagements…

Je lui arrache la boîte des mains, la lance à travers la fenêtre. Le couvercle vole en éclats, la rengaine s'égrène. Elle trônait sur la cheminée de la chambre de mes parents. Ma mère s'agaçait dès que nous la remontions. La musique agonise, faisant entendre quelques notes nasillardes, puis s'éteint tout à fait.

Ma sœur me fixe, dépitée.

Je ne pourrai me calmer qu'une fois les pièces vidées, nettoyées, toute empreinte effacée.

Plus rien.

Je balance mon cahier, la malédiction s'éteindra si j'efface tout.

Les lithos d'artistes du parti aussi, des foules qui défilent sous un immense drapeau rouge, des poings levés, des mères portant leurs enfants décharnés, toute la quincaillerie des bons sentiments cocos.

Les livres, tous les livres. Ils jonchent le fond de la benne. Des couvertures dépassent par endroits de cet amoncellement, le portrait de Vietnamiens, avec leurs chapeaux chinois, victimes de bombes au napalm, de soldats chiliens dans les rues de Santiago, de Noirs des townships sudafricains matraqués par la police. Je sens peser sur moi leurs regards.

Et les boîtes de biscuits en fer contenant les photos de la famille. Il les a reléguées au fond du garage. J'ai d'abord cru qu'il s'agissait de vieux pots de mastic. Encore une de ses ruses. La hargne me remonte. Il s'est délesté de son passé, s'arrangeant pour me le refiler au dernier moment. Il savait très bien ce qui se passerait, le grand nettoyage, la découverte des boîtes dans un recoin. S'il les avait laissées en évidence dans un placard de la salle à manger ou bien s'il avait classé les photos dans des albums, je me serais méfié.

À peine ôté le couvercle, je n'ai pas pu résister. À la benne avec les Chiliens et les Viets. La terrasse ruisselle de générations en des poses hiératiques, photos de classe puis de régiment, regard fixe, de bébés nus sur des coussins, regard étonné aux yeux grands ouverts, de mariés, regard fixe et grave, d'enfants endimanchés, regard cligné par le soleil, de vieillards parcheminés, regard de traits noirs mangé par les os du visage, dont on souhaitait conserver un dernier cliché. Regards qui guignaient un point hors du cadre, fermés, rieurs, regards comme des fruits pleins de pulpe, points rouges translucides des Polaroid, regards aux mille vies. À la benne !

Avec les manifestants braillards et les Marianne aux poings dressés, à la une des vieux *Huma*, les portraits de Marx, de Lénine, rangés derrière le canapé, ultime revanche.

La plupart des visages sur les photos sont pour moi inconnus. Ils forment une famille étrangère dont je trouble le repos. Parfois le revers porte une indication, Sète, juillet 1950, Rosa, Mélina, Élise aux soixante ans de Dédé, Marcel, fête des conscrits, 1928, sans que cela m'évoque rien.

Surgissent aussi comme des flashs d'entre ce défilé anonyme, ma sœur avec un foulard à l'effigie de Castro, nous à une manifestation contre Pinochet, moi en Allemagne de l'Est entouré de deux camarades, ma mère avec nous en train de vendre *L'Huma*. Me reviennent les circonstances, l'instant du cliché. J'y lis notre destinée. À la benne. L'érosion du grain efface les contours des visages. La poussière, qui a fini par s'incruster dans le papier, leur donne l'air de morts-vivants. Je n'ai pas écrit leur histoire comme il le voulait. J'en imagine sans peine le récit. L'alcool. L'adultère. Quelques coups de folie. Leurs traits rendus mélancoliques par la profondeur des gris argentiques révèlent la succession sans fin de luttes et de défaites, d'accalmies qui font croire à une rémission.

Je disperse tout. Il m'appartient d'en effacer les traces. Bientôt je vendrai la maison.

Tout est vidé, éventré, démembré.

Il ne reste plus rien.

Nous reprenons la route. Lorsque nous quittons les départementales virageuses pour rejoindre l'A20, je respire à nouveau.

Le défilé des villes vers le nord, Brive, Limoges, Argenton, Châteauroux, m'est comme une remontée à la surface. À Paris je pourrai reprendre mon souffle. Même la tristesse poisseuse des stations-service d'autoroute me soulage. J'en viendrais presque à sourire aux peluches à la joie apathique, aux rangées translucides de gâteaux.

Repose-toi un peu. J'abandonne le volant à ma sœur. Dès que je ferme les yeux, je vois défiler la foule de ces regards. Je crois sentir l'appel de chacun. Je suis désormais le seul, le seul témoin de tout ça. De sa rage, de notre combat, de notre histoire.

Peu importe la destruction des photos. Peu importe même ce qu'ils représentent, lieux inconnus, parents, amis sans nom, tous ces regards contiennent la mémoire dont aucun homme ne s'affranchit. Ils sont mon sang, ma colère, millions d'atomes que charrient chacun de mes mots, la moindre de mes émotions.

Depuis que nous avons versé la benne à la déchetterie, que tout s'est abîmé dans l'océan des débris anonymes, la culpabilité ne me quitte plus.

Toute ma vie, j'ai marché à contretemps. Un bref décalage qui m'empêche de me sentir à ma place quels que soient l'instant et l'endroit. Enfant, j'avais l'impression d'être en avance. Les autres, le monde me paraissaient en retard. La pente s'est soudain inversée à l'âge adulte. C'est moi désormais qui traîne des pieds, peinant à les rattraper. Je suis un homme jamais à l'heure à ses rendez-vous.

J'aurais préféré ne jamais naître. Je devais voir le jour au début de septembre, à la clinique des métallos dans le XIᵉ arrondissement de Paris. Ma mère y avait suivi la préparation à l'accouchement, selon la méthode soviétique – « Grâce à Staline, j'ai enfanté sans douleur ! » proclamait une sage-femme au début des cours. Mes parents avaient choisi mon prénom depuis longtemps : Karl. Le portrait de Marx, avec celui de Lénine, trônait au-dessus de leur lit.

Chaque soir, pendant la grossesse, mon père s'allongeait à côté de ma mère, se penchait sur son ventre rebondi, commentait à haute voix les nouvelles en une de *L'Humanité*. « 2 janvier. Éclatante victoire du Vietminh dans le delta du Mékong. » Parfois les informations le réjouissaient, plus sûrement elles le plongeaient dans une violente colère. Quand, le 12 mars, le pouvoir gaulliste réquisitionna l'armée pour briser la grève des mineurs, il s'emporta : « Nous n'en sommes encore qu'à la préhistoire de l'humanité ! » Il ne nous faisait grâce de rien. Un coup d'État porta le parti Baas au pouvoir en Irak, entraînant l'exécution de milliers de communistes – nos frères, pleura mon père. Tu vas faire peur au petit, disait ma mère. On avait failli, l'année d'avant, assister au déclenchement de la Troisième Guerre mondiale lors de la crise des missiles de Cuba. 1963 marquait une pause, mais il ne fallait pas s'y fier.

« Le pouvoir gaulliste porte en lui, en permanence, la menace du fascisme » clamait mon père, l'oreille posée sur le ventre maternel. « Les impérialistes ne renoncent jamais ! »

Ma mère, elle, me murmurait des histoires. Elle me parlait toute la journée, pendant qu'elle faisait la cuisine, rangeait les affaires. Elle inventait des récits inspirés des contes de son enfance bretonne. Il y était question de jeunes filles épousant des morts, de châteaux de cristal, de pêcheurs sauvant des sirènes. Pour te donner l'envie du large, répétait-elle de sa voix douce. Aux moments importants, elle s'arrêtait, caressait son ventre, sa main décrivait un cercle autour du nombril. Souvent elle y intégrait les événements du jour. Le froid de l'hiver 1962-1963 qui l'obligeait à garder son manteau dans la chambre de bonne – elle retardait le moment d'allumer le réchaud – devenait une tempête sur la cité d'Is dans laquelle une princesse tombait amoureuse d'un mendiant.

Mes parents étaient provinciaux, elle originaire de Lisieux, lui de Decazeville. C'était l'époque où les jeunes gens ne juraient que par le TNP de Jean Vilar et de Gérard Philipe. Mon père rêvait de jouer *Othello* ou *Maître Puntila et son valet Matti* au palais des Papes. Ma mère avait décroché quelques années plus tôt le rôle de la servante de la reine

20

dans *Les Trois Mousquetaires* montés par Roger Planchon à L'Ambigu.

Elle était descendue pour la fin de sa grossesse chez sa belle-mère à Decazeville, dans l'Aveyron, où celle-ci tenait une poissonnerie. Mon père jouait au festival d'Arras, dans une pièce de John Arden. Ils se téléphonaient tous les après-midi. Ma mère avait beau convenir d'une heure avec lui et s'asseoir dans le fauteuil du salon, près du combiné, ma grand-mère surgissait à la première sonnerie, décrochait avant elle. Elle s'attardait à parler à son fils avant de lui passer son épouse, faisait ensuite mine d'épousseter les bibelots.

Le soir, seule dans sa chambre, allongée dans son lit, ma mère se recroquevillait sur elle-même, frottait doucement son ventre, me racontait l'histoire d'un chevalier parti à la guerre laissant sa femme aux mains d'une marâtre jalouse qui voulait sa mort et celle de l'enfant qu'elle portait.

Elle était une anxieuse, à qui chaque menu geste de la vie, même le plus anodin, coûtait. Elle venait à peine de quitter Notre-Dame-du-Vieux-Cours à Rennes et découvrait en même temps l'attrayante bohème des comédiens et leur ordinaire sans gloire. Rien ne l'avait préparée aux repas frugaux, à la saleté, aux déménagements à la cloche de bois. Les quelques portraits de cette période la montrent d'une joliesse commune, les traits chiffonnés par l'angoisse – un léger mais constant rictus aux lèvres, les cheveux courts, de faux airs de Jean Seberg.

Sur ses photos de scène, c'était une tout autre personne. Elle se transfigurait, affichait une grâce aussi émouvante que fragile. La même métamorphose se produisait quand elle me berçait de ses récits. Sa voix devenait pure, débarrassée de tout ce qui, dans le quotidien, l'enveloppait d'un voile d'inquiétude. C'est la plus belle voix que j'aie jamais entendue. Une voix faite pour raconter sans fin.

Mon père nous rejoignit au début du mois d'août. La compétition s'engagea entre les deux femmes. Ma mère découvrait son mari sous un nouveau jour, à mesure que ma grand-mère faisait ressurgir la complicité de l'enfance. Cette dernière le gavait à chaque repas, et lui, offrant un air de gamin affamé et docile, avalait jusqu'au dernier morceau dans un bruit sourd de manducation. Ma mère finit par arracher à mon père la promesse de rentrer à Paris. La veille de leur départ, sa rivale organisa un repas de fête. Ils entamèrent par un foie gras d'oie et un autre de canard « pour comparer ». Suivirent un confit et des cèpes revenus dans la graisse, accompagnés d'un cahors. Ma mère s'efforçait de refréner son mari, remportait les plats à la cuisine avant qu'il puisse se resservir. Elle avait percé le plan de sa belle-mère.

Un paris-brest dont il raffolait fut servi au dessert. Avec la lenteur calculée des conspirateurs, ma grand-mère découpa une large part de gâteau pour mon père. Le morceau de chou disparaissait sous l'épaisse crème au beurre. Pour mieux circonvenir l'agacement de sa belle-fille, elle lui présenta un plateau de fruits. Ma mère, tout en croquant une prune, força mon père à en remettre une partie dans le plat. « Vous n'aurez qu'à le terminer demain... – Vous savez bien, Madeleine, que je ne le digère pas. » Ma mère descendait le plat de prunes, le regard mauvais. À bout d'arguments, ma grand-mère évoqua le souvenir des dimanches où son mari et son fils descendaient à la pâtisserie, deux rues plus bas. La moindre allusion à son père plongeait le mien dans un état de tristesse hébétée, dont il ne pouvait s'extraire qu'en se jetant avec compulsion sur la nourriture ou l'alcool. Ma mère cracha rageusement un noyau de prune sur le bord de son assiette. Le tintement mat coupa court à sa nostalgie.

C'était la première journée chaude du mois d'août 1963. La nuit n'apporta aucun soulagement. Par les fenêtres ouvertes, des bouffées étouffantes envahissaient la chambre où dormaient mes parents. La fraîcheur des jours précédents avait laissé place à une touffeur si cuisante qu'elle plongeait chacun dans une hébétude animale.

Ma mère tourna et retourna dans le lit, cherchant en vain le sommeil.

La maison dégorgeait ses odeurs. S'y mêlaient aussi les relents de la cour aux pavés de verre, remugle aigrelet des toilettes à la turque et des boulets de charbon dans l'appentis. Les effluves de la poissonnerie au rez-de-chaussée surnageaient par instants, non tant le fraîchin des marées, humide et saisissant, mais l'exhalaison âpre d'un sexe.

Pierre ! cria ma mère. Il faut qu'on y aille ! Il bougonna. « T'es sûre ? » Maudites prunes ! s'emporta-t-elle. Elle le répétait encore en arrivant dans la salle de travail. Elle essayait de contrôler sa respiration comme elle avait appris. Sans s'occuper d'elle ni l'écouter, la sage-femme ordonnait à ses deux adjointes, des gamines, de sauter chacune à leur tour sur le ventre de ma mère.

Ainsi je fis mon entrée, secoué, bousculé, rouge et fripé. Toute parturiente est une criminelle – j'étais sa sève, sa raison d'être. Et me voilà, submergé par une mélancolie qu'aucun amour ne viendra effacer.

Sitôt après ma naissance, mon père se précipita dans les bars en compagnie de son frère. Il paya des tournées aux équipes de mineurs de nuit qui buvaient un café avant de rentrer se coucher. Il chanta *L'Internationale*, manqua de se battre. Son frère lui rappela qu'il avait promis à ma mère de passer me déclarer à l'état civil.

Il prit la voiture, descendit la rue Cayrade en klaxonnant, rata le tournant et s'encastra dans un réverbère. Il ne faut

rien dire à ta femme, décida ma grand-mère. Pas de contrariété en ce moment ! Elle courut acheter au Grand Bazar
de Decazeville une boîte à musique. Un cadeau pour te
faire pardonner ! Mon père se présenta devant ma mère, un
pansement au front, des ecchymoses au visage, et l'énorme
boîte à musique sous le bras. Tu t'es battu ? s'inquiéta-
t-elle. Sa méfiance se fit encore plus vive quand elle déballa
le cadeau. Elle s'enquit de la déclaration de naissance. Les
deux frères quittèrent la chambre précipitamment.
    L'employée de service eut un mouvement de recul devant
le visage de mon père penché au-dessus du guichet. Quand
elle l'interrogea sur le choix du prénom, il s'écria, encore
passablement ivre :
    — Marie !
    Son frère lui donna un coup de coude. Il se reprit.
« Karl » clama-t-il. L'employée, qui n'avait jamais entendu
un tel prénom, voulut inscrire Carlos sur le registre,
influencée par l'importante présence des immigrés espagnols à Decazeville. Mon père se récria. Elle proposa
Charles. Nouveau refus et colère. Il était hors de question
de m'affubler du même nom de baptême que de Gaulle.
Le maire fut appelé à la rescousse. Une dispute s'ensuivit.
Avertie, ma grand-mère les rejoignit au moment où ses
fils allaient en venir aux mains avec l'édile. La promesse
d'offrir quelques poissons au repas de fin d'année organisé
par la mairie ramena le calme. Dans un souci d'apaisement,
le maire accepta le choix de mes parents à la condition de
le franciser.
    Les prunes ! se lamentait ma mère auprès des parents
qui venaient lui rendre visite à l'hôpital.

La porte donnait sur un corridor étroit. Il était éclairé par une lucarne qui ouvrait sur le toit. À n'importe quelle heure de la journée, il y flottait une odeur un peu forte de cuisine. Nous habitions une chambre de bonne, rue de la Cure dans le XVIe arrondissement, parmi les concierges portugais et les bonnes espagnoles.

Pour aller aux toilettes, il me fallait traverser ce long palier avec ses coudes et ses quelques marches, encombré de poubelles et de divers objets, parapluies, roues de vélo, cabas, que les locataires déposaient devant leur porte. À l'aller comme au retour, je redoutais de me faire arrêter par les Espagnoles. Je les apercevais en passant devant leurs chambres entrouvertes, penchées sur leur réchaud ou assises en train de coudre.

Elles avaient accroché sur le panneau intérieur de la porte des toilettes des vignettes pieuses de la Vierge et de quelques saintes. Je les contemplais, accroupi au-dessus des W.-C. à la turque. Une en particulier me fascinait. La martyre, les mains en prière, avait le corps plongé jusqu'au nombril dans une marmite que de larges flammes, d'un jaune et d'un rouge crus, chauffaient. Tout autour, se tenaient des hommes avec des cuirasses et des casques, la face patibulaire. Je m'efforçais d'imaginer toutes sortes de stratagèmes qui permettraient de la sauver. En dessous, mon père avait écrit à la main, *La receta de bacalao* (« la

25

recette de la morue »). J'ignorais le sens de ces mots mais les Espagnoles y virent un sacrilège dont elles devinèrent aisément l'auteur. Lorsqu'il les croisait, il leur reprochait d'être venues en France non pour fuir Franco, mais pour trouver un boulot. Elles débarquèrent chez nous en délégation, pour se plaindre. « Sale rouge ! » crièrent-elles. Depuis lors, je craignais chaque traversée du corridor. Elles me faisaient signe, m'invitaient à entrer chez elle, pour me donner un bonbon, un gâteau. Ce n'était pas tant qu'elles me fassent un mauvais sort qui me tracassait, malgré les mises en garde amusées de mon père. « Elles vont t'apprendre à prier... » Je redoutais de ne pas avoir la force de refuser leurs sucreries, de les laisser me caresser les cheveux, de trahir le camp paternel, et en même temps je ne me sentais pas la force de me montrer hostile envers ces femmes et leur démonstration bruyante de gentillesse.

Elles n'étaient pas le seul danger qui me menaçait. Dans les rues, je tenais la main de mon père comme si nous étions en territoire ennemi. C'était le repaire des Versaillais pendant la Commune de Paris, m'expliquait-il. « Des gaullistes ! » s'emportait-il. Pis encore, « Des riches ! » Je me méfiais de chaque passant, les femmes en particulier. « Les Versaillaises crevaient les yeux des pauvres Communards avec la pointe de leurs ombrelles. » Lorsque j'en croisais une, je baissais la tête. Dans mon esprit, elle pouvait deviner, au moindre signe suspect, que j'étais un fils de rouge.

Je m'attachais à sourire, à ne pas attirer l'attention, ne pas crier, ne pas courir – les riches marchent et parlent sans bruit. Je m'efforçais de les imiter. Je ne comprends pas pourquoi tu attends d'être rentré à la maison pour faire le fou ! se plaignait ma mère.

Lorsque nous allions au parc, je devais porter un pantalon court, une veste à gros boutons et des sandales à larges boucles. Elle trouvait que je ressemblais à un petit marin.

C'était pour moi une tenue de camouflage, elle me permettait de passer inaperçu parmi les autres gamins. Leurs mères, en voyant la mienne, le visage un peu triste, sa tenue sans effet faute d'argent, la prenaient pour ma nurse.

Ma sœur Mathilde vint au monde peu après. Comme moi, elle fut conçue sous les portraits de Marx et Lénine. Enfants, nous croyions qu'il s'agissait d'aïeux lointains. Sa naissance marqua un armistice avec nos voisines espagnoles. Elles vinrent par petits groupes, apportant des dragées, des vêtements qu'elles avaient elles-mêmes tricotés. Avant de disparaître, elles jetaient à ma mère et à moi des sourires pleins de pitié.

Je revois le lit-cage de mes parents replié contre le mur dans la journée. Ma mère disposait dessus un tissu et un vase pour le cacher. Les valises servaient d'armoire. « Comme ça, on est toujours prêts si on doit partir vite... » Le réchaud à gaz sur lequel elle faisait la cuisine. L'odeur d'humidité qui suintait des murs en hiver, d'herbes séchées l'été. Et les colis envoyés par ma grand-mère.

À genoux sur une chaise, les coudes appuyés sur la table, je suivais des yeux ma mère couper un à un les morceaux de ficelle. Ma grand-mère multipliait les tours et les nœuds, et recouvrait le paquet de larges bandes de scotch marron. Tous les mois nous recevions des bocaux de foie gras qu'elle faisait elle-même, des confits, des conserves de cèpes ou de pâté de lapin aux grains de genièvre, et pour Noël, une bourriche d'huîtres. Chaque envoi contenait aussi une surprise, le plus souvent à l'intention de mon père, un morceau de saucisse sèche, un gros jambon.

Parfois elle m'adressait un pull ou un pantalon. Elle aurait mieux fait de nous envoyer l'argent... râlait ma mère. Je savais qu'il me faudrait le mettre au moins une fois pour que mon père prenne une photo destinée à ma grand-mère, puis nous rangerions le vêtement au fond d'une valise, attendant que j'aie suffisamment grandi pour ne plus pouvoir le porter.

Je comptais les bocaux en les passant à ma mère. Elle les rangeait par taille sur l'étagère au-dessus de la porte. Nous restions un moment à les contempler une fois le carton vidé. J'ai longtemps cru que le foie gras était une nourriture de pauvres. Nous n'avions pas toujours de quoi acheter le pain pour accompagner ces victuailles. Ma mère m'envoyait à l'épicerie en bas rapporter les bouteilles en verre. Avec l'argent des consignes, je passais ensuite à la boulangerie.

Ni Mathilde ni moi n'avons souffert de privations. Ma mère s'arrangeait pour que nous ne manquions de rien. Elle cachait les allocations familiales à mon père. Elle nous habillait avec soin, nous confiait à sa belle-mère pendant les vacances. Elle avait ce don rare de rendre notre univers agréable, avec quelques morceaux de tissu, un ou deux bibelots récupérés. Elle se privait pour acheter les rideaux susceptibles d'aller avec notre couvre-lit, ou bien récupérait l'affiche du dernier spectacle de mon père pour couvrir les traces sur le mur.

Notre pauvreté n'était pas sans avenir. Elle se voulait le signe de la pureté, la grandeur même de nos sentiments. Dès qu'il avait un peu d'argent, mon père s'en délestait avec une générosité tapageuse, inquiète. « Si j'ai cinq francs dans la poche, je ne peux les refuser à celui qui me les demande. » Pour lui, le génie avait un prix. Il devait le payer sous peine de se condamner à une réussite sans gloire. Tout en fait était joué, avec fougue, avec sincérité aussi, mais joué. Jouée la misère, joués l'artiste maudit, la dureté de la vie de bohème. Et pourtant bien réels.

Je ne me rappelle aucun de ces moments que les enfants conservent de leur géniteur, l'apprentissage du vélo, un après-midi au parc, une séance de bricolage. Il laissait bien volontiers sa place à mes oncles, aux pères de mes copains. Pas une partie de ballon, ni de sortie au cinéma sinon pour aller voir des films engagés. À chaque fête des pères, à chaque anniversaire, je lui offrais un dessin. Des Communards sur une barricade. De Gaulle au milieu de soldats tirant sur le peuple. Je soignais plus particulièrement les détails, chenilles de tank, cartouchières et leurs rangées de balles, coulées de sang sinueuses s'échappant d'une blessure. Des Américains dans leur uniforme kaki, en rangs serrés, des Vietnamiens, portant le même uniforme, mais reconnaissables à leurs visages jaune orangé. J'avais appris à estomper les surfaces coloriées grâce à un buvard. De longs messages débordaient des phylactères, m'obligeaient à ajouter des astérisques qui renvoyaient la fin du texte dans les marges. La proportion naïve des corps, leur raideur enfantine, les « Joyeux anniversaire » ou les « Bonne fête papa » ne parvenaient pas à contrebalancer la rudesse des slogans, la violence martiale de la scène. Mon père pointait les fautes d'orthographe – malgré mes efforts, il en restait toujours une. Il montrait ceux qu'il jugeait dans la ligne aux membres de sa cellule et, parfois, me rapportait leurs louanges.

Il n'y a pas en revanche un conflit ou une crise durant cette période qui ne m'évoquent mon enfance.

Nous grandîmes avec la guerre du Vietnam. Les manifestations en faveur de la paix furent nos excursions du dimanche. Lors d'un de ces rassemblements, qui se tenait à Vincennes, ma sœur et moi n'avions cessé de crier Nixon assassin ! Nous le hurlions encore sur le chemin du retour, dans le métro, pour faire rire mes parents, et en remontant la rue. Ma mère tenait mon père par la main. Elle portait une robe bleu pâle, légère, qui la faisait ressembler à une héroïne d'un film français de l'époque. Il lui souriait tandis que ma sœur était hissée sur ses épaules – depuis sa naissance, elle m'y avait détrôné. Le corps en arrière, elle s'accrochait à son cou pour ne pas tomber. Son visage disparaissait sous un chapeau chinois trop grand pour elle. Je marchais quelques mètres en avant. Les rayons du soleil éclaboussaient le pare-brise des voitures garées le long du trottoir. On ressemblait à une de ces gentilles familles qui, par un beau dimanche de septembre, s'en revient d'une promenade en forêt. Je lançais Nixon... ! Ma sœur répondait entre deux rires, ...n-assassin ! J'y mettais beaucoup d'ardeur, ayant le sentiment excitant d'attirer le regard des passants. Ma mère me faisait signe de crier moins fort, mais la lueur de fierté amusée que j'apercevais dans les yeux de mon père me poussait à continuer.

« L'argent, le matériel de guerre et les soldats, envoyés par les capitalistes, pèsent moins que la lutte pour la liberté d'un peuple. Bon anniversaire papa.»

La fête de l'Humanité était l'occasion de manifester notre soutien aux Vietnamiens. Notre père nous y traînait après le déjeuner. Il s'installait près de l'estrade pour suivre les débats consacrés à la guerre, pendant que ma sœur et moi jouions sur la pelouse. Nous n'avions plus le droit de rester sous le chapiteau depuis que j'avais interrompu l'intervention de Roland Leroy. Le directeur de *L'Humanité* était connu pour ses longues harangues. Au bout d'une bonne heure, il fit enfin une pause. Je me levai, prêt à courir au stand de pêche à la ligne où mon père avait promis de nous emmener. Leroy reprit. Je fus contraint de me rasseoir. Alors que la salle écoutait avec ferveur, je murmurai exaspéré, Oh ta gueule !... Si bas que je prononçai ma remarque, l'orateur l'entendit. Il chercha du regard le perturbateur.

Les muscles de mon père se raidirent en un violent effort pour ne pas me gifler. Il me saisit par le col de mon pull et me traîna à l'extérieur, avec toute la dignité dont il était capable.

Nous nous rendions ensuite à la cité internationale. Ma sœur et moi reprenions espoir. C'était la dernière épreuve. Il nous donnait une pièce de cinq francs à chacun que nous déposions dans un grand foulard rouge porté par des enfants de notre âge au stand du Vietnam.

J'appris la géographie par les insurrections et les guérillas. Chaque camarade étranger était l'occasion de fraterniser, d'écouter sa litanie de malheurs. Seuls changeaient les noms des oppresseurs, la couleur de la peau. Membres de l'OLP aux airs d'éternels étudiants, militants de l'ANC rageurs, communistes marocains au français recherché, qui faisaient signer une pétition en faveur de la libération de Nelson Mandela ou d'Abraham Serfaty, Philippins au ton larmoyant et Iraniens à l'ironie raffinée qui fustigeaient les dépenses d'Imelda Marcos et de Farah Diba, Zaïrois, Brésiliens, Grecs, en butte aux maréchaux, aux généraux, aux colonels, tous engagés dans une lutte que mon père nous encourageait à soutenir. Les hommes avaient la mine grave, comme s'ils représentaient non seulement leur parti mais aussi la souffrance de leur peuple. Je détestais leur manie de nous passer la main dans les cheveux.

La visite du moindre parti communiste de la planète donnait à mon père le sentiment grisant que la révolution mondiale était en marche. Il ne quittait jamais le délégué d'un pays sans lui avoir offert un verre et ce dernier, pour soutenir les liens naissants, lui en payait un en retour. Ils portaient un toast à la victoire finale, puis un autre contre le grand capital, Nixon ou de Gaulle. La communion s'affermissait à coups de verres de bière, de vin, d'eau-de-vie, de liqueurs aux noms inconnus et poétiques. L'alcool servi par des Vietnamiens était conservé dans des bouteilles où flottaient des serpents. « Venin... mortel ! » s'amusaient-ils à nous faire peur. Ma sœur et moi fixions mon père, inquiets de voir l'effet du poison sur lui.

Son tour d'horizon géopolitique se transformait en une formidable cuite internationale et prolétarienne. Il se réservait pour la fin les pays du bloc de l'Est. Il avait sympathisé avec un membre du POUP, le PC polonais, présent tous les ans. La vodka aidant, l'autre se laissait aller à quelques critiques sur le régime. Mon père prenait ces confessions pour la preuve d'une vitalité démocratique, qui contredisait les allégations de la presse bourgeoise.

Il repartait regonflé, tutoyait goulûment les gens que l'on croisait dans les allées du parc.

Le long trajet du retour, entassés dans la navette qui nous ramenait à la Courneuve, puis dans le métro jusqu'à la maison, lui permettait de dégriser. Il nous faisait déballer les lots gagnés à la pêche à la ligne. Badges à l'effigie des PC étrangers dont il nous apprenait les sigles, brochures vantant les réalisations socialistes, imprimées sur du mauvais papier, foulards rouges, frappés de la faucille et du marteau, s'étalaient sur nos genoux. Il escomptait ainsi que lorsque nous raconterions notre journée à ma mère, nous garderions en mémoire le seul récit de ces attractions et passerions le reste sous silence.

« Même si les capitalistes US nous arrêtent et nous emprisonnent, nous les Noirs souhaitons une bonne fête au camarade papa. »

Le Vietnam était encore présent à nos dîners. Nous nous mettions tôt à table, mon père partait ensuite jouer au théâtre. Il nous interrogeait à tour de rôle sur notre journée. Les bip à la radio qui sonnaient dix-neuf heures annonçaient l'approche de la tempête. Il montait le son du poste. Le présentateur détaillait les titres. Mon père retenait son souffle. Je me dépêchais d'avaler ce qui restait dans mon assiette. Le premier reportage était lancé. Il se tournait vers le transistor, apostrophait le journaliste, l'injuriait. Les épaules de ma mère, penchée au-dessus du réchaud, s'agitaient au rythme des cris paternels.

Son exaspération gonflait encore quand arrivaient les nouvelles internationales. Je maudissais en silence les capitalistes qui s'acharnaient à pourrir notre repas. Il balançait son poing sur la table, faisant tinter les verres.

Il nous happait du regard. Si nous fixions notre assiette, il s'emportait contre notre indifférence. Il nous fallait l'écouter, captivés. Acquiescer à ses imprécations. Et nous laisser ballotter par sa colère. Chacune des bouchées qu'il avalait marquait une courte accalmie avant une nouvelle bordée d'insultes.

« Sur Nord, avis de grand frais en cours, mer peu agitée à agitée... » À vingt heures cinq, une voix féminine donnait le bulletin de météo marine. Aucun navigateur sur son bateau ne l'attendait avec autant d'impatience que ma sœur et moi. « Vent de sud-ouest mollissant force 3 à 4... dépression de mille hectopascals... » Je pourrais encore les réciter – comme on conjure une malédiction. Ils signalaient pour nous la fin de l'alerte. Mon père rassemblait ses affaires pour partir. Nous pouvions manger le dessert en toute tranquillité. La présentatrice et ses incantations mystérieuses apaisaient les emportements paternels. En un dernier sursaut, écœuré par l'obscénité de la propagande gaullienne, mon père nous prophétisait la venue prochaine de la Révolution, qui balaierait tout ça. « Iroise... Viking... Cantabrico... » psalmodiait la femme.

Les jours de colis, nous descendions à la cabine téléphonique pour remercier ma grand-mère. Il appelait après ses amis, les invitait à partager l'arrivage de foie gras. « Apportez une baguette... »

Ma mère récurait alors jusqu'aux parties communes, les toilettes sur le palier. Elle repassait la nappe, allait trouver les voisines espagnoles pour leur emprunter des assiettes et des couverts. Je ne sais par quel miracle mes parents avaient réussi à louer la chambre mitoyenne. Ils dormaient dans l'une, ma sœur et moi dans l'autre. J'étais chargé de veiller sur elle. Ma mère me le rappelait chaque soir, lorsqu'au moment de nous coucher elle regagnait sa pièce en fermant notre porte à clé. Quand les amis venaient, elle déplaçait le lit-cage et les valises dans notre chambre, ne laissant dans l'autre que la table et les chaises. On aurait dit un salon arrangé avec goût.

Les invités déposaient leurs manteaux près de notre lit. Souvent ils s'arrêtaient pour nous parler, nous amusaient de menus tours de magie. Un ami de mes parents nous effrayait. Il prenait une voix menaçante, jouait de son accent russe, nous racontait des histoires de la sorcière Baba Yaga et de Likho, le méchant qui n'a qu'un œil, s'éclipsait sans les terminer. Ma sœur pleurait et je m'efforçais de retenir mes larmes. Je lui promettais de nous venger, imaginant de faire pipi dans la poche de son pardessus, elle éclatait de rire.

Mes parents traversèrent les années soixante avec l'énergie d'un couple en cavale. Il attendait le Grand Soir, elle, le grand amour. Tous deux étaient pressés. Elle se convainquit dès leur rencontre qu'il était l'homme de sa vie. Il prophétisait que la France serait communiste bien avant la commémoration du centenaire de la Commune.

Il y avait entre eux une perpétuelle tension qui agissait comme le plus puissant des charmes – une journée sans heurts ni élans était une journée perdue. Il y eut beaucoup de ruptures, de drames – de flamboyantes réconciliations se succédèrent en un rythme éreintant. Ma mère comprit dès le début que l'important résidait non pas dans les déceptions que mon père s'acharnait à lui faire subir, mais dans ses retours penauds, prêt à tout pour obtenir son pardon.

Ils ont joué cette scène des milliers de fois. Lui faisait confiance à son instinct. Des générations d'Aderhold avaient livré la même représentation, les époux, les pères des époux, et avant eux, les pères des pères, rentrant à la maison y subir le courroux de leur femme. Ma mère, en revanche, découvrait tout à la fois le texte et le comédien. Elle chercha du côté du répertoire. Elle fut tour à tour la mélancolique Irina des *Trois sœurs*, l'orgueilleuse Camille d'*On ne badine pas avec l'amour*, la farouche Junie de *Britannicus* ou bien encore la fragile Blanche, l'amoureuse Stella d'*Un tramway nommé désir*.

Sous l'empire de l'alcool, il se serrait contre ma mère, lui murmurait des mots d'amour. Sans se préoccuper de notre présence, il lui caressait les fesses. Elle le repoussait, lui reprochant à voix basse son état.

Mathilde et moi nous amusions à les imiter. Je faisais semblant de l'embrasser. Elle prenait une mine contrariée, me donnait des tapes sur l'épaule. Tu as bu ? Oh mais toi tu as bu ? Hein tu as bu ? répétait-elle, provoquant l'hilarité de mon père. Le doux sourire de ma mère s'achevait en un froncement triste.

Un soir qu'il rentra ivre mort, elle refusa de lui ouvrir. Il brisa la porte de leur chambre de bonne. Ma mère lui déclara sur un ton étonnamment calme que tout était fini.

Elle ne risqua pas d'explications, ni de récriminations. Toute discussion aurait signé sa défaite. Il se soûla au café du coin, croisa un agent avenue Mozart. Pressé d'en finir, il renversa son képi. Au commissariat du XVIe arrondissement, il profita d'un moment d'inattention pour grimper sur un bureau. Il injuria les policiers, leur récita du Rimbaud, tout en repoussant ceux qui tentaient de le faire descendre. Il hurla le prénom de ma mère. La lampe, contre laquelle il se cognait la tête, donnait à la pièce l'air d'une cabine de bateau pris dans une tempête. Il ne voulait rien d'autre que sentir la douleur envahir ses articulations, le visage ensanglanté, les côtes aux pointes griffues qui coupent la respiration. Ils l'attaquèrent de tous les côtés à la fois, le rouèrent de coups. Pierre de sang dont l'égrisée pouvait seule broyer sa rage.

Au matin, un ami vint le tirer de sa cellule. Mon père acheta toutes les roses chez un fleuriste, se précipita à la maison, arborant des lunettes noires. Il les ôta, révélant ses yeux tuméfiés, une plaie au sommet du nez. Ma mère trouva cela très romantique – un homme qui, par dépit amoureux, se livre aux coups. Chaque ecchymose qu'elle caressait de la main lui était une preuve d'amour.

Ces souvenirs ne sont que l'avant-garde, j'en ai la certitude. Il m'est impossible d'en enrayer le flux.

Ils installèrent l'amoncellement de bouquets devant l'embrasure de la porte aux gonds arrachés. Pendant plusieurs jours, ma sœur et moi jouâmes sur le palier à la marchande de fleurs. Les Espagnoles en passant se signaient comme si notre famille était la proie d'une sombre malédiction.

— Tu m'as fait peur.

Mathilde m'a appelé après notre retour. Elle s'inquiète. Elle ne m'avait jamais vu dans un tel état. Je cherche mes mots. Je pensais que la rage disparaîtrait après la mise en vente de la maison de notre père. Au lieu de quoi, elle enfle à mesure que la mémoire me revient. Elle m'étouffe.

Ma sœur m'écoute surprise, risque :

— Toi qui as tout fait pour oublier...

Nous ne nous téléphonons que pour la nouvelle année et en de rares occasions. Elle travaille à la RATP, vit dans un pavillon de banlieue. Ma maison d'édition, mon appartement parisien l'impressionnent.

Elle ne peut s'empêcher, après avoir échangé des nouvelles de nos enfants, d'évoquer notre passé. Elle est devenue l'historienne de la famille.

Elle était entrée dans ma vie, comme une leçon de fraternité que j'avais dû accepter en patience. Mes parents m'avaient confié la tâche de la protéger. Dans la cour de l'école, j'intervenais quand d'autres l'embêtaient. Je mangeais à ses côtés à la cantine. Je l'emmenais au centre de loisirs, la surveillais à la maison, lui donnais la main pour traverser. Je ne ratais jamais l'occasion de la persécuter, une rosserie, un coup en douce. Elle se vengeait en pratiquant l'art des larmes qui me valait les réprimandes.

Elle évoque la confiance presque aveugle qu'elle avait en moi, comment elle exécutait les idées qui me passaient par l'esprit.

— Tu te souviens quand tu m'as fait voler une petite voiture dans un magasin de jouets ?

Je connais par cœur la litanie. Je mettais le feu à ma corbeille à papier, je l'envoyais chercher de l'eau pour l'éteindre. L'été à Salviac, débarrassé de la surveillance parentale, je la persuadais de ramasser dans le tas de fumier derrière la maison les vers les plus gras pour la pêche. Ou bien encore, curieux de voir l'effet des sangsues sur la peau, je lui suggérais de plonger jambes nues dans un ruisseau où elles pullulaient.

— Tu arrivais toujours à me convaincre. Je te ferais tellement plaisir, je pourrais jouer avec les grands... Tu disais.

Et je marchais.

Mathilde sait faire remonter les fragments qui, bien que sans lien entre eux, presque au hasard, me plongent dans la sensation quasi physique de mon existence d'alors, l'escalier aux marches hautes pour accéder aux chambres de bonne, l'odeur d'urine de la concierge qui nous gardait, la colère de mon père quand nous avons cassé la table pliante – en fait moi. Sa mémoire ressemble à un de ces accumulateurs d'électricité qui, une fois en marche, éclairent d'une lumière franche. À l'écouter, mon souffle s'apaise.

— Tu te souviens ?

Elle me rappelle notre consternation quand, dans une série télévisée, nous avions vu mon père embrasser une autre femme que ma mère. Il avait décroché un rôle important dans *François Gaillard ou la Vie des autres*. Nous étions allés le regarder chez une des voisines espagnoles qui avait la télévision.

Notre malaise dura des semaines. Chaque soir, quand ma mère avait fermé la porte, nous en discutions dans le lit. Dans ces moments-là, il n'y avait plus entre nous ni railleries ni rivalités. J'abandonnais le ton abrupt de l'aîné, je laissais de côté ma jalousie. Nous n'étions plus que deux enfants complices qui, partageant leurs inquiétudes, tentaient de se réconforter.

Nous comparions l'épouse du téléfilm avec notre mère. Elles se ressemblaient un peu, l'actrice avait les yeux plus grands et des cheveux longs. Nous en revenions toujours à ce baiser. Il l'a embrassée sur la bouche ! C'était pour nous la preuve ultime, contre laquelle aucun argument ne tenait.

Quand mon père partait jouer au théâtre, nous lui lancions des regards suspicieux, certains qu'il allait rejoindre son second foyer.

— C'était difficile de s'y retrouver avec des parents comédiens, conclut-elle.

Je l'interromps, lui demande si elle aussi est en colère.

— Mais moi je n'ai pas oublié, me répond-elle. Je n'ai pas cherché à tout effacer.

Elle se tait un instant avant d'ironiser.

— Il aurait mieux fait de me demander à moi d'écrire l'histoire des Aderhold...

Je sursaute.

La famille est un mélodrame où chacun se plaint de son rôle, jalouse celui des autres. Même si elle et moi avons su dès notre enfance à quoi nous en tenir, nous n'en avons jamais parlé.

Le personnage du jeune premier taciturne me revenait. Celui de ma sœur relevait de la comédie, la bonne fille, contente en tout, en tout rieuse. Nos bêtises étaient en rapport avec notre emploi. Les miennes recelaient un caractère de gravité. Elles nécessitaient des sermons. Celles de ma sœur finissaient en anecdotes joyeuses que l'on rapportait à la famille. Mon père, d'ordinaire si intraitable, ne s'emportait pas contre elle. Il n'y avait pas à mes yeux d'injustice plus violente.

Un signe ne trompait pas : elle n'avait pas été affublée d'un prénom révolutionnaire. Garçon, elle aurait dû s'appeler Friedrich en hommage à Engels. Fille, elle se vit attribuer celui d'une des héroïnes du *Rouge et le Noir*, Mathilde. C'était également ainsi que se prénommait la sœur de mon grand-père, la réprouvée de la famille. Ma grand-mère ne l'évoquait qu'à regret. Elle en faisait un phénomène de foire, insistait sur sa taille, plus d'un mètre quatre-vingts, son poids, près de cent kilos. Son existence était à l'image de sa corpulence, contre-nature. Elle montait sur son dos jusqu'à sa chambre de bonne d'un immeuble de Boulogne les matelas qu'elle cardait, buvait un litre de vin blanc par jour, accumulait les amants. Sa mort, en 1942, lors du bombardement allié des usines Renault, sonnait comme un châtiment pour celle qui vivait en marge de l'histoire familiale.

Nous avions chacun notre fantôme, qui hantait nos destinées.

— Et la fois où tu m'as forcée à aller chercher le ballon chez le voisin qui avait un berger allemand... ?

Mon père n'envisageait pas pour elle d'engagement communiste, pas de Grand Soir ni de bagarres, pas d'héroïsme ni de preuves à donner de sa fidélité. Il ne redoutait pas qu'elle le trahisse.

Elle n'était pas au cœur de l'histoire.

Les fanes de sa mémoire jonchent son existence. La politique a disparu dans son récit, ne reste plus qu'un père sévère dont elle subissait les réprimandes. Notre enfance est comme un film où l'un des spectateurs aurait conservé en mémoire l'intrigue et l'autre, les dialogues.

Mathilde mit toute son énergie à devenir un cancre. Elle collectionna les rendez-vous avec les instituteurs, les convocations de l'administration scolaire. Elle multiplia les échecs et les crises. À l'inverse, je me montrai fils zélé, élève docile. Elle passa son enfance à essayer d'attirer l'attention, moi à ne pas me faire remarquer.

— Tu te souviens... ?

Je pleure en silence.

Chaque famille a son père fondateur. Les descendants entretiennent son souvenir comme si leur histoire commençait avec lui. Sa mémoire hante les générations suivantes, tel un astre disparu, continuant à influencer leurs actions.

Pour les Aderhold, Peter fut cet ancêtre tutélaire.

Il naquit à Coblence, le 15 décembre 1864. Ses parents tenaient une boutique de tapissier à Immendorf, un faubourg à l'est de la cité rhénane. Theodor, son père, ne disait jamais plus de trois mots de la journée. Il prenait ses repas à midi et six heures trente, s'accordait une promenade après le dîner. Les voisins, en le voyant passer sous leurs fenêtres, réglaient leur montre.

Dans son travail comme dans l'intimité, Theodor fuyait toute manifestation trop marquée de plaisir ou de contrariété. Il faisait ses Pâques, se pliait au Carême, avec piété mais sans ostentation. Il n'élevait jamais la voix ni ne s'abandonnait à rire, et semblait n'avoir éprouvé durant son existence aucun autre sentiment, hormis une paisible austérité.

Depuis l'âge de onze ans, Peter secondait Theodor à la boutique. Il en prendrait plus tard la succession, se marierait, aurait des enfants à son tour auxquels il léguerait le magasin familial.

Il ressemblait en tous points à son père. Même ton sans variation quand il s'adressait aux gens, même retenue compassée avec les clients ou le dimanche à la messe. On aurait dit Theodor en plus jeune, à un détail près. Par une bizarrerie que ses parents ne s'expliquaient pas, Peter était un colosse. Arrivé à l'âge adulte, il dépassait un mètre quatre-vingt-dix et pesait près de cent kilos. Theodor soupçonnait les origines italiennes de sa femme d'en être la cause. Les parents de Kathrin étaient de solides montagnards du Trentin.

La discrétion empreinte de sévérité affichée par le jeune homme contrastait, de façon presque comique, avec les muscles de son cou qui débordaient du col de sa chemise ou ceux de son dos dont le moindre mouvement tendait dangereusement l'étoffe de sa veste. Son regard, bleu comme celui de son père, semblait s'excuser de cette force encombrante.

Il quitta pour la première fois le quartier de ses parents lorsqu'il atteignit sa vingt-deuxième année. Appelé sous les drapeaux, il rejoignait le régiment de hussards, cantonné à l'autre bout de la ville.

La forteresse d'Ehrenbreitstein dominait Coblence comme un aigle au-dessus de sa proie. Elle était construite sur une éminence qui surplombait en un à-pic impressionnant le Rhin à l'endroit précis où il conflue avec la Moselle.

Un capitaine remarqua la stature imposante de Peter, en fit son ordonnance. Une nuit l'officier le tira précipitamment de son sommeil. « Debout ! » La voix nasillarde se fraya un chemin à travers ses rêves. Il sursauta. Le capitaine, sa cravache à la main, se tenait au-dessus de lui. Il lui ordonna de réveiller la compagnie. L'air froid de la cour acheva de dissiper l'engourdissement de Peter. « Ces abrutis ne comprennent rien à l'art de commander. » Le capitaine avait parié que n'importe qui était capable de

diriger l'exercice. Les hommes attendaient en rangs serrés.
« Compagnie prête ! » beugla le sergent. Le capitaine fit
signe à Peter. « Ne me déçois pas. » Les soldats pivotèrent
d'un quart de tour, battirent des pieds sur le pavé, puis
s'élancèrent. L'officier agita sa cravache. « Plus vite ! »
clama Peter d'une voix hésitante. « T'as de feignants ! » lui
souffla le sergent. Il répéta l'insulte, en suivant du regard
ses camarades longer les bâtiments à petites foulées. Le
fort se composait de deux bâtisses en contrebas, dispo-
sées en éventail, qui comprenaient les écuries, la sellerie
et les magasins à fourrage. Une allée montante menait aux
cantonnements disposés autour d'une cour qui formait un
vaste cercle. Ils tournaient comme des chevaux dans une
arène. « Au pas de course ! » Ils passaient près de lui, fixant
le dos du soldat devant eux. Plusieurs, la bouche ouverte,
cherchaient leur souffle. Aux fenêtres du mess, les officiers portaient des toasts. Les rangs s'étiraient. « Resserrez
derrière ! » Peter sentait contre son oreille l'haleine chaude
du sergent, qui lui déclamait les ordres. « Un chef doit
savoir réveiller l'instinct de ses hommes. Je ferai d'eux une
meute. » La musique des godillots sur les pavés envahissait
l'esprit de Peter. La force qu'il avait fait naître tournoyait
dans la cour, sous ses ordres. Des chevaux que l'on fatigue.
« Mets-y plus de cœur si tu ne veux pas les rejoindre. »
Un homme glissa, entraînant dans sa chute les deux
conscrits derrière lui. La cravache fendit l'air en un sifflement serpentin. Le sergent tendit à Peter son revolver.
« Relève-le ! » L'homme, plié en deux, tentait de reprendre
sa respiration. Peter reconnut un de ceux avec qui il descendait en ville à la fin du service. L'autre lui jeta un regard
bovin. « Debout ! » Le soldat n'esquissa aucun geste. Peter
lui tendit la main. « Qu'est-ce que tu fous ? » gueula le
sergent. « Cogne ! » Peter lui décocha un coup de pied. Une
lueur de mépris darda dans les yeux du soldat. « Lève-toi

abruti ! » La rage de sa propre voix surprit Peter. La compagnie se reforma, reprit sa course. « Ils vont te haïr. C'est un bon début. Ils commencent à ressembler à des guerriers. » Peter commandait maintenant sans que le sergent ait à intervenir. À chacun des passages de la colonne, il la suivait au pas pendant quelques mètres. Il éprouvait un soulagement violent à distribuer des coups aux traînards. « Plus vite bande de mauviettes ! » La cravache, recroquevillée dans le dos du capitaine, exécutait de petites virevoltes comme la queue d'un cheval. Peter aurait pu tuer. Le sergent qui lui donnait des tapes satisfaites sur l'épaule. Un des officiers au balcon. Un des conscrits qui courait comme une poule au cou coupé. Le sous-officier dut lui répéter l'ordre de fin. Des applaudissements fusèrent du mess. Le capitaine salua. « Te voilà caporal... »

Dans les semaines qui suivirent, le souvenir des manœuvres ne cessa de hanter Peter.

Il songea à s'en ouvrir à son père, n'osa lui avouer la profondeur de son trouble. Son malaise grandissant au fil des jours, il se surprit cependant à voir Theodor sous un jour nouveau. Peter remarqua chez lui d'infimes manifestations de contrariété, un léger froncement de sourcils, un hochement à peine perceptible. Jusqu'alors, faute d'attention suffisante ou pesanteur de l'habitude, ces signes lui avaient échappé – tout le reste de sa vie, il devait se demander s'il ne les avait pas imaginés. Il en vint à la conclusion que, sous l'apparente répétition de ses gestes, Theodor se livrait à la même sourde lutte contre la force que Peter venait d'éprouver.

Il se convainquit que son père était en proie à une passion de la mesure, comme d'autres s'abandonnent au jeu. Une façon de circonscrire ce que les Allemands appellent le *Weltschmerz*, la tristesse du monde. Une fois qu'il vous saisissait, vous envahissait, il ne vous restait plus qu'à le combattre sans relâche telle une maladie incurable. Le *Weltschmerz* ne lâchait jamais sa proie. On pouvait, à la façon de son père, le contenir par un exercice d'ascèse quotidienne, ou bien s'y abandonner comme à une luxure. Il y a une luxure de la mélancolie, une débauche sauvage, véritable alcool qui assomme la peur en chacun de mourir. Peter y résista de toutes ses forces. Il témoigna une ponctualité sans faille à accomplir ses tâches journalières, mais n'y mettait aucun zèle, s'efforçant de se déprendre de sentiments trop marqués. Il prenait exemple sur son père. Trop de gens croient que la discrétion est une affaire de faiblesse, un manque de personnalité. Peter devinait qu'il s'agissait plutôt d'un cilice, pour éviter de succomber au désordre.

Il crut en avoir triomphé. S'il avait pu en parler à Theodor, il aurait compris qu'il s'agissait là seulement d'un effet de sa naïveté.

Un matin, il quitta le domicile familial pour rejoindre la forteresse.

Il avait descendu l'escalier de la maison, le talon sur la contremarche pour éviter de faire craquer l'extrémité du giron sous son poids, puis poussé le rideau en gros coton qui donnait sur le magasin. Les images, inlassablement, se présentaient à sa mémoire. Il avait longé la double haie de fauteuils aux motifs sombres, et la rangée de tiroirs profonds et minces où étaient disposés les mètres de tissu. Il avait refermé derrière lui la porte, un geste du poignet afin d'atténuer le cliquetis du pêne. Dans toutes ces visions, il tentait désespérément de deviner pourquoi sa mère n'était pas derrière le comptoir comme à son habitude. Quand il n'y avait pas de clients, elle trouvait toujours à s'occuper. Elle ne s'arrêtait que lorsque Peter entrait dans la pièce. D'une main elle vérifiait l'agencement de son chignon, se haussait sur la pointe des pieds, tendait ses lèvres qu'elle faisait claquer contre la joue de son fils.

Elle était restée ainsi figée dans sa mémoire, dans cette pose en équilibre, le cou en avant, les traits tendres et inquiets à la fois, comme si elle le plaignait déjà des décennies d'ennui qui l'attendaient dans cette boutique.

Par la suite, à force de remâcher les circonstances de cette journée, il en était revenu, contre toute raison, à ce seul fait : le matin même, il était sorti sans l'embrasser. Il ne pouvait s'ôter de l'idée que, sans ce baiser manqué, il aurait été en mesure d'affronter les événements. Au lieu de cela, une inquiétude diffuse dont il n'avait pas su, sur le moment, discerner le motif, ne cessa de croître. Lorsque survinrent les premiers signes de la catastrophe, la certitude d'un malheur embrouillait déjà son esprit.

Ce matin-là, le capitaine passa en revue sa compagnie. Il s'arrêta devant Peter, examina sa tenue. Sa corpulence le rendait impropre aux uniformes comme au costume. Sa veste bâillait sur son torse, ses manches débordaient ses bras. Une légère grimace parcourut les lèvres de l'officier. Il se recula d'un pas. Sa cravache cingla la joue de Peter. Au garde-à-vous, le regard fixe, il ne broncha pas sous le coup. La rougeur irradia lentement le visage, depuis la fine raie violacée soulignée par une pointe de sang. « Tu vas goûter à la puissance de la haine », lui murmura le capitaine.

Il s'emporta contre les Rhénans, tout juste bons à faire du vin. « Je ferai de toi un vrai hussard. »

Peter reprit ses occupations sans rien laisser paraître. Il répondit évasivement aux questions des autres conscrits sur sa joue ensanglantée. Il cira comme à l'accoutumée les bottes de son capitaine, le servit au mess avec son habituelle ponctualité, remplit son service avec la même rigueur exempte de tout zèle.

Rouge

En fin d'après-midi, il gagna la chambre de l'officier. Sans marquer d'hésitation ni de précipitation, il s'empara de son sabre, accroché à la patère derrière la porte. Puis il se rendit aux écuries d'un pas réglé.

Le cheval du capitaine s'affaissa sans un bruit quand Peter l'égorgea.

Nous dormions dans les lits où étaient morts nos ancêtres. Tous les étés, en compagnie de ma cousine, d'un an plus jeune que moi, Mathilde et moi passions nos vacances chez ma grand-mère. Elle avait quitté Decazeville pour se retirer à Salviac, le village du Lot dont elle était originaire. Mon arrière-grand-mère s'était éteinte dans celui de ma sœur et de ma cousine, mon grand-père dans le mien. Chaque soir, l'un de nous le rappelait aux autres au moment de se coucher. Ma grand-mère haussait les épaules. Elle y avait vu le jour aussi. Un lit, on y naît, on y meurt. Et on y dort, se fâchait-elle en coupant la lumière.

La nuit silencieuse de la campagne nous effrayait. Le craquement du parquet, le claquement d'ailes d'un oiseau ou la course d'un chat errant sur le toit, parfois les souris qui traversaient à petit bruit la chambre, tout résonnait lugubrement. Nous nous recroquevillions sous les draps, dont les rabats sur les couvertures portaient en filigrane les initiales brodées de mon grand-père. A. G., Aderhold Georges.

Le matin, je retrouvais quatre copains dans la grange derrière chez ma grand-mère. Grâce à des planches récupérées chez le menuisier au bout de la rue, nous fabriquions un tank ou un sous-marin, selon l'inspiration du moment. Dominique, le plus âgé d'entre nous, avait récupéré un poste de radio hors d'usage qui nous servait de radar. J'étais parvenu à convaincre ma grand-mère de me prêter le casque de poilu de son père. L'après-midi, nous rallions à vélo la piscine municipale. Ou bien nous partions pêcher dans les petits ruisseaux alentour.

Ma grand-mère ne me punissait que rarement. Quand je poussai ma sœur dans la fontaine du village, je fus condamné à rester au lit la journée. Provenant de la ruelle, je discernais les bruits des jeux auxquels se livraient mes copains, reconnaissais leur voix, avec le sentiment d'être mort et oublié. Lorsqu'elle m'autorisa à descendre pour le goûter, je filai à la cuisine l'embrasser, touché par la grâce du châtiment. Elle m'apporta mon gâteau préféré, un paris-brest qu'elle avait acheté juste avant de lever ma sanction. À la fin, elle me glissa une pièce de cinq francs avec un sourire de conspiratrice.

La famille se décomposait pour elle en de multiples cercles. Au cœur, ses deux fils et son unique petit-fils. Plus elle était fière de nos succès, mon oncle et ses deux pois-sonneries à Decazeville, mon père et sa carrière au théâtre – elle découpait les articles du *Midi Libre* qui lui étaient consacrés –, ma réussite scolaire aussi, plus elle s'inquié-tait. Sa bouche, pincée en une moue mauvaise, ses sourcils plissés disaient sa peur que tout s'évanouisse : la fatalité frappait les orgueilleux au moment de leur triomphe.

Ma grand-mère instillait dans chaque geste une menace. Des clous rouillés, tapis le long des planches, se dressaient prêts à nous inoculer le tétanos. L'hydrocution nous guet-tait si nous ne respections pas le temps de la digestion, fixé à deux heures et demie. Des vipères rôdaient dans les herbes près des ruisseaux où nous allions pêcher. Le récit du décès d'un voisin venait en appui de ses admo-nestations. Elle ajoutait quelques circonstances horrifiques censées graver dans notre esprit la peur du danger. Le médecin avait dû casser les dents du fils Couderc pour lui donner à boire, la mâchoire tétanisée par la maladie. Les frères Momméja s'étaient noyés sous les yeux de leur mère, le premier foudroyé à peine entré dans l'eau, l'autre en lui portant secours. Le père Vidal, piqué par un serpent, avait expiré devant les clients de la pharmacie, parcouru de convulsions comme la truite échappée de sa gibecière dans sa chute. Nous étions livrés à l'imagination sans limite de ma grand-mère. Un homme avait trouvé la mort en mangeant trop goulûment sa pêche. Une guêpe glissée dans le noyau l'avait piqué dans la gorge. La crainte tissait sa toile et nous étions comme les mouches qui agonisaient le long des rubans de glue jaunâtre dans le salon.

La campagne recelait la même violence hostile que les paysages désertiques de western. Les chats écrasés sur la route, boyaux saumâtres maculant le goudron, les souris desséchées que l'on ramassait dans les recoins de la grange, les lapins du clapier qui, les jours de fête, se vidaient de leur sang, l'œil crevé, le clamaient. Aussitôt descendu du car qui nous amenait depuis la gare de Gourdon, j'étais saisi par une inquiétude qui allait grandissant jusqu'au jour du retour. Et je passais mes vacances dans un état de ferveur angoissée, dans l'attente que survienne un drame.

Une fois, je jouais dans la cour, près de l'étable. Quatre hommes en étaient sortis accompagnés d'un cochon. Trois l'avaient maintenu pendant que le dernier lui assénait un coup de masse sur le crâne. L'animal s'était affaissé en poussant des grouinements rauques. Il échappa soudain à leur étreinte, fonçant sur moi. Je grimpai au portail, m'écorchai les mains aux ferrures. Le cochon donnait des coups puissants contre les battants. Les hommes s'approchèrent avec lenteur. L'un d'eux lui trancha la gorge. Les cris aigus, désespérés de l'animal envahirent l'air. Ils m'effrayèrent plus encore que le sang qui versait à gros jets dans la cuvette. Les hommes riaient, m'encourageaient à observer son agonie.

Un des moyens dans l'esprit de ma grand-mère de se concilier les forces du destin consistait à rendre visite à notre parentèle installée dans le village et ses environs. Notre sollicitude envers tous attestait de notre humilité, malgré notre réussite. Même les grands-oncles souffreteux, les petits-cousins désargentés avaient droit à notre considération.

Elle nous emmenait avec elle, nous promettait une pièce de cinq francs si nous nous tenions bien. Cela consistait à embrasser les joues flasques qui s'offraient à nous, à répondre poliment aux questions, puis à écouter les discussions sans bouger.

Chacun à tour de rôle donnait des nouvelles de sa parenté respective. Une fois ce tour d'horizon achevé, un bref silence s'instaurait. S'il s'agissait de parents éloignés, ça marquait l'heure de prendre congé. Mais dans le cas de familiers, la conversation reprenait. L'hôte adoptait une brusque gravité, risquait une question pleine de sous-entendus. Dès notre arrivée, je me préparais à ce moment, propice aux confidences, cherchais à me faire oublier. Un signe de tête de ma grand-mère m'obligeait à sortir à contrecœur.

À la maison, mes parents nous traitaient souvent comme des grands, se comportaient eux-mêmes en enfants, en tout cas les uns et les autres étions soumis aux mêmes règles – l'exploitation capitaliste n'épargnait personne.

À Salviac au contraire, je pouvais sentir la présence du monde des adultes, occulte et parallèle. J'appris peu à peu à profiter des rares occasions où il se dévoilait fugitivement. Les quelques mots interceptés lorsque je passais près de ma grand-mère au téléphone, les commérages chez les commerçants me mettaient sur la piste.

La visite aux cousins Taillardas m'en révéla toute
l'étendue.

Ils tenaient une épicerie-charcuterie dans le haut du
village. Nous nous y rendions deux fois, au début et à la
fin des vacances, preuve de l'intérêt que leur portait ma
grand-mère.

La cousine Alice était volubile. Elle arborait une sempi-
ternelle blouse blanche, un léger chignon au-dessus de la
tête et un rouge à lèvres vif. Elle ponctuait ses phrases d'un
« et précisément voilà pourquoi ». Je n'en comprenais pas
le sens mais je voyais ma grand-mère hocher la tête d'un
air entendu.

Mathilde et moi ne l'aimions guère. La cousine Alice
disparaissait dans l'arrière-boutique, en revenait avec un
paquet de gâteaux que, sitôt sortie, ma grand-mère jetait
dans une poubelle. La cousine profitait de notre venue pour
se débarrasser du stock d'invendus à la date de péremption
depuis longtemps dépassée.

— Et sinon Pierrot... ça va... ? demanda la cousine.

Le hochement de ma grand-mère m'avertit de l'imminence des révélations. D'un regard, le cousin Gaston rappela
ma présence. Je ne l'avais jamais vu que portant un béret,
une moustache fine et une veste de travail à petits carreaux.
Sa grande taille et sa maigreur le faisaient ressembler au
Don Quichotte de Gustave Doré.

Je m'éloignai à regret, écartai le rideau de lanières en
plastique qui pendait dans l'encadrement de l'entrée. Une
idée me traversa l'esprit. Je laissai la porte entrebâillée pour
pouvoir m'échapper sans que le timbre de la sonnette me
trahisse, m'agenouillai, l'oreille collée aux lanières. Ma
grand-mère se lamentait. Mon père s'était battu avec deux
types, à propos de De Gaulle. Il avait eu le nez cassé, la lèvre
fendue. Les rancœurs accumulées remontaient, le refus
paternel de reprendre la poissonnerie, les crève-la-faim

invités à son mariage, la Buick de mon grand-père emboutie, les visites des gendarmes... Jusqu'au prénom du petit,
conclut-elle. (« C'est allemand, non ? – Suédois. – Pourvu
que cela ne porte pas malheur au petit !... »)
Ma grand-mère se tut un instant. Je me penchai davan-
tage, ma tête apparaissait presque au milieu des lanières.
J'entendis la cousine Alice s'exclamer :
— Et précisément voilà pourquoi !
Quelqu'un poussa la porte de la boutique. Absorbé par
ces révélations, je ne l'avais pas entendu venir. Il me heurta.
Penché plus qu'à demi contre le rideau, je perdis l'équilibre.
— Les Aderhold sont tous..., reprit ma grand-mère.
La tête la première, je m'étalai sur le carrelage de la salle.

Dans la glace, chaque matin désormais, je vois remonter le visage paternel sous mes traits. Ses expressions envahissent les plis autour de mes yeux. Son air dur fixant les autres devient le mien. Les inflexions des sourcils sans que je le leur commande me donnent le même regard. « On ne guérit pas du communisme. » La phrase de Nizan n'a cessé de me hanter.

Parfois je me convaincs qu'il ne m'en reste rien. Je ne vote plus, m'en désintéresse même. L'ironie me donne l'illusion commode de me dédouaner de mon passé. Je prétends que mon prénom vient d'un ancêtre allemand ou évoque Carl Lewis.

Il y a aussi ce sentiment de honte. Je me sens comme un enfant de collabo. J'ai fait l'année dernière la connaissance d'un fils de Lituanien ayant fui le régime soviétique. Je prends pour un réquisitoire son récit des horreurs commises par le parti au pouvoir, coupable par mon aveuglement d'avoir soutenu ce système, favorisé son maintien. Sa haine est franche, je lui ai offert mon amitié avec le secret espoir qu'il me pardonne.

« Tu réécris l'histoire. » Mon père, le visage fermé, m'apparaît. J'ai le souffle court, la rage aussitôt ressurgit.

Hier soir, j'ai engueulé Simon, mon fils de quinze ans, au sujet d'une broutille. Il avait laissé traîner ses baskets dans l'entrée. Une colère mauvaise me débordait. Je ne pouvais plus m'arrêter. Je hurlais, comme si un autre parlait à ma place. Les larmes me montaient à mesure qu'il se décomposait et je souffrais avec lui de cette hargne sans frein. Je me suis excusé ce matin, tout aussi maladroitement. J'avoue mes torts, tous mes torts, je fais mon autocritique, emporté par mon désir de lui prouver que je l'aime. Simon fond en pleurs, submergé par l'émotion, je lui promets d'être un meilleur père. Il s'enfuit de la pièce comme s'il venait d'assister à une scène qu'il n'aurait pas dû voir.

Tu n'es plus toi-même, se lamente Catherine, ma femme. La lueur attristée de son regard achève de me convaincre. Déjà trois mois que je suis descendu avec ma sœur pour vider la maison de mon père et rien ne semble pouvoir endiguer la marée des remémorations. C'est comme si je n'arrivais plus à être dans le présent.

Je m'assieds dans le canapé, démuni. Je ne sais pourquoi le seul fil qui me relie encore à l'enfant que j'étais est cette angoisse lancinante.

Il flottait autour de mon père une perpétuelle tension, même dans les moments d'abandon, même quand nous riions avec lui.

Nous grandissions avec la conviction qu'une menace planait sur nous. La bombe, les capitalistes, de Gaulle, le voisin raciste. Mon père nous enseignait à être sans cesse sur nos gardes. Nous nous abandonnions à la jouissance de la peur. Un sentiment d'être vivants nous habitait chaque fois que nous nous retrouvions dans la posture de victimes.

Oui, voilà. J'ai eu peur toute mon enfance.

Il avait toujours une raison de se battre. Uppercuts et coups de boule. Il se contractait. « La force d'un homme tient dans ses reins. » Il explosait. Son front percutait l'arête du nez. Rage et sang mêlés. L'os brisé. L'autre s'affaissait, la tête dans ses mains.

Le parti fut son salut. Avec lui, il renonça aux bagarres personnelles. Il s'y inscrivit en novembre 1956 – quelques jours après que les chars soviétiques eurent écrasé les Hongrois. Les films d'Eisenstein, les *Dix jours qui ébranlèrent le monde* de John Reed, qui donnaient à la révolution russe un souffle épique, avaient achevé de convaincre mon père. Mais au vrai, le PC était un formidable tue-l'amour pour quiconque y adhérait avec romantisme. C'était même le prix à payer. À tous les niveaux, les dirigeants prenaient un malin plaisir à briser l'exaltation des nouveaux.

Mon père se contraignit à la discipline tel un boxeur aux salles d'entraînement. Il cogna politique.

Dans tous les théâtres de la banlieue rouge, on jouait de ces spectacles militants auxquels mon père participa avec l'impatience d'en découdre. Son courage physique autant que son talent lui valurent d'être engagé dans *Le Vicaire* de Rolf Hochhuth. La charge contre le pape Pie XII, accusé d'avoir gardé le silence sur le génocide juif pendant la guerre, suscita l'ire des milieux catholiques extrémistes. Deux soirs de suite, des manifestants grimpèrent sur les planches pour s'en prendre aux acteurs. Dès son texte crié pour couvrir les sifflets à roulette, mon père rejoignait les coulisses, où, caché derrière le rideau, il observait la salle. Au moindre mouvement, il se précipitait sur le plateau pour intercepter le spectateur téméraire et le rejeter d'où il venait à grands coups de poing. Un soir, un homme s'avança dans la travée. Mon père bondit de derrière les rideaux. L'autre lança sur la scène une grenade à plâtre. Elle atterrit au pied des acteurs, explosa en un bruit assourdissant. La salle hurla pendant que des spectateurs maîtrisaient l'énergumène. La fumée se dissipa. Couvert de poussière, mon père, d'une voix forte, annonça la reprise de la représentation, bientôt salué par les applaudissements.

Ça se produisait toujours par surprise. Soudain quelque chose le contrariait, un mot, un geste. Il se rembrunissait, se redressait. Je connaissais par cœur les signes avant-coureurs. Son sourcil gauche remontait, se déformait en une pointe de flèche. Sa mâchoire se crispait. Puis les muscles des joues étaient parcourus de soubresauts de plus en plus rapides. La fatalité, expliquait-il à ma mère. Le caissier lui demanda mon âge. Mon père avait décidé de m'emmener voir *Les Sentiers de la gloire* de Kubrick. « Il faut que tu saches les crimes de l'armée française ! » Je scrutais les photos du film au-dessus du guichet, me promettais de les rejouer avec mes petits soldats.

Croyant que le guichetier lui posait la question pour nous faire bénéficier du demi-tarif, il répondit que j'avais dix ans.

— C'est interdit aux moins de treize ans.

Mon père tenta de lui faire entendre raison. Il avait bien le droit de m'emmener voir ce qu'il pensait bon pour moi. À moins que l'autre ne fût d'accord avec les généraux qui fusillèrent les mutins.

— C'est interdit aux moins de treize ans...

Il se faisait répéter la dernière phrase, comme s'il voulait s'assurer de son bon droit, éviter toute interprétation en sa défaveur par la suite. Ou plutôt comme s'il laissait à l'autre une dernière chance de se rétracter.

— C'est interdit...

J'aurais voulu pouvoir le dire au caissier. S'il y avait bien une chose que mon père détestait, c'était ce timbre monocorde de l'employé, imperméable à tout raisonnement, retranché derrière le règlement pour clore la discussion. Je fixais le malheureux dans l'espoir qu'au ton de la voix paternelle, ferme mais encore polie, il battrait en retraite.

La main de mon père se glissa par l'ouverture de la vitre, saisit le guichetier par le col de sa chemise, le plaqua violemment contre la caisse. L'autre couina. « Donne-moi ce putain de billet si tu tiens à ton nez... »

J'ai vu tant d'hommes rossés par lui. Je m'imaginais à leur place, bousculé, jeté au sol, pantin fragile, à qui la rage paternelle ôtait toute dignité. Des gamins gémissants. À l'appel du nom des enfants, le moniteur du centre aéré leur jetait leur carte de cantine en l'air, faisait mine de dégainer son revolver et mimait le bruit d'une balle atteignant sa cible. Nous devions la ramasser ensuite sans un mot et gagner l'autre côté de la salle.

Par la porte entrouverte, j'aperçus la tête de mon père. Le moniteur lui tournait le dos.

— Ader...

Je le regardais comme s'il était déjà condamné.

— Ader... mold...

Il écorcha à plaisir mon nom.

— Aderpold... Aderschmold... C'est quoi ce patronyme ? T'es un souvenir de la guerre... ?

Il ricana.

On aurait dit un de ces mauvais scénarios de films catastrophe où les victimes repoussent les chances qu'elles ont d'échapper à leur perte. Elles s'y précipitent au contraire avec un brin de forfanterie, comme si les scénaristes voulaient nous faire sentir la responsabilité de leur erreur.

— Ton père était où en quarante... ?

Ma carte vola dans la pièce. La porte s'ouvrit dans un grand fracas. Le moniteur traversa la salle, heurta le radiateur. Les yeux égarés, il se frotta le front. Du sang apparut sur ses doigts. Mon père se pencha au-dessus de lui. « Si je te reprends à ces méthodes de fascistes, je t'éclate la gueule comme une merde. »

Les gens autour de nous jetaient des regards effrayés, leur gêne surtout me paralysait. Je fermais les yeux, souhaitais que l'autre se relève, disparaisse, qu'il ne reste plus aucune trace de l'esclandre.

Nous n'allions plus chez l'épicier en bas de chez nous. Mon père lui avait asséné un coup de boule, à cause de ses propos racistes. Nous étions fâchés avec le voisin du dessous. Il était monté un soir pour se plaindre du bruit. Ma sœur et moi nous tenions cachés derrière la porte de notre chambre. Le voisin avait redescendu les marches à coups de pied.

Je n'éprouvais aucune fierté des rixes victorieuses de mon père. De l'inquiétude seulement, persuadé que je devrais, une fois adulte, me livrer au même cérémonial, cogner, encaisser, certain de ne jamais y arriver. Mes parents m'expliquaient que je ne devais pas battre ma sœur. « Seuls les fascistes agissent ainsi » appuyait mon père. Les jours suivants, il rentrait le visage tuméfié.

J'ai eu peur, c'est vrai. Une peur vive, pure comme les enfants aiment aussi à en ressentir. Par la suite, elle a tourné à une angoisse profonde, poisseuse, étouffante. Ma rage n'en est que le paravent.

La peur ne m'a pas quitté. Elle s'est muée avec le temps en une tétanie dès que, dans la rue ou au restaurant, les éclats d'une conversation, le bruit d'une altercation me parviennent. Instantanément un voile blanc m'encombre, un bourdonnement aigu couvre les bruits, comme si je redoutais d'entendre mon père me souffler à l'oreille d'intervenir. Il m'est arrivé de me trouver pris dans une bagarre, incapable de rendre le moindre coup, paralysé.

Chaque année à la fin de l'hiver, mon père partait trois mois en tournée avec les Tréteaux de France. Il s'exaltait d'apporter les classiques du répertoire dans les villages du Massif central, des monts d'Arrée ou de Bourgogne – et plus encore, de renouer avec une vie sans contrainte familiale. Il emmenait avec lui les drames qui s'attachaient à ses pas. Le silence étrange qui s'abattait alors sur nous nous laissait les premiers jours dans un état d'hébétude.

Nous restions seuls avec ma mère.

Elle avait renoncé au théâtre après la naissance de Mathilde. Ce ne furent pas les désillusions et leur répétition éreintante qui eurent raison de sa volonté. Débarquée à Paris en février 1958, à l'âge de vingt-deux ans, suivant le cours Charles Dullin du TNP, elle travaillait à mi-temps dans un pressing à Nanterre. Pendant trois ans, dans la moiteur de l'arrière-boutique, elle batailla contre les faux plis aux jabots de dentelle ou sur les empiècements des chemises en lin, tout en récitant les rôles qu'elle préparait pour son cours. Mon père recherchait une renommée si grande que la moindre contrariété le plongeait dans une dépression violente. Pour ma mère, non moins exaltée, peu importaient la pièce, la taille des répliques, l'intérêt du personnage. Il lui fallait être sur les planches. N'importe quelle bonne, n'importe quelle potiche faisait l'affaire. Des élèves du TNP étaient parfois pris comme figurants. Ma mère passa l'audition pour être la doublure de Suzanne Flon dans *On ne badine pas avec l'amour.* Troublée par la salle vide, elle coupa le comédien chargé de lui donner la réplique, provoqua l'hilarité des machinistes. Elle s'écroula dans les coulisses, en sanglots. Gérard Philipe surgit. Il se pencha au-dessus d'elle. « Ce n'est pas un rôle pour toi...» Elle refusait de se lever. Il finit par lui murmurer, de sa voix si douce : « Je te prends pour faire la bourgeoise dans *Lorenzaccio.* » Une lueur amusée glissa dans le regard du régisseur, comme si l'acteur était coutumier de ce genre de frasques. Telle une reine à qui l'on venait de rendre son royaume, ma mère, les yeux rougis, traversa les coulisses au bras de l'acteur.

Elle décrocha ensuite un petit rôle dans *Les Trois Mousquetaires* de Planchon, la servante de la reine. « Comment va votre enfant, Estefasa ? » lui demandait Louis XIII. Elle répondait : « Il a fait une dent sire...» puis sortait côté cour.

Non, ce ne furent pas les petites morsures du réel mais un profond manque de confiance qui eut raison de sa volonté. Le doute qui l'épuisait avant la représentation ne la lâchait pas en scène. Elle épiait ses intonations, se reprochait une réplique balancée trop vite, un silence trop appuyé. Tout en déclamant la suite de son texte, elle se remémorait le passage raté.

Elle supportait également très mal les jugements sur son physique. Une jeune première n'est qu'un corps dont on estime les attraits. Trop petite, trop grande, trop jeune, trop âgée, trop châtain, trop claire, trop maigre, trop ronde, pas assez sensuelle...

Susciter les regrets des quelques-uns ayant cru en elle, conserver l'image d'un talent prometteur à qui un peu de chance manqua suffirent à son bonheur.

Lorsque mon père s'absentait en tournée, elle donnait libre cours à sa fureur inventive. Un soir, elle se confiait à nous comme si nous étions ses plus vieux amis ; un autre, elle nous servait à manger avec des gestes las, poussait des soupirs, reproche à peine voilé de lui gâcher l'existence ; un autre encore, elle nous couvrait de caresses, nous appelait sa lumière.

Le moment du coucher marquait celui de son apothéose. Devant un public tout à sa dévotion, ma sœur et moi, elle lisait quelques pages. Mon père s'opposait à tout ouvrage des Bibliothèques rose ou verte qu'il estimait par trop empreintes de morale chrétienne. Il ne tolérait que les grands classiques. Tout plaisir se devait d'être didactique. Nous découvrîmes ainsi après *Tom Sawyer*, *La Guerre des boutons*, *L'Île au trésor*.

Lorsqu'ils s'appliquent à bien lire, la plupart des parents, moi le premier, s'efforcent à suggérer la peur, la joie ou toute autre sensation, en prenant la bonne intonation. Ils affublent chaque héros d'un ton particulier, tel un instrument dans un orchestre. Celui des méchants est grave, menaçant, les bons ont un timbre allègre ou naïf. L'art de ma mère consistait au contraire à prendre au sérieux l'histoire, à privilégier ses ressorts sur la mise en scène des émotions.

Elle croyait à la tradition, celle de la tragédie, du roman populaire, avec une telle force que nous avions, en l'écoutant, le sentiment d'un univers disparu.

Robinson Crusoé fut son plus grand succès. Nous ne remarquions même pas qu'elle jetait à peine un regard aux pages. Elle les parcourait, s'en formait une idée, s'abandonnait à son imagination. Elle commentait les illustrations qui émaillaient l'ouvrage ou bien ponctuait le récit de silences, prolongeait exagérément notre attente. Pendant les mois que dura la lecture, le défilement des journées n'eut d'autre intérêt que de nous amener à l'heure du coucher.

La découverte par Robinson d'une empreinte de pas sur la plage nous plongea dans une excitation incontrôlable. Ma mère relut la phrase à plusieurs reprises. L'intensité de son timbre lui donnait la force d'un mystère qui nous électrisait. Mais ce ne fut rien en comparaison du passage où notre héros aperçut les cannibales autour d'un grand feu, prêts à manger un homme. Ni ma sœur ni moi ne savions ce qu'étaient vraiment des cannibales, mais la description qu'en fit ma mère nous marqua à jamais. Elle leur inventa des visages aux pommettes lourdes, géométriques, des os fichés à la base de leur nez. Des tatouages leur couvraient le corps. Elle entonna leurs chants gutturaux et guerriers. Le soir suivant, nous nous couchâmes le souffle court. Robinson fit feu, abattit deux sauvages. Trois autres s'élancèrent vers les fourrés d'où venait l'éclair qui avait tué leurs compagnons. L'un passa près de la cachette du naufragé. Je craignis que le bruit fait en suçant mon pouce ne le trahisse, je collai mes lèvres contre mon doigt pour étouffer leur frottement. Comme chaque fois que nous arrivions à un moment crucial, elle referma le livre.

Elle s'arrêtait dès que l'un de nous s'endormait. Je pestais contre ma sœur qui ne restait jamais éveillée plus d'un quart d'heure. Robinson et les autres se tenaient tapis dans les recoins de la chambre, attendaient que ma mère tourne la clé dans la serrure, nous laissant seuls, pour surgir. Je leur faisais poursuivre des aventures. Cela ne correspondait jamais aux rebondissements inventés par Defoe. À l'époque j'ignorais tout de la vie. Mes histoires étaient sans fin, pleines de rebondissements. Elles poussaient sur les chapitres lus par ma mère comme des radicelles. Mes héros n'avaient ni passé ni conscience, rien qui puisse les entraver. Robinson et Vendredi gagnaient l'amitié des cannibales.

Ils construisaient un radeau, parcouraient l'océan et ses îles, atteignaient l'Amérique, s'envolaient en montgolfière, descendaient le Mississippi. Mes récits s'écoulaient paisibles, sans remous ni tragédies, sans puissants ni pauvres. Pour ma mère, la morale parasitait les romans, obligeait à mener le récit à son terme. Plus d'une fois elle bâcla la fin. Le combat des héros, son incertitude étaient plus importants que l'issue de l'intrigue.

Elle savait faire de même avec la vie quotidienne, transformant chaque petit événement en une scène sans temps morts. Nos souvenirs, notre présent n'existaient vraiment qu'après être passés par le prisme de son récit.

À force de le raconter, notre accident de voiture devint un de ses morceaux de bravoure avec trois moments aux tonalités bien marquées. Le prologue se voulait menaçant comme un ciel d'août se chargeant de nuées, évoquait un roman d'aventures. Il débutait par une innocente sortie en famille. En chemin, elle multipliait les signes prémonitoires, le bruit d'une sirène d'ambulance, la vision d'une automobile au coffre embouti sur la bande d'arrêt d'urgence. Elle évoquait aussi la sortie d'autoroute que nous avions failli rater, un feu franchi à l'orange, les occasions manquées de ne pas nous trouver à l'endroit précis, au moment fatal. La collision arrivait telle la déflagration d'un orage. La suite était centrée sur notre 2 CV réduite en bouillie. « Aussi fine qu'une feuille de papier à cigarettes. » Elle prenait le ton du médecin de l'hôpital annonçant à ses proches la gravité de l'état du malade. Elle évoquait la fracture du bassin de mon père, les huit mois de rééducation. Parfois, elle confiait à ses plus proches amies l'ivresse supposée de son mari, atteignant au récit naturaliste. Elle s'essayait à dénombrer les verres bus durant le déjeuner, le même exercice feint de remémoration, hésitante, « sept... huit... peut-être plus... ». Elle rappelait la déception de mon père apprenant le matin qu'il ne serait pas pris dans la prochaine mise en scène de Planchon, tel un romancier moderne, au plus près de ses personnages. « Le théâtre le tuera » lâchait-elle, avant d'ajouter « et nous avec... ». Puis, consciente que l'attention de son auditoire risquait de décrocher, elle se lançait dans le récit du « véritable miracle ». Sans transition, sa voix se faisait légère, joyeuse pour décrire mon éjection de l'habitacle depuis le siège arrière sur le capot, à travers le pare-brise. « Pas même une coupure ! » Elle exagérait les dangers encourus, avant de les réduire à rien, « indemne ! ». Le sort de ma sœur profondément blessée au genou était expédié en une incise. Dans la dernière partie, on accompagnait le destin de chacun des personnages jusqu'à l'épilogue. Mon père, claudiquant, suivait les séances de kinésithérapie, avec le courage douloureux du boxeur qui ne vit que pour remonter sur le ring. Ma sœur et moi pendant six mois chez ma grand-mère, ma mère reprenant le théâtre pendant quelques mois, nous avions tous été changés à jamais par cet accident – je tiens d'elle la prédilection pour les fins heureuses.

Il m'a fallu des années pour deviner que cette scène n'avait pu exister. Il ne restait rien de l'avant de notre voiture emboutie. Mon père gisait sur le sol. Le corps à partir du bassin était enserré par la carcasse broyée du véhicule. D'autres années encore furent nécessaires pour qu'au cours d'une séance d'analyse des fragments me revinssent. Bribes de scène, qui surgissent avec la violence des réminiscences sans arrangement ni fard. Je suis sur le rebord du trottoir. Des gens m'enroulent dans une serviette. L'odeur du macadam chauffé par le soleil m'entête. L'enfant au milieu des débris, apeuré, remonte à ma mémoire. Je suis dans le car de police secours. Des agents, avec leur képi et leur uniforme noir, leurs visages sans expression, me fixent. Mon père, sur le brancard à nos pieds, hurle. Je n'ose pas lui parler, terrorisé. Il ne s'agit pas de vérité révélée, ni d'apothéose dramatique, à cet âge on ignore encore que tout souvenir est un faux, mais de la réalité toute nue au regard de Méduse. Mon père repousse un instant la douleur en un soupir profond. Il crie « Mort aux vaches ! ». Je n'arrive pas à pleurer. Dans le récit de ma mère, il ne restait rien de tout cela. Rien de l'effroi, de la souffrance. Rien non plus du sentiment écrasant d'abandon. Une infirmière m'ôte mes sandales. Une pluie de verre brisé tombe dans la poubelle en un tintement cristallin. Un médecin parle à voix basse à ma mère. Des larmes coulent le long de ses joues. Son petit roman avait aseptisé notre mémoire. Ce n'était plus qu'une histoire que nous écoutions, aussi amortie qu'une scène de film où l'on regarde les héros se débattre, sans s'émouvoir. Il y a un dessin d'enfant accroché près du placard aux médicaments. Les rayons du soleil dessinent un rectangle sur le carrelage. Je crois que mon père est mort.

Il finissait par rentrer de tournée. Il réapparaissait un matin dans le lit parental. L'abandon du sommeil donnait à sa force une intensité encore plus grande. Elle débordait du matelas, envahissait toute la pièce, bercée par la musique menaçante de ses ronflements. Nous attendions sans faire de bruit. Il ouvrait les yeux. Nous l'embrassions intimidés. Ses bras nous soulevaient sans effort au-dessus de sa tête.

Son retour était l'occasion d'une fête, dont nous connaissions chaque étape. Nous n'allions plus à l'école pendant plusieurs jours. Il nous traînait au Louvre ou au restaurant. Nous supportions en patience les stations devant les tableaux, la succession de plats. L'après-midi s'achevait au cinéma Le Cosmos où nous allions voir un film soviétique. Nous vivions ces moments comme autant de signes qui nous rapprochaient de l'instant que ma sœur et moi attendions. Un après-midi, mon père nous emmenait nous promener. Ma mère restait à la maison. Nous remontions l'avenue Mozart. Nous nous gardions bien de lui demander où nous allions de peur de rompre le charme. Il se mettait à évoquer son père. Nous savions que le moment approchait. Mon grand-père, quand il partait une dizaine de jours avec sa femme, se faisait pardonner à son retour en demandant à mon père quel jouet lui ferait plaisir. Il lui avait ainsi fabriqué une grue en fer, d'un rouge éclatant, avec les rivets blancs, presque aussi grande que son fils. Nous marchions à ses côtés sans un mot. Ce jour-là, les ombres des Communards et des Versaillaises avaient disparu des rues, elles se faisaient même accueillantes, avec leurs bordées d'arbres. Mon grand-père s'était aussi attaqué à la réplique en bois du cuirassé *Dunkerque*, avec ses tourelles de quatre canons et son antenne radio, en bakélite blanche. Nous pouvions les admirer chez ma grand-mère, le *Dunkerque* sur le buffet du salon, la grue rangée dans le garage. Nous n'avions pas le droit d'y toucher, encore moins de jouer avec. Lorsque l'histoire s'achevait, nous nous retrouvions comme par miracle devant la devanture d'un magasin de jouets, rue de l'Assomption.

Mon père entrait. Il s'arrêtait dans le hall, nous observait au comble de l'excitation. D'un geste théâtral, il désignait les rayons. « Choisissez ce que vous voulez ! »

Après avoir égorgé le cheval de son capitaine, Peter se joignit à un groupe de conscrits qui descendaient en ville boire un verre. En leur compagnie, il franchit le poste de garde de la forteresse, gagna les berges du Rhin en contrebas. Il s'éclipsa au moment d'entrer dans un des cafés qui longeaient les quais, prétextant une visite à ses parents.

Il se cacha dans un wagon de marchandises stationné en gare de Coblence, attendit la nuit. Le personnel des écuries ne tarderait pas à faire le tour des stalles. Il devait mettre le plus de distance possible entre lui et son officier.

Le chemin le plus simple consistait à suivre le Rhin jusqu'en France. C'était sans doute dans cette direction qu'ils lanceraient les recherches. Peter se résolut à suivre l'autre fleuve, la Moselle. Le tracé était beaucoup plus long mais sûr. Il n'était jamais sorti de sa ville natale et redoutait de se perdre ou de se faire repérer en suivant les routes.

La forteresse se situait sur la rive droite du Rhin. Il lui fallait le traverser pour rejoindre la Moselle. Le seul pont était gardé par des soldats. Tout conscrit avait besoin d'un laissez-passer signé du commandant de la place pour le franchir.

Lorsqu'il fit suffisamment sombre, il ôta sa veste, noua ses chaussures autour de son cou et s'avança dans l'eau froide. Il sentait contre ses jambes, puis son torse, la poussée continue du fleuve. Il cessa d'avoir pied. Le courant le ramenait vers le pont gardé. Il progressait avec lenteur. Ses vêtements entravaient ses mouvements. De la berge, le fleuve ressemblait à un cheval auquel il suffisait de s'accrocher. Une fois dans les flots, le combat ne laissait aucun répit. Des remous menaçaient de le faire couler. La douleur gagna ses bras, ses poumons. La rage ne l'avait pas quitté. Il s'y livrait comme à une froide résolution. Il perdit une botte. Il s'agitait à grands ahans, faiblissant face à la pesée de l'onde. Il atteignit la rive en un ultime effort. Il resta un moment allongé sur la berge puis se faufila entre les rues, jusqu'aux quais de la Moselle. Il les longea, se cachant des rares passants, gagna la campagne environnante.

Les jours suivants, il ne s'écarta pas du cours du fleuve, marchant la nuit. Il n'avançait parfois que de quelques kilomètres, en raison des nombreux cingles. La Moselle tournait et retournait comme les lanières d'un fouet. L'humidité qui règne toute l'année dans la région empêchait ses vêtements de sécher. Il grelottait de froid mais ne pouvait allumer de feu sans risquer de se faire repérer.

Il confectionna une pantoufle avec un morceau de sa veste pour remplacer sa botte perdue dans le Rhin. Pour soulager son pied entaillé, il se fabriqua une béquille dans une branche d'aulne. Il ressemblait à un soudard en retraite. Il se nourrissait de fruits, s'aventurait jusqu'aux fermes isolées pour y voler des œufs. La forêt enserrait les deux rives. Parfois il s'enfonçait parmi les hêtres, grimpait une colline pour s'orienter.

Dès le deuxième jour, la fièvre ne le quitta plus. Il traversa la Rhénanie dans un état second. Il avait l'impression de s'enfoncer dans les entrailles de l'Allemagne, au cœur du *Weltschmerz*. Le vent d'ouest lui soufflait à travers les branches des aulnes les paroles menaçantes du capitaine. Le visage de l'officier l'ensorcelait. Ses joues maigres, ses pommettes hautes, si saillantes que ses yeux semblaient s'enfoncer dans ses orbites, et plus encore son absence d'expression – il était un homme sans regard – le terrifiaient. Dans l'esprit enfiévré de Peter, les traits de son capitaine se confondaient avec l'insigne qu'il arborait fièrement sur son colback noir, une fantaisie vestimentaire que personne ne se serait avisé de lui contester, une tête de mort recouvrant une paire de tibias. Sur le dessus était gravée la devise *Mit Gott für König und Vaterland.* Il ne parvenait pas non plus à oublier l'œil effrayé du cheval agonisant. Il le sentait peser sur lui dans son sommeil agité, et parfois même éveillé. D'autres fois, l'animal, la large cicatrice barrant son poitrail, surgissait devant lui, monté par le capitaine qui le menaçait de son sabre à la lame ensanglantée. Peter se jetait dans les fourrés, y restait caché jusqu'à ce que les visions aient disparu. Son père aussi lui apparaissait, les traits empreints d'une tristesse sévère, mon fils, pourquoi caches-tu avec tant d'effroi ton visage ?

Il fit un long détour pour éviter Trèves. Il longea la frontière du Luxembourg sans s'en apercevoir.

À l'instant où il sortit des forêts de Moselle, vieilli d'un coup, il aperçut une clairière, la première depuis deux semaines. Des champs aux rangées bien ordonnées s'étendaient jusqu'à l'horizon, un village au loin. Il jeta un dernier regard en arrière. Le jeune citadin avait cédé la place à un homme en colère, poussé par sa rage de s'enfuir. *In seinen Armen, das Kind war Tot.*

Peter atteignit les faubourgs de Diedenhofen, que les Français appellent Thionville. Un paysan mosellan le recueillit, à moitié mort de faim. Il le soigna, lui donna quelques vêtements civils et lui indiqua le chemin pour gagner la France. Peter franchit la frontière à la hauteur d'Étain.

La France était l'endroit le plus sûr, le moins accueillant aussi. Il gagna Paris à pied. Sa force lui valut d'être embauché aux Halles. Au bout d'un an, il se risqua à écrire à sa mère, signa sa lettre Carmelo, son nom de jeune fille, afin de déjouer la surveillance des policiers de Coblence. Il reçut une réponse trois mois plus tard. Son père était décédé au début de l'été. Il n'avait supporté ni la honte de voir son fils condamné à mort par contumace, ni les visites régulières du capitaine.

Peter rencontra Esther peu après. Ils se mirent en ménage. Elle ne lui posa pas de questions. Quand ils se marièrent, elle accepta sans broncher de devenir allemande. La loi exigeait alors que l'épouse, comme les enfants, prennent la nationalité du mari.

Ils s'installèrent à Levallois, 57 rue Poccard, se firent matelassiers, eurent trois enfants, deux fils et une fille. Ils devinrent un couple de commerçants, à la situation aisée sans être fortunée.

Il dormait peu. Sa désertion ressurgissait dans ses cauchemars, le surprenait comme une vieille blessure. Quoi qu'il fît, il était resté un Boche. Sa raison, sa volonté se heurtaient à la force de l'instinct, des émotions enfouies, jamais abolies. Souvent, il se demandait pourquoi il s'en était pris au cheval plutôt qu'au cavalier. Il aimait parfois à croire qu'il avait agi par humanité. À d'autres moments, il ne doutait pas de la cruauté de sa vengeance. Il avait tué le seul être auquel l'officier semblait capable de s'attacher.

Il n'avait jamais cessé de fuir, incertain d'avoir réussi, malgré les années, à échapper à celui que les brimades de son capitaine avaient fait naître. Il s'astreignait à la même répétition sans fin que son père autrefois s'infligeait. Chaque journée devait ressembler à celle de la veille, du moins lui fallait-il accomplir le même rituel.

En se levant, il se dirigeait à pas discrets vers la chaise sur laquelle étaient posés ses vêtements. Il enfilait son tricot de coton, puis sa chemise. Il en glissait avec soin les pans dans son pantalon avant d'ajuster ses bretelles. Il décomposait chaque geste avec un respect superstitieux. Un matin, au début de leur mariage, Esther avait oublié son caleçon. Il était resté un moment, prostré et nu. Soudain, saisissant la chaise, il l'avait lancée à travers la pièce.

Rien ne devait rester de ses origines. Il avait interdit à ses enfants d'apprendre l'allemand, « une langue de chiens ». Il surveillait chez eux le moindre signe avant-coureur de leur germanité, comme une menace. Les Boches, il ne les appelait plus qu'ainsi avec une nuance de haine dans la voix, ne connaissent que la mort, soit par inanition, vie grise et sans joie, soit par emportement, leur répétait-il.

Il pressentait chez Mathilde, sa fille, comme chez Georges, le dernier-né, la même menace. L'une s'abandonnait à des colères terribles, l'autre avait cette lueur mauvaise dans le regard que Peter connaissait bien, annonciatrice des pires folies. Il se montrait dur envers eux, dans l'espoir de les en préserver. Ils étaient pareils à ces eaux des marais à la quiétude trompeuse. Trente ans plus tôt, cette rage l'avait poussé à fuir.

Seul l'aîné en semblait exempt. Peter avait convaincu Esther de l'appeler Pierre. Il voulait que sa naissance marque le début d'une autre histoire, effaçant son passé boche. Un nouveau Peter, libéré de toute sa folie.

Il l'avait pris comme apprenti au magasin. Le matin, en arrivant dans l'arrière-boutique, Peter allumait la lampe à pétrole. La lumière faisait apparaître les rouleaux de coutil gris-beige et ceux de satin damassé pour les matelas supérieurs, rangés debout contre le mur, et, au fond, la machine à carder, les matelas posés les uns sur les autres que les clients lui avaient confiés à restaurer.

Peter découpait le coutil, l'installait sur le métier, pendant que Pierre prenait une large brassée de laine, « la meilleure qualité, onctueuse au toucher, frisée et bien saine », comme disait Esther aux clients. Il l'étalait sur le coutil, jusqu'à ce qu'elle forme une couche uniforme de plusieurs centimètres. L'opération s'effectuait sans qu'une parole soit échangée, tous deux concentrés sur leurs gestes. Peter répandait par-dessus une couche de crin. Pierre plaçait ensuite une nouvelle strate de laine et Peter finissait en recouvrant l'ensemble d'un autre coutil. Ils éprouvaient un plaisir certain à ce silence qui témoignait de leur complicité. Avec de grosses aiguilles, ils cousaient le bord et les capitons disposés en quinconce. Ils laissaient les finitions à Esther, avant de charger sur leurs épaules le matelas et de le livrer. Ils allaient aussi ensemble chercher ceux qu'on leur donnait en réfection. Pierre discutait les réparations à effectuer et leur prix, Peter se contentait d'approuver ou de corriger une erreur. Il avait honte de son accent. Depuis son arrivée à Paris, il n'était jamais parvenu à s'en défaire.

Pierre voulait qu'ils investissent dans le nouveau procédé de matelas à ressorts. Il avait lu dans le journal une publicité pour la Compagnie de literie Lafontaine. On y voyait dessinée la tête d'une femme à l'ample chevelure. « Le sommeil est la moitié de la santé, était-il écrit. Ne laissez plus un mauvais lit la ruiner. » Il tentait d'en convaincre Peter, lorsque de retour d'une livraison, ils s'arrêtaient chez le cafetier en face. Peter l'écoutait, un léger sourire aux lèvres. Ils rentraient au magasin, sans rien décider, contents l'un de l'autre, comme dans un petit jeu où chacun avait bien tenu sa partie.

Pour enterrer définitivement le passé, Peter sollicita sa naturalisation. Un décret la lui accorda, ainsi qu'à toute sa famille, le 17 juin 1914.

La Première Guerre mondiale balaya tout.

« Le capitalisme porte en lui sa destruction » dit Marx. Quand, le soir, avant de nous endormir, nous ne parvenions pas à trancher, j'assénais à ma sœur les sentences que mon père me serinait.

Vers 1968 ou 1969, nous pûmes enfin habiter dans un appartement, rue Desnouettes, près de la Convention, dans le XVe arrondissement.

Mathilde et moi continuâmes à partager la même chambre. Ma sœur se penchait au-dessus de la rambarde du lit superposé et m'interrogeait. Je pouvais voir sa tête dépasser. Quand nous avions des secrets importants ou qu'il nous fallait débattre d'un problème épineux, elle descendait me rejoindre dans mon lit. Nous nous cachions sous la couverture que je maintenais au-dessus de nos têtes avec mon bras tout le temps de la discussion.

Je peinais à répondre à toutes les interrogations de ma sœur. Souvent mes éclaircissements ne la convainquaient pas entièrement, ni moi non plus d'ailleurs.

Nous nous sentions tels des exilés dans un pays lointain dont nous peinions à saisir les habitudes, les coutumes. Mathilde s'en sortait en s'enfermant dans une distraction continuelle. Elle prenait un malin plaisir à confondre, à afficher son désintérêt.

À l'inverse, j'épousais sans retenue ni distance les passions paternelles. Lors des soirées électorales, je restais assis à ses côtés. C'était une affaire d'hommes, me semblait-il. Municipales de 1965, législatives de 1967, de 1968, présidentielle de 1969, les journalistes égrenaient les résultats. Mon père encaissait sans broncher leur litanie. Il se soûlait avec lenteur à mesure que les scores tombaient, accélérant seulement à l'annonce des échecs plus graves, un siège de député ou une commune récupérés par la droite. Aux derniers soubresauts de la guerre d'Algérie succédèrent des années gaullistes et languides. La ménagère était la nouvelle héroïne de cette période sans héroïsme. À la télévision, dans les premières réclames, on la voyait, jeune, le tablier aussi impeccable que son brushing, s'éjouir de son Frigidaire. La présidence gaullienne fut suivie par celle encore plus terne de Pompidou. Le successeur du Général, en raison même de son absence de tout relief, concentrait la haine et les railleries paternelles. Il ne l'appelait que « Bougnaparte », le surnom que lui avait donné *Le Canard enchaîné*, moquant ses origines auvergnates. Les succès n'apportaient aucun soulagement à mon père. Je prenais ma part de ces drames, dont son visage m'indiquait l'ampleur. Je me tenais droit, sans un geste, hochais la tête, l'air pénétré, abattu, à l'écoute de la litanie des villes inconnues où le parti n'avait plus la majorité. Il informait ma mère que nous n'irions plus en vacances dans tel ou tel coin perdu par la gauche. C'étaient de petites fins du monde qui revenaient à chaque printemps.

Mai-68 n'exista pas chez nous. La principale participation de mon père aux événements fut de rosser un type qui lui avait demandé « Et toi camarade, qu'est-ce que tu fais pour la révolution ? ». Il éprouva un rejet spontané envers l'agitation estudiantine et plus encore pour ce qu'on appelait « l'esprit de 68 ». Le Grand Soir ne pouvait être ce débordement d'apophtegmes et d'appétits. Cohn-Bendit, les anars, les maos s'attaquaient aux pères, tels des enfants

mal élevés. La révolution devait au contraire donner naissance à un ordre qui le mettrait à l'abri de ses propres
pulsions, éteindrait sa rage – une nouvelle famille sans
héritage ni contentieux.

Mai-68 sonna pour mon père comme un avertissement.
Trop jeune pour avoir participé à la Résistance, trop vieux
pour rallier les étudiants, il redoutait de faire partie d'une
génération condamnée aux oubliettes de l'histoire. Cours,
camarade, le vieux monde est derrière toi, était-il écrit sur
les murs de la Sorbonne. Mon père courait, lui, pour rattraper la révolution. Il décida de redoubler d'ardeur. Mais si intense que fut
notre attente, les années soixante s'achevèrent sans que la
prophétie de mon père se réalisât.

« Le capitalisme porte en lui sa destruction » dit Marx.
Dans le noir, je devinais sa perplexité au bruit de succion
de son pouce qui s'accélérait.

Je ne comprenais pas plus quelles conséquences concrètes
la formule pouvait avoir sur notre famille, mais l'assurance
avec laquelle mon père la prononçait me rassurait. C'était
un de ces mystères qui s'éclairciraient plus tard.

La dialectique en constituait un autre, bien plus important encore. Au dîner, mon père prenait un malin plaisir à
l'invoquer pour me railler quand je me risquais, comme lui,
à m'emporter à l'écoute des informations ou à me lancer
dans une diatribe. La dialectique transformait telle nouvelle
que je pensais bénéfique ou telle autre perçue comme
attristante en son exact contraire. Grâce à elle, mon père
prouvait à ma mère qu'il n'était pas soûl, ou qu'il n'avait pas
oublié son anniversaire. C'est encore elle qui fut à l'œuvre
lorsque Mme Cavalli, mon institutrice de cours moyen, me
retint un soir après les cours. Du moins ma sœur et moi
en étions convaincus.

C'était une enseignante à l'ancienne, obèse et rougeaude, la voix grave des fumeuses. Les manches de sa robe étaient piquées de cendre de cigarette. Elle ne tolérait aucun dérangement. Elle avait saisi une fois un élève turbulent par le col, le secouant en tous sens jusqu'à ce que sa tête heurte le radiateur sous la fenêtre.

J'avais déjà franchi le seuil de sa classe quand elle me rappela. Malgré son sourire engageant, je redoutai quelque punition ou, pis, un mot dans mon carnet de correspondance. Pour mon père, l'école avait la même force que la révolution, un combat, un engagement. Tant d'enfants de par le monde n'y avaient pas accès. Quand je rentrais avec une mauvaise note, il me convoquait dans la chambre. Le salon était réservé aux situations de crise, bulletins trimestriels en baisse, coups donnés à ma sœur, vêtements abîmés à racheter. Rien de tout cela dans la chambre. Il commençait d'un ton interrogatif, me demandait comment j'avais pu faire mon compte. Il montait peu à peu, fustigeait mon inconséquence, allumait une cigarette. Du sermon il passait à l'humiliation. Il clamait sa contrariété, me prédisait d'un ton railleur un avenir sinistre − me congédiait.

Je ne vivais que dans l'attente des récréations. Discret, effacé en classe, je me transformais en un véritable sauvage dès la porte du préau franchie. Je courais à m'en faire mal, hurlais, bousculais mes camarades, à la stupeur des instituteurs.

Mme Cavalli me tendit une lettre. D'un format inhabituel, presque carré, au papier parcheminé, elle était fermée par un cachet de cire rouge. L'institutrice me la fit ranger dans mon cartable. Elle m'ordonna de la remettre à mes parents. « C'est important » répéta-t-elle.

Je m'employais à éviter toute possibilité d'incident, à faire oublier à mon père jusqu'à l'existence de l'école. Les repas familiaux constituaient le moment le plus délicat.

Juste avant les informations à la radio, nous devions résumer notre journée. Mes comptes rendus ressemblaient à ceux du parti lors des changements de ligne, laconiques et sans rien de notable. La neige tombait depuis le matin. Une fine couche avait tout recouvert. Je m'étais promis d'être le premier à laisser des traces dans les allées du square. L'après-midi, pendant les cours, je scrutais la fenêtre. J'avais mis au point un jeu. J'étais un cow-boy poursuivi par les Indiens. Je devais marcher à reculons ou avancer jusqu'au mur et revenir en mettant mes pas dans mes empreintes pour les semer.

La lettre dans mon cartable m'en ôta toute envie. Sur le chemin du retour, je me remémorai sa forme particulière. Elle ressemblait à une de ces dépêches que le commandant du fort confie à un cavalier. Je me glissai derrière une des voitures garées le long du trottoir. J'ôtai mes gants en tirant le bout des doigts avec les dents et la sortis avec précaution. L'empreinte du cachet dessinait sur la cire les lettres R et F. Il s'agissait de quelque chose d'important, de grave plutôt. Je la palpai, la soupesai. Je rassemblai mes maigres indices. J'étais le seul élève à qui Mme Cavalli l'avait remise. Je me souvenais de son mouvement de tristesse quand le directeur avait interrompu la classe pour annoncer la mort du général de Gaulle. Une conclusion s'ébaucha dans mon esprit. La lettre officielle concernait les communistes et leurs enfants – il n'y avait que moi dans ma classe. Nous avions reçu à la maison tant de camarades étrangers exilés en France, des Espagnols, des Palestiniens, des Sud-Américains surtout qui racontaient des histoires impressionnantes – doigts coupés, langues arrachées, corps jetés depuis des hélicoptères dans l'océan. Ils allaient interdire le parti ! Il faudrait fuir !

La chaleur du hall de mon immeuble me dégrisa quelque peu. Bien que l'hypothèse conservât ma préférence, une

autre, plus terre à terre, surgit en montant les trois étages.
Et si mes bêtises à la récréation me valaient mon renvoi ?
Ma mère préparait le dîner dans la cuisine. Elle s'essuya
les mains contre son tablier, examina l'enveloppe avant
d'appeler mon père. Il fit sauter le cachet, sortit lentement
le bristol. Un cordon tricolore était attaché au carton. Il lut
d'une traite. Ma mère le parcourut sans un mot non plus.
Ils me fixèrent. Je baissai les yeux. « Monsieur le Président
de la République et son épouse sont heureux de convier
l'élève... » Suivait mon nom calligraphié avec des majus-
cules aux rondes parfaites comme on nous l'apprenait
en classe. « ... à l'arbre de Noël de l'Élysée, le mercredi
6 décembre 1972 à 14 h 30 ».

« Bougnaparte » m'invitait dans son palais ! Je scru-
tai mon père pour deviner si la nouvelle me vaudrait un
sermon. Il ne broncha pas.

Ma sœur et moi discutâmes le soir un long moment sans
parvenir à démêler pourquoi c'était tombé sur moi. Elle
me consola tant qu'elle put, je m'endormis avec difficulté.

Ils se tenaient derrière une grande table rectangulaire
recouverte d'un tissu noir, comme dans un tribunal. L'un
d'eux, la chevelure ramenée en une sorte de rouleau sur le
sommet de la tête martelait : « C'est un scandale !» Mon
père avait convié les camarades de cellule afin de trancher
la question. J'en connaissais certains, comme le cordonnier
dont la boutique occupait le rez-de-chaussée. Chacun éplu-
chait l'invitation puis la passait à son voisin. Je me tortillais
sur ma chaise. Un ancien rescapé des camps présidait la
séance. Une fois l'an, lors de la remise des cartes d'adhérents
du parti, il me montrait son numéro tatoué sur l'avant-
bras et m'offrait des récits de déportation, que ma mère
s'empressait de faire disparaître. Pas de fils de communiste
à l'Élysée ! tonnait l'imposant cordonnier. Sa barbe poivre et

sel ne faisait qu'un avec ses cheveux, lui entourant la tête. La motion en faveur de ma présence l'emporta. Une femme ressemblant à Mme Cavalli proposa que je sois porteur d'un message des travailleurs. Une déclaration pour la libération d'Angela Davis ! Ils s'inquiétèrent de ma voix d'enfant. Seuls les premiers rangs m'entendraient. Ils me firent lire un passage du *Manifeste du parti communiste*. Je butai sur les mots, bafouillai. Ils y renoncèrent. Il pourrait faire un dessin qu'il remettra à Pompidou ! Ils m'installèrent à une table, me donnèrent des feutres. Je sentais leurs têtes penchées par-dessus mon épaule. Je demandai un crayon noir. Il lui faut pouvoir effacer et recommencer, assura mon père. Du rouge, il en faut plus ! Ils commentaient chaque détail. La faucille. Plus grosse ! L'orthographe, maugréa mon père. Je rougis, vexé. Joyeux Noël président. Non, non, ça ne va pas. Je déchirai la feuille. Je me désespérai d'y arriver. Je me réveillai au moment où, me levant d'un bond de ma chaise, je hurlai que je n'irais pas. Les feutres roulèrent sur le sol en un crépitement de pluie. Je pourrais demander à un copain de me remplacer. Si le parti est d'accord, ajoutai-je.

Mes parents m'achetèrent pour l'occasion un costume gris, que je ne remis jamais, et m'obligèrent à porter une cravate.

Mathilde et moi enviions nos copains. Ils allaient voir les films de Louis de Funès, interdits chez nous – mon père jugeait son humour réactionnaire. Je traînais devant les cinémas, observais les photos affichées à l'entrée jusqu'à les connaître par cœur. Je faisais semblant de me rappeler les gags, ne finissais pas ma phrase. Il y en avait toujours un pour venir à mon secours, je le remerciais d'un sourire complice. Je devais attendre l'été, à Salviac, pour découvrir enfin avec ma sœur la série des *Gendarmes*, projetée à la salle des fêtes. Ma cousine, qui passait ses vacances avec nous, adorait encore plus que nous de Funès. Son rire était à lui seul un spectacle. Il démarrait par un éclat puis se prolongeait en un roulement que rien ne pouvait arrêter. Parfois, emportée par son élan, elle tombait de son siège, ce qui redoublait notre hilarité. À la rentrée, je me rengorgeais, fier de pouvoir à mon tour décrire mes scènes préférées. Mes copains se moquaient de mon enthousiasme tardif pour un film sorti six mois plus tôt.

Ils m'invitaient à venir goûter après l'école, je me plongeais dans la lecture de *Tintin*, trop raciste, de *Lucky Luke*, trop américain, d'*Astérix*, trop gaulliste. Ils me proposaient de me prêter les albums. Je refusais, quelle qu'en soit mon envie.

Chaque fois que ma grand-mère repartait à Salviac après la semaine passée chez nous en hiver, je l'accompagnais à son train, gare d'Austerlitz. Juste avant de gagner le quai, elle m'achetait un « illustré » au kiosque. Une année, je lui demandai le dernier numéro de *Spirou*. C'était l'hebdomadaire préféré des grands frères de mes copains. Quand ils nous le prêtaient, nous le lisions, avides d'entrer dans leur monde. Une fois à la maison, je regardai longtemps mon exemplaire sans l'ouvrir. Le journal avait le parfum de cette existence sans drames ni cris qui m'attirait si fort. Les histoires étaient à suivre. La certitude du plaisir à venir rendait à mes yeux l'attente presque plus agréable que la lecture, me rappelait les journées à patienter jusqu'à l'instant de reprendre les aventures de Robinson là où ma mère les avait laissées. À la maison, les choses se passaient rarement comme mes parents l'avaient promis. Un rôle que mon père ne décrochait pas, une bagarre réduisaient à néant ou différaient notre espoir. Ou bien à l'inverse un engagement confirmé, une réconciliation les plongeaient dans un débordement d'humeur joyeuse, aussi brusque qu'éphémère. La certitude de découvrir chaque mercredi un nouvel épisode me paraissait un délice à la quiétude sans égale. Je m'imaginais déjà arrivant à l'école avec mon exemplaire. Je regarderais, légèrement apitoyé, ceux ne l'ayant pas encore lu. Je leur prêterais, leur donnerais même avec la prodigalité d'un grand seigneur, vantant la largeur d'esprit de mes parents, qui me laissaient acheter ce journal de grands.

De retour du théâtre, mon père le débusqua sans peine sur mon bureau. Assis dans la cuisine, l'esprit embrumé par l'alcool, il s'échauffa tout seul à mesure qu'il le feuilletait. Il le déchira, le jeta à la poubelle. Je dus écrire au journal sous sa dictée. J'imagine la surprise des rédacteurs à la lecture du courrier d'un gamin les accusant de propager dans leurs colonnes « les pires aspects de l'idéologie dominante : impérialisme, américanisme, culte de la violence ». Ils me répondirent une lettre fort gentille.

Malgré ma déception passagère, je n'en voulus pas à mon père.

L'avalanche des souvenirs a le parfum amer des portraits à charge. Au cours d'une soirée, j'ai la trentaine, chacun énumère les petits secrets de famille qui ont pesé sur son enfance, les coucheries du père, les crises de la mère. Quand vient mon tour, je raconte cette histoire – une pirouette, à mes yeux la seule forme acceptable, du moins inoffensive, de trahison. Une jeune femme séduisante, à la longue chevelure blonde, me lance : « Voilà les ravages d'une pensée sectaire ! » L'indignation se peint sur ses joues rouges, ses lèvres tendues. Je lui renvoie un regard absent...

Enfant, j'avais été mortifié de m'être laissé séduire par des bandes dessinées aussi anticommunistes. J'en mesurais les dégâts sur l'esprit de mes copains. Comme mon père attendant de moi une attitude exemplaire, je surveillais leurs comportements. J'espérais d'eux la même générosité intransigeante que la mienne.

Nous devions nous déprendre de tout sentiment de propriété, d'esprit de compétition. Mon père m'approuvait bruyamment quand j'annonçais avoir partagé mon goûter. Je me liais d'amitié chaque année avec le seul Noir, l'unique Maghrébin de ma classe. À défaut je me rabattais sur le fils d'immigrés portugais ou espagnols. Il suffisait qu'un ami me demande un de mes jouets pour que je le lui abandonne. Ma mère me mettait en garde, tentait de s'assurer que j'étais certain de vouloir le lui offrir. La fierté de ne pas m'attacher aux objets était plus forte que ma tristesse de m'en séparer. Mes camarades de classe n'avaient pas tardé à le comprendre.

Leurs parents ne parlaient jamais politique avec eux. Certains ne savaient pas s'ils étaient de gauche ou de droite, ni même ce que ces mots signifiaient. « La gauche c'est partager avec les autres, la droite elle garde tout pour elle », leur expliquais-je doctement.

Parfois, l'un d'eux s'écriait qu'il ne voulait pas prêter son vélo tout neuf ou sa paire de patins à roulettes. J'en souffrais pour lui comme un enfant perdu dont l'erreur le conduirait à sa perte. Je lui témoignais une affection compatissante, lui cédais mon gâteau à la cantine ou la vignette qui lui manquait pour finir son album. J'instillais dans son esprit le plaisir de la munificence et considérais comme une victoire quand il m'invitait chez lui ou me donnait une de ses billes.

Ma sœur et moi ne comprenions pas pourquoi, alors que certains étaient de droite, leur vie paraissait plus assurée, rassurante même. Je m'abandonnais comme à un désir torve au rêve d'être un de leurs frères.

Durant les récréations, nous nous réunissions dans le fond de la cour, près des toilettes, pour discuter des affaires d'importance, des secrets sur notre instituteur, des révélations sur l'anatomie d'une grande sœur ou bien encore le sujet du devoir à venir. Emporté par mon envie de les intéresser, j'avais toujours quelque massacre sanglant à raconter.

Quand, certains soirs, aucun drame n'était venu troubler la marche en avant des forces du progrès, mon père en profitait pour me brosser l'ample tableau des combats menés par ceux qui nous avaient précédés, en quoi, selon lui, se résumait l'Histoire. Il remontait jusqu'aux jacqueries des Croquants, à Cartouche, Mandrin. « Compagnons de misère, allez dire à ma mère qu'elle ne m'reverra plus, j'suis un enfant perdu... » Il pouvait aussi démarrer sa fresque à la Révolution, le ventre fécond d'où notre monde était sorti – il aimait les allégories. Il égrenait nos innombrables défaites.

Mes copains m'écoutaient, fascinés. Elles leur crevaient les yeux avec leurs ombrelles ? Ils voulaient toujours plus de détails. Durant la guerre d'Algérie, les soldats français éventraient des Algériennes enceintes. Ils pouvaient voir le bébé ? À Madagascar, d'autres soldats jetaient des prisonniers dans la mer depuis des hélicoptères. Les requins en bas les attendaient ! assurais-je.

J'avais raison du scepticisme des fortes têtes. Je transposais la scène des cannibales de *Robinson Crusoé* durant la Révolution en Russie. Des Blancs ivres et sadiques dévoraient les Rouges qu'ils attrapaient. Mais comment ils faisaient pour les faire cuire ? me demandaient mes copains. Dans des grandes marmites comme celles à la cantine, expliquais-je. Le midi nous regardions l'employée nous servir en essayant de nous représenter le corps d'un homme dans un de ces larges récipients.

Mon père se serait sûrement mis en colère de voir ce que j'avais retenu de ses longs prêches.

Ses récits n'avaient qu'un but. Il espérait que je devinsse celui qui les vengerait tous. Et les poilus de 1914, « C'est à Craonne, sur le plateau, qu'on doit laisser sa peau ». Et les résistants torturés par les nazis, Pierre Semard clamant aux soldats allemands « Imbéciles, c'est pour vous que je meurs !», Guy Môquet, Manouchian, ceux de l'Affiche rouge, « Je te dis de vivre et d'avoir un enfant... ». Et aussi les morts du métro Charonne où il avait failli périr, pris dans le mouvement de la foule. Des noms, des chapelets de noms dont les manuels scolaires et les journaux ne parlaient qu'en de rares occasions. Mon existence serait dédiée à perpétuer leur souvenir.

Nous étions un peuple de vaincus et l'Histoire, un cimetière, où chaque génération venait se recueillir. Cette métempsychose des pauvres et des gueux, il me la ressassait, tel le Zachor de la tradition juive. Pour mon père, rien n'aurait été pire que l'oubli. Cette longue prière aux agonisants, « dans tous les siècles des siècles », s'achevait sur une note d'espoir. La mémoire des affronts subis, ces innombrables humiliations dont nous présenterions un jour l'addition, était le gage d'un monde meilleur. Dans un ultime élan, il invoquait, petites notes de couleur, Youri Gagarine qui démontrait la supériorité de la science soviétique et Bertolt Brecht, sa touche personnelle, son héros. « Tu seras le premier à connaître la société sans classes... »

Tous ces morts exemplaires étaient mes modèles, mes héros. Je me prenais pour eux comme mes copains se rêvaient en John Wayne ou James Bond. Ils vivaient avec moi, hantaient mes jeux. J'étais sans doute le seul gamin au monde à jouer avec mes petits soldats à la Commune de Paris, à la guerre d'Espagne ou à celle du Vietnam. Je refaisais ces conflits en donnant la victoire aux vaincus, malgré mon penchant pour les uniformes et la belle élégance des troupes régulières.

J'avais une collection de figurines en plastique de l'US cavalerie, des cow-boys et des Indiens, tout un village du

Far West, un fort aussi. Écartelé entre ma préférence pour les cavaliers américains et la conscience que les Sioux et les Apaches étaient des victimes, j'inventais des scénarios compliqués. Je m'arrangeais pour que les uns ne tuent pas les autres, compromis incertain au cours duquel j'imaginais une impossible alliance contre des Mexicains – j'ignorais tout d'eux – ou des bandits avides d'or.

À la fin de la partie, juste avant de ranger mes soldats dans leur boîte, je m'abandonnais au plaisir d'une belle charge en ligne décimant sans plus de retenue les Indiens. Je me dépêchais de terminer mon massacre de peur que mon père ne me surprenne.

En 1970, débuta l'affaire des frères de Soledad. Un détenu noir avait été tué dans sa cellule. George Jackson et deux autres militants le vengèrent en assassinant un gardien de la prison de Soledad, en Californie. Quelques mois plus tard, le benjamin des Jackson, Jonathan, prit un juge en otage et réclama la libération des trois hommes. Quatre personnes moururent dans la fusillade qui s'ensuivit. On accusa Angela Davis d'en être l'instigatrice. Après une cavale de deux semaines, elle fut arrêtée dans un hôtel.

Ma sœur et moi l'adorions, nous la dessinions, je lui écrivais des poèmes. Elle faisait entrer chez nous un monde que nous apercevions fugitivement à la télévision, ou pendant les vacances, l'Amérique. Elle était les Doors, les Beatles, les Stones que nous n'avions pas le droit d'écouter, les hippies, l'univers psychédélique dans lequel vivaient nos aînés au lycée – et aussi la mystérieuse marijuana dont le nom me fascinait. Certains communistes lui reprochaient de ressembler plus à une cousine des Jackson Five qu'à la pasionaria.

Mon père me poussait à faire circuler une pétition dans mon école que j'aurais ensuite envoyée à l'ambassade des

États-Unis, « un message des enfants de France »... Un dimanche, il nous emmena au théâtre Gérard-Philipe de Saint-Denis où se jouait une pièce écrite à chaud, *Libérez Angela Davis tout de suite.* J'ai toujours détesté sortir le dimanche. Il fallait toute l'autorité de ma mère pour m'obliger à enfiler des vêtements qui semblaient ne jamais devoir se réchauffer au contact de ma peau. Mon calvaire ne s'apaisait qu'une fois assis dans la salle. À peine commençai-je à m'installer que les deux haut-parleurs posés de chaque côté de la scène crachèrent une annonce. Nous devions rejoindre les caves du théâtre. Des acteurs habillés en policiers américains nous y attendaient. Ils nous distribuèrent des masques, soit noirs, soit blancs, nous enfermèrent dans des cages aux murs de brique. La lumière s'éteignit. Un hululement de sirène nous assourdit. Une voix off rugit : « À la prison de San Quentin, la police tire sur des mutins. Trois morts ! Tous Noirs ! » Les projecteurs révélèrent la présence de gardiens au centre de la pièce. Ils firent sortir trois Noirs d'une des cellules, les frappèrent à coups de matraque. Il s'agissait de comédiens. Ma sœur et moi, affublés d'un masque noir, étions convaincus que les victimes avaient été choisies au hasard. Nous fondîmes en larmes, terrorisés, nous cachâmes derrière ma mère. « Peu après, continua la voix, elle arrête quatre détenus accusés d'avoir tué un gardien par vengeance. Tous Noirs ! » Ils sélectionnèrent à nouveau quatre Noirs qu'ils laissèrent pour morts sur le sol en terre battue. « La semaine suivante, George Jackson est abattu dans la prison de Soledad en compagnie de deux codétenus. Tous noirs ! » Aujourd'hui encore, j'ai dans l'oreille le « Tous Noirs ! » dont la voix ponctuait chacune de ses interventions. Je promis à Mathilde que je me livrerais à sa place. Les gardiens m'épargnèrent, nous sortîmes de prison sains et saufs.

En remontant des caves, nous longeâmes le foyer du théâtre. Le metteur en scène, un homme d'une cinquantaine d'années, se tenait assis à une table isolée. Ma sœur et moi lui jetâmes des regards hostiles. Mon père se risqua à se présenter. L'autre l'écouta distraitement. Le théâtre pour nous ressemblait aux colères paternelles contre la radio. Nous craignions d'assister à une représentation, terrorisés à l'idée de voir des hommes crier, s'emporter, nous prendre à partie. Le metteur en scène nous demanda ce que nous pensions de la pièce. Il avait le sommet du crâne dégarni, de longs cheveux filandreux et gris lui descendaient le long du visage. Ma sœur se glissa derrière moi. Je me redressai pour la cacher complètement, prêt au sacrifice. Je sentis le regard de mon père sur moi. Je..., bredouillai-je. Il m'invita d'un sourire à poursuivre. C'est vachement mieux d'être blanc.

— Chante-moi quelque chose...

Je décidai de garder le silence quand ma grand-mère vint me rejoindre dans le lit. Je devais avoir neuf ou dix ans, le dernier soir avant la fin des vacances. Tout l'été, je l'avais en vain questionnée sur la folie des Aderhold. Elle me disait de me tourner vers le mur pendant qu'elle se déshabillait. J'inspectais l'interstice entre le matelas et la cloison dans la crainte de découvrir quelque insecte, ou bien j'épiais les sons de la chambre. Le rituel du coucher de ma grand-mère était d'une lenteur qui avait souvent raison de ma résistance. L'interminable friselis de sa brosse à cheveux – une centaine de fois pour en ôter la poussière de la journée, assurait-elle à ma sœur – alternait avec de longs moments où je ne discernais plus aucun bruit. Mon exaspération grandissante réussissait parfois à me tenir éveillé jusqu'au clappement salvateur de l'interrupteur. Encore quelques secondes et je sentais son corps se glisser dans le lit, creuser le matelas, puis l'autre bout du polochon s'enfoncer sous le poids de sa tête. Je me retournais alors, la submergeais de questions, d'une voix tendue par l'impatience. Je n'ai jamais connu un enfant aussi curieux des vieilles histoires, se plaignait-elle, secrètement ravie de mon intérêt.

Surprise par mon mutisme, devinant quelque chagrin, elle essaya de faire diversion.

— Mais pas un chant révolutionnaire...

Je ne sais pourquoi je me décidai pour un titre de Reggiani. Mes parents l'écoutaient, les yeux embués, et je me sentais envahi par la tristesse des adultes, mystérieuse, inquiétante. Sans me retourner, fixant le mur, j'entonnai : *La femme qui est dans mon lit n'a plus vingt ans depuis longtemps. Les seins si lourds de trop d'amour, ne portent pas le nom d'appas...* Ma grand-mère sursauta. Les larmes me vinrent sans retenue. Je lui avouai ma peur de découvrir chez moi les signes avant-coureurs de la folie. Ne sachant pas en quoi elle consistait, je craignais d'en subir les symptômes. Elle tenta de me rassurer. Ce n'était pas réellement une folie, une malédiction plutôt qui pesait sur les hommes de la famille. Elle me serrait dans ses bras, sa main me caressait les cheveux.

Je m'étais mis en tête de recueillir ses souvenirs. L'acquisition d'un nouveau cahier, sur lequel je les notais, marquait le début des vacances. Muni d'un billet de cinq francs, je me risquais dans l'unique bar-tabac du village. Le marchand grimpait sur un escabeau pour l'attraper au-dessus du rayonnage des cigarettes. Je précisais que j'étais le petit-fils Aderhold. Les habitués me dévisageaient. Je sortais en saluant comme ma grand-mère me l'avait ordonné.

Après le déjeuner, afin d'échapper à la sieste, je la rejoignais à la cuisine, un stylo à la main, l'air studieux. Elle ne me jetait pas un regard, occupée à préparer le repas du soir. Dès que se faisait entendre le raclement des pieds de ma chaise, signe que je venais de m'installer, elle entamait son récit. Certains jours, elle sortait les boîtes de biscuits en fer pleines de photos. Ma grand-mère racontait sans ordre. L'apparition au détour d'une phrase d'un parent la faisait dévier vers une nouvelle branche. Je me promettais, une fois chez moi, de tout reprendre. Aussitôt à Paris, je jetais mes notes au fond d'un tiroir. La nostalgie des vacances, qui m'assaillait dès le train du retour, m'empêchait de l'en tirer. J'avais conçu le projet d'écrire une grande histoire de la famille. J'obéissais en cela au désir de mon père. Le commerce dont étaient issus les Aderhold sentait sa petite-bourgeoisie, un militant provenant d'un tel milieu était regardé avec méfiance. Mon père entendait remodeler le récit familial en une vaste ode au progrès dans laquelle chaque génération marquait une étape. Dans cette vision où les fils surpassaient les pères, il m'appartenait d'être le premier intellectuel, celui qui paierait notre dette en se mettant au service des masses. En pratique, mon père ne se montrait guère pressé de me voir prendre la relève. « Le marxisme est indépassable en ce sens qu'il a prévu son propre dépassement » avait-il coutume de dire.

Dans la journée, je n'osais interrompre ma grand-mère. J'attendais la nuit pour l'interroger. L'obscurité était propice à l'oubli des règles. Elle se laissait gagner par mon excitation. Nous chuchotions comme deux enfants complices.

Parfois, plus rarement, je m'y risquais lors de la toilette matinale. Il n'y avait chez elle ni baignoire ni douche. Le petit déjeuner terminé, elle nous lavait dans la cuisine avec une vasque en porcelaine remplie d'eau qu'elle faisait chauffer. Pour éviter qu'elle ne se baisse, nous grimpions sur une chaise en paille. J'en sens encore les éclats abîmés me rentrant dans la plante des pieds. Monte là-dessus, tu verras Montmartre, lâchait-elle. Sous la fenêtre, le plancher aux lattes fendues s'incurvait comme s'il avait ployé sous le poids de générations plantées à scruter la ruelle. Pendant qu'elle frottait, ma grand-mère me remémorait le tétanos, l'hydrocution, les vipères, me faisait promettre d'être raisonnable. Raconte-moi, je lui demandais. Je me tenais au dossier pour ne pas tomber. Raconte-moi comment était mon père enfant. Il faisait son lit tout seul. Je devais rester en équilibre le temps qu'elle ôte l'eau savonneuse de sous mes pieds. Je riais des chatouilles. Il se bagarrait jamais quand il était petit ? Elle hochait la tête comme au rappel d'un souvenir pénible. Tourmenté par ce que j'avais entendu chez les cousins Taillardas, je finis par lui demander. Qu'est-ce qu'ils ont les Aderhold ? Le gant passa plus rapidement sur ma peau. S'il te plaît raconte-moi. Elle ne quittait pas des yeux le mouvement de sa main le long de mes cuisses. La folie dans le sang.

Je ne parvenais pas à arrêter mes pleurs. Elle me serra plus fort. Elle sentait l'eau de Cologne du Mont-Saint-Michel. Quelques jours avant les vacances, nous allions avec ma mère lui en acheter un flacon à la pharmacie. Ma grand-mère ne jurait que par cette eau de toilette et la poudre de riz qui lui donnait un teint de jeune fille. Tu ne ressembles pas à ton grand-père ni à ton père.

Ma grand-mère tranchait les cous des poulets, ôtait la peau des lapins, vidait les oies, pendant qu'elle évoquait les trois générations d'Aderhold. J'aurais voulu qu'elle me raconte leur histoire comme faisait ma mère. J'espérais quelque acte d'héroïsme de la part de mon arrière-grand-père ou de mon grand-père, pendant les deux guerres. Elle n'en disait mot, s'attardait sur des parents que je n'avais pas connus. Elle résumait leur existence à une historiette frappante. La cousine Mélina ne voulait pas que les enfants du quartier jouent au ballon devant chez elle, par peur qu'ils repoussent le mur de son jardin. L'oncle Pramil assurait avoir vu les Prussiens en 1870 camper près du lavoir... J'avais le sentiment d'appartenir à une famille de demi-fous.

Elle se montrait intarissable sur les drames survenus à chacun, me détaillait l'enchaînement des circonstances qui les avaient conduits à leur perte, l'alcool, la paresse, l'imprévoyance. Ses souvenirs avaient la froideur des chairs qu'elle découpait. Elle entendait me servir une suite d'anecdotes édifiantes dont je devais tirer profit pour me débrouiller dans la vie. Je sursautais à chaque catastrophe qu'elle ponctuait par les coups de son hachoir sur le plan de travail. J'y voyais le couperet du destin, une fatalité effrayante à laquelle aucun homme de la famille n'échappait. L'instant d'après, elle marquait une pause, posait son large couteau, me souriait en vantant la fortune d'un cousin lointain grâce à la prévoyance de son épouse, la maison sur deux étages d'une tante près du parc Monceau. Elle reprenait son hachoir, je me préparais à une nouvelle tragédie.

Jamais elle ne se serait abandonnée à livrer son véritable sentiment. Les cahiers où elle consignait ce qu'elle estimait important ne révélaient pas plus ses états d'âme. En les feuilletant après sa mort, la déception fut à la mesure de l'espoir suscité. L'inscription « Très personnel » sur leur couverture, soulignée plusieurs fois comme une menace, devait refréner la curiosité d'un éventuel intrus. Des colonnes et des colonnes de chiffres s'étalaient sur les pages. Par endroits, l'indication d'un mois permettait de comprendre qu'il s'agissait du montant des dépenses ou des recettes du magasin. Les cahiers se ressemblaient tous. Même marque, Gallia, avec un coq dessiné au centre. Même couleur, bleu marine. Ils couvraient une période à peu près égale de trois années. Elle notait en rappel les échéances de ses traites. Ainsi dans celui qui couvrait la période du 1er janvier 1962 au 20 février 1965, elle avait écrit sur la page de garde le montant mensuel de remboursement pour l'achat de la camionnette 2 CV Citroën. Deux fois par semaine, le commis descendait jusqu'à Sète se fournir en poissons. Au-dessous de l'adresse de la criée à Lorient, à Dunkerque, les commandes de rougets, grondins, merlus, chinchards, limandes et grisets.

Un petit billet.

Elle m'ordonnait de fermer la porte, tirait d'une cachette, le tiroir du moulin à café, entre les pages de son cahier de recettes, quelques francs mis de côté. Elle posait son doigt sur ses lèvres. Un secret.

« Très personnels », ces cahiers l'étaient non en raison de l'étalage de ses revenus, mais par ce qu'ils révélaient. La petite musique de son existence. Son odyssée plutôt, les moules à 220 frs le kilo et pas à 230, les portugaises vertes de claire n° 2 à 300 le mille qu'elle avait fini par obtenir à 260. S'y affichaient ses minuscules victoires, gains notés sou après sou, gramme après gramme. Elle ne jetait jamais. Bocaux remplis de bouts de ficelle étiquetés de sa main « ne pouvant servir à rien », boîtes d'élastiques récupérés, de capsules, calendriers des postes. Et aussi les tickets de droit de place aux marchés de Decazeville, les commandes de langoustes à la société La Léonaise à Roscoff. La marée mise à nue, par ses commissionnaires mêmes. Une lettre écrite au maire était glissée entre les pages. Elle sollicitait « sa haute bienveillance » en faveur de la tenue d'un « petit étal de poissons frais » deux matinées par semaine dans la rue Gambetta car sa « clientèle se dirigeant de plus en plus dans le bas de la ville » alors que sa poissonnerie se trouvait sur les hauteurs, elle était « de ce fait très touchée par la mévente, les frais restant toujours les mêmes ». Elle espérait « que sa petite requête éveillerait sa grande compréhension ». *L'Énéide* de la poissonnière. Et aussi des réclames parues au moment des fêtes :

La poissonnerie moderne Maison G. Aderhold et fils
vous propose pour les fêtes de Noël et du nouvel an
les langoustes toutes tailles, les saumons de la Loire,
les Armoricaines.
On ouvre et on porte en ville.
Un choix formidable
Des prix raisonnables
Qualité et fraîcheur irréprochables

Un petit billet. Elle pliait sa lettre en deux, glissait à l'intérieur cent francs, plus souvent cinquante. Elle ajoutait un petit mot pour nous préciser les modalités du partage. Ma sœur et moi devions faire deux traits sous notre signature pour l'avertir que nous l'avions bien reçu et n'en parler à personne.

Lors du décès de mon grand-père, la veille du vendredi saint, le jour de la plus grosse recette, elle avait refusé de fermer la poissonnerie. Vers sept heures du soir, la famille et les proches se retrouvèrent au magasin pour la nuit funèbre. La voix amène de ma grand-mère leur parvenait de l'appartement au-dessus, où le corps de son mari reposait. Elle prenait les commandes au téléphone. Elle finit par apparaître en haut de l'escalier. Faites monter les clients, cria-t-elle à l'adresse du commis. Elle avait commencé à sept ans dans le café de ses parents à Pantin. Elle montait sur la table, poussait la chansonnette. De rares notations commentaient une mévente occasionnelle. Lors de la foire du 1er octobre 1962 elle avait noté « Très chaud, pas vendu de sardines ». Enfin, encore plus rares, les événements familiaux. Le 14 août 1963, j'apparais sous la mention « Carl, 4 h 30, 3,1 kg », tel un arrivage de poisson.

Lorsque je débarquais du car, elle m'examinait, se réjouissait de ma constitution maigrichonne. Mon grand-père mesurait presque deux mètres et pesait son quintal. Des anecdotes circulaient sur sa force hors du commun. Pour impressionner les clients, à la poissonnerie, il avait chargé sur son dos trois blocs de glace, cinquante kilos chacun. La morphologie de mon père apparaissait un peu moins robuste. Ses principaux exploits se limitaient à des bagarres, à des destructions de cafés ou de salles de bal. Ses coups de folie semblaient également en retrait. Ma grand-mère se persuadait d'un lien entre l'affinement physique des Aderhold et le déclin progressif de la malédiction.

Je lui rappelais qu'une semaine plus tôt, j'avais à moitié assommé ma cousine en lui lançant une quille à la tête. Cela m'avait valu une nouvelle séance de punition et des réconciliations encore plus agréables que les fois précédentes. Elle m'avait emmené dans le salon, une pièce réservée aux repas de famille. Elle était revenue avec une tranche de foie gras. Elle ne me quittait pas des yeux, un sourire supérieur et tendre au coin des lèvres.

Les hommes étaient sa grande affaire, les gruger, les aimer. Les aimer, les gruger. Un petit billet, une petite pièce. L'amour se jaugeait à la dépense. La seule preuve incontestable, la vérité des sentiments. Elle admirait mon grand-père quand il lui offrait un bijou de prix, un voyage, le méprisait quand il lui mendiait quelques francs. Elle envoyait des mandats à mon père lorsqu'il était au régiment, puis plus tard à Paris. L'habitude s'en était gardée bien après ma naissance. Surtout ne dis rien. J'aurais dû refuser, lui avouer que je l'aimais gracieusement. Au lieu de cela, elle souriait de ma joie à la vue des cinq francs qu'elle me tendait, presque aussitôt se rembrunissait, j'étais comme les autres.

Elle avait cherché à façonner mon père selon ses craintes. Ayant échoué, elle s'était rabattue sur mon oncle. Il se montrait sérieux, économe – un succès sans éclat. Les hommes devaient provoquer tout à la fois la colère et l'admiration. Elle guettait les dérèglements de mon grand-père et de mon père, pour la lueur dans leurs yeux à cet instant, et l'amour qu'ils témoignaient après, lorsque revenus à eux ils se sentaient coupables. Au téléphone, elle s'informait des coups de sang paternels, et aussi de mes bêtises. Je venais de passer six mois avec elle au lendemain de l'accident de voiture. Ma mère avait repris un moment le théâtre, ne pouvait s'occuper de nous. Ma grand-mère s'était essayée à corriger ce qu'elle considérait comme les défauts de mon éducation. Mon séjour ressemblait à une course de vitesse avec ma mère.

Je te protégerai, me promit-elle. Mes sanglots s'achevèrent en hoquet. Dis-moi, pourquoi ? Pourquoi quoi ? Pourquoi on est tous fous... Elle réfléchit un long moment. C'est à cause de ton arrière-grand-père, le Boche. Elle me l'avoua avec une timidité que je ne lui connaissais pas. C'était le seul homme qui l'ait jamais impressionnée. Bien qu'il fût mort depuis plus de cinquante ans, on eût dit que son évocation aurait pu le faire se dresser devant elle. Il était l'unique Aderhold à ne pas être enterré dans le cimetière de Salviac, mais à Argenteuil. Tous les ans, ma grand-mère et moi nous promettions de nous y rendre – chaque année, un contretemps nous en empêchait. Je vais te dire un secret. Tu n'en parleras à personne. Elle se tourna vers moi. Jure-le... Je ne répondis pas. Tu dors ?

Le mois d'avril 1917 à Paris fut particulièrement rude, le plus froid depuis 1837. La neige tomba à gros flocons durant la première semaine.

Le lundi 16, les vitres de la fenêtre étaient blanches de givre quand Peter se glissa hors de la chambre. Il souleva la plaque de la cuisinière, gratta une allumette. Le feu se transmit avec rapidité aux feuilles de journaux. Une fumée grasse s'échappa brièvement du foyer. Il sentait les vibrations des flammes à travers la fonte et la chaleur remonter le long de ses bras. Il attendit qu'apparaissent les frémissements contre les parois de la casserole pour retirer son café de la plaque. Il l'aimait presque bouillu et ses deux fils se brûlaient les lèvres à essayer de le boire aussi chaud.

Il parcourut *Le Petit Journal.* Un certain général Berthaut, expert militaire auprès du quotidien, détaillait une offensive dans la région de Reims lancée depuis deux jours. Il chercha des nouvelles du front de l'Aisne où se trouvait Pierre, appelé sous les drapeaux l'année précédente.

Peter se souvenait parfaitement de la date, le 9 mars 1916. En reposant son bol sur la table, le récipient lui avait glissé des mains. Il s'était brisé en un bruit mat contre le carrelage. Penché au-dessus des morceaux de faïence disséminés sur le sol, il avait cherché à en saisir l'augure. Vers midi, deux gendarmes étaient entrés dans le magasin. Ils apportaient à son fils l'ordre de rejoindre le 141ᵉ régiment d'infanterie stationné à Bernay. Mathilde, sa fille, s'efforçait de lui faire oublier l'absence de Pierre. Elle l'accompagnait dans ses livraisons. Elle ployait sous le poids des matelas, poussait des jurons. Elle arborait avec fierté la déformation au doigt semblable à celle des deux hommes, un enfoncement le long de la dernière phalange de l'index, à l'endroit où venait appuyer le crochet.

Le départ de Pierre avait entraîné la mise en place d'un nouveau rituel. Avant d'ôter les vantaux de la devanture, Peter s'arrêtait devant le comptoir, fixait le portrait. Esther avait insisté pour qu'ils se rendent chez le photographe en face du marché couvert. C'était là qu'ils avaient posé pour leur mariage. Peter avait craint que la solennité de la démarche ne leur attire un malheur. Esther s'était entêtée. Elle voulait avoir son fils sous les yeux à toute heure de la journée, quand il serait loin. Elle avait insisté pour que le cliché soit placé dans un cadre doré et mis au mur. « Les clients n'ont pas besoin de savoir... » D'habitude, elle se résignait à sa volonté, un sourire maternel un peu las aux lèvres. « Ils verront qu'il fait son devoir ! »

Chaque matin, il espérait sincèrement être gagné par l'émotion. Il ne sentait que le regard absent, presque dur, de son aîné – il avait fixé l'objectif, toute vie déjà enfouie, les lèvres closes. Cette présence muette lui pesait à la façon d'un reproche. Il enviait Esther qui, en passant devant, caressait le cliché d'un geste furtif, ou bien embrassait le bout de ses doigts qu'elle posait ensuite contre le portrait sous verre.

La pénombre réduisait les traits à l'essentiel. La physionomie un peu molle de son fils, le visage rond, les joues proéminentes ramenaient son air guerrier à une pose ridicule. Les Aderhold avaient tous la même constitution, impropre aux tenues militaires.

La guerre est le grand révélateur de la folie des peuples. L'Anglais affronte le danger comme on parie aux courses, le Français se désespère avant de se résigner, mais le Boche, lui, abandonne toute humanité. Pis même, il met sa science, sa culture, son intelligence au service de sa sauvagerie. Un article saluait la trente-sixième victoire du capitaine Guynemer. Les frontières étaient des cicatrices causées par les passions des hommes. Seul comptait l'anéantissement de l'esprit boche, du *Weltschmerz*.

La lecture des faits divers l'arrêta. Anna Grignan, vingt-neuf ans, demeurant 149 rue de la Roquette, avait été envoyée au Dépôt. Elle arborait l'insigne de la Croix-Rouge, ainsi qu'une croix de guerre, et prétendait quêter pour les orphelins. Il éprouva un élan de sympathie pour la voleuse, ainsi que pour Mlle Henriette Nicault, blanchisseuse qui revendait les chemises brodées de ses clients partis au front. Leur entêtement à ignorer la guerre, à poursuivre leurs petites arnaques, tout juste s'adaptaient-elles au mouvement général, jouaient sur le patriotisme pour filouter les gogos de l'arrière, les lui rendaient proches. Comme lui étaient proches aussi les victimes d'accidents décrits juste en dessous, le malheureux ayant chuté de la plateforme du tram, celui happé par une courroie de transmission rue de Buci, la jeune fille renversée par une automobile place de la Bastille. Le journal indiquait l'hôpital où ils étaient soignés et Peter s'imaginait leur rendre visite. Il leur aurait apporté des fleurs, des chocolats, ils auraient disserté sur le chauffard ou sur l'emballement de la machine, comme si tout cela était arrivé par un de ces hasards malencontreux des temps de paix. Il attendait qu'on lui rende son fils.

En connaisseur des hommes, il savait qu'il était vain de vouloir bannir les bizarreries du destin. Il s'efforçait au contraire de leur trouver un sens logique qui lui permettait d'en conserver le contrôle. L'examen minutieux des réclames en faisait partie. Il retardait le moment d'arriver à la dernière page où elles étaient regroupées. Il espérait y découvrir celle de la Compagnie de literie Lafontaine. Elle avait cessé de paraître quelques jours avant le départ de son fils. Dans son système de correspondances souterraines, sa réapparition dans les colonnes du *Petit Journal* marquerait le retour de son aîné. Pierre était revenu une fois au début de l'été 1916. Il avait été presque impossible de lui arracher un mot. Peter avait dû insister pour accompagner son fils à la gare, à la fin de sa permission. En traversant la Seine par le pont de Levallois, il s'était mis à espérer que la route devant eux s'entrouvrît, mais la seule excuse de Dieu était qu'il n'existait pas, comme avait écrit un poète boche. Il était encore temps, quelques phrases, un mot. Sans toi... Peter marchait dans les rues avec le sentiment d'errer dans une forêt profonde, effrayante comme un souvenir enfoui. La vie sans toi, il lui aurait dit. Le convoi était bondé de soldats eux aussi de retour de permission. Il lui aurait dit, la vie sans toi, le travail, mes journées n'ont aucun sens. Les familles esquissaient de maigres sourires, comme on fait avec ceux qui partent pour un court voyage. Tu es celui que j'aurais aimé être, ma seconde chance, reviens, reviens-moi vite. Quand ils travaillaient ensemble, il s'autorisait quelques bourrades, des tapes dans le dos. La tendresse pudique des gestes n'imposait pas de réponse. Pierre était monté dans un wagon, avait joué des épaules pour se glisser jusqu'à la fenêtre ouverte du couloir. Le train s'était ébranlé avec la lenteur des amants s'arrachant des bras de leurs maîtresses. « J'ai repensé aux ressorts... » avait lâché Peter. Une soudaine inspiration. « Quoi... ? » Peter criait. D'autres parents couraient à ses côtés le long du quai. « On en reparle à ton retour !» Pierre avait esquissé un sourire sans que Peter soit certain qu'il ait compris.

Il avait tenté en vain, de retour de la gare, de se souvenir du moment précis, le dernier instant où il pouvait encore discerner son visage au milieu de ceux des conscrits agglutinés contre lui, comme des anguilles essayant de sortir du seau.

Il passa sa main sur le renflement de la poche de sa blouse. Il se rassura en sentant la couverture rigide de son carnet qui renfermait la réclame pour la Compagnie de literie Lafontaine. Pierre la lui avait découpée pour qu'il y réfléchisse. Il fallait compter entre 288 et 325 ressorts par matelas en fonction de la qualité souhaitée. Peter s'était renseigné sans en parler à Esther. Les affaires reprendraient une fois la paix revenue. Des nuits d'amour sur une bonne literie. Il était trop vieux pour apprendre les nouvelles méthodes, Pierre s'en occuperait. Il changerait aussi l'enseigne. Aderhold et fils.

Il reposa le journal. En la soumission patiente résidait le secret pour se rendre les signes favorables.

Peter se laissa aller à un bref soupir.

L'histoire se moque bien des petites ruses des hommes. Nul ne peut déserter son destin.

La sonnerie de la porte du magasin retentit.

L'inconnu se tenait au milieu de la pièce, son chapeau melon à la main. La chaîne d'une montre barrant son gilet le faisait ressembler à un huissier. Ses doigts se faufilèrent dans les plis de son manteau, en tirèrent une lettre. Il la lut d'une voix aussi monotone que le roulement d'un train. Matricule 13117 de la classe 1916. Chaque ressort est relié aux autres par des fils d'acier. Peter serrait la bosse formée par son carnet. Leur fabrication en métal offre une élasticité constante. Soldat de première classe, 1re section. Leur quadrillage équidistant, indéformable, supprime la nécessité de retourner le matelas journellement. 3ᵉ bataillon du 121ᵉ régiment d'infanterie. Ce système assure en outre une ventilation constante, garantit une salubrité parfaite. En amont du plateau de Californie. Associés au kapok, fibre d'une grande légèreté qui remplace avantageusement la laine, les ressorts empêchent que l'âme ne se mite. Au nord du village de Craonne, département de l'Aisne. La manie des Français de prêter vie aux objets inanimés étonnait toujours Peter. Les Boches, eux, transformaient même les hommes en matière inerte.

Je reconnais aussitôt sa silhouette lorsqu'elle descend du train. Elle porte un béret qui cache ses cheveux blancs. La coquetterie de ma mère s'affiche sans excès, un long manteau noir, de discrètes boucles d'oreilles et une légère couche de fard sur les joues.

Elle m'examine, me trouve les traits fatigués.

— Les souvenirs, je marmonne.

— Ton père encore, réplique-t-elle à la fois désolée et déçue.

La vue de Simon l'arrête. Elle le questionne sur ses résultats scolaires. Elle lui raconte comment, après une mauvaise note, j'essayais de convaincre mon père que le professeur était un anticommuniste forcené. Simon écoute, surpris. Elle me reproche mon silence sur mon passé.

Je marmonne une vague excuse. Son bref sourire ironique m'exaspère.

Elle se plaint de sa solitude. Depuis une quinzaine d'années, elle habite un appartement près de la cathédrale Saint-Corentin à Quimper. Elle m'avoue qu'elle se rend parfois à l'église. Non pas pour prier, elle se revendique athée, mais pour retrouver l'odeur, les images de son enfance. Seule chez elle, elle se surprend à fredonner les chants qu'elle a appris avec les bonnes sœurs.

La famille maternelle, catholique, conservatrice, bourgeoise, ne faisait pas partie de l'histoire. Dans mon esprit d'enfant, je n'en avais ni le nom ni le sang. Leur mémoire se limitait à quelques anecdotes édifiantes, que ma mère présentait à la façon d'une autocritique.

Elle était née en mai 1936, quelques semaines avant terme. Ma grand-mère, Marie-Antoinette, fut prise de contractions au lendemain de la victoire du Front populaire. Les arrière-grands-parents possédaient une scierie près de Janzé, à une trentaine de kilomètres de Rennes. Ma mère et sa sœur aînée y passaient leurs vacances. Elles se devaient d'avoir plusieurs paires de gants blancs pour la messe du dimanche.

Je pousse un soupir, je sais tout ça.

Seul mon grand-père, François Berthelot, échappait à ce naufrage. Nous étions nés le même jour. Nous nous téléphonions pour nous congratuler, nous appelions les jumeaux, puis nous raccrochions jusqu'à l'année suivante.

Il avait fait la guerre. Chaque fois que j'allais le voir, je lui demandais de me la raconter. Il prenait un ton presque détaché pour me décrire des événements dénués de bravoure. À l'en croire, son principal fait d'armes se résumait, lors de la bataille de Dunkerque, à avoir sauté dans des latrines à ciel ouvert pour éviter les bombes des avions allemands.

Une anecdote en particulier revenait souvent. Peu après sa reddition, la cohorte de prisonniers dont il faisait partie, en route vers Anvers, avait fait halte dans un village. Mon grand-père était entré dans une épicerie acheter du chocolat. Quand il avait regagné la place, les hommes étaient déjà repartis. Il aurait pu se cacher, jeter son uniforme et rentrer à Rennes auprès de sa femme et de ses deux filles. Il avait hésité une seconde, puis avait couru après sa colonne. Il était resté cinq ans prisonnier dans un oflag en Allemagne. Ma réaction à la fois stupéfaite et désappointée l'amusait. Il résumait sa captivité en quelques phrases, concluait que

cette période avait constitué la meilleure partie de sa vie.
J'avais fini par le voir tel un des soldats de la 7ᵉ compagnie de Robert Lamoureux, joyeux tire-au-flanc à l'égoïsme
sympathique, fuyant tout engagement comme tout danger.
Ma mère hausse les épaules d'un mouvement las.

Un télégramme prévint de son retour, en octobre 1945.
Lorsque Marie-Antoinette et ses deux filles arrivèrent à la
gare, une fanfare jouait des airs patriotiques. Le soufflement
d'une locomotive se fit entendre. Un mouvement dans la
foule laissa apparaître le cortège des prisonniers qui s'avançait le long de la voie. De temps à autre, un soldat s'en
écartait pour se jeter dans les bras d'une femme. Soudain
Marie-Antoinette cria : « C'est ton père ! Cours ! Cours ! Il
est là ! » Ma mère fixa affolée le groupe d'hommes devant
elle. Ils se tenaient maintenant à quelques mètres d'elle,
d'une maigreur à faire peur, le même visage hâve mangé
par la barbe, l'uniforme loqueteux. Elle pleura « C'est
lequel ? ».

Ils partirent pour Lisieux où, architecte, mon grand-père
s'employa à reconstruire la ville détruite par les bombarde-
ments. Il était ce qu'on appelle un coureur. Ma grand-mère,
trompée et battue, qui espérait tant accéder au rang
d'épouse de notable, n'y survécut pas. Elle mourut d'épui-
sement. Ma mère conserve d'elle le souvenir d'une femme
austère, encombrée de ses rêves de jeune fille, le goût des
intérieurs soignés et une propension aux amourettes.

Mon grand-père menait ses maîtresses dans les grands
hôtels sur la côte, à Deauville ou à Cabourg. Ses frasques
eurent raison de ses finances. Il laissa ma mère affronter
seule les visites des huissiers.

Elle me regarde un moment, comme si l'ombre de mon
père planait entre nous.

Lors des promenades dominicales dans le jardin de
l'évêché à Lisieux, des jeunes gens lui demandaient, l'air

mélancolique, le droit de lui prendre la main, un baiser. Plus tard à Paris, les comédiens se comportaient en soupirants. Ils lui faisaient la cour comme on répète un rôle. Mon père ne s'embarrassa pas de telles précautions. Il se montra tout de suite entreprenant, comme si le désir était la seule chose intéressante qu'un homme et une femme puissent partager. Elle s'étonna de cette manière si cavalière et plus encore du peu de prix qu'il semblait y accorder.

A-t-il au moins pris la peine de te dire que tu étais jolie ? voudrais-je lui demander.

Il ne s'inquiétait jamais de compliments. Elle en souffrait comme d'une maladie térébrante. Elle quêtait le moindre mot tendre de sa part, même une simple attention. « Tu la trouves comment ma nouvelle robe ? – Rose. » Ou « blanche » répondait-il.

Dans cette attente cuisante, toujours déçue, elle trouva une source inépuisable d'attirance. La rage de son mari la protégerait. Sa force emporterait tout. Elle construisit son existence, et la nôtre, sur cette seule conviction.

— Est-ce que tu crois qu'il m'a aimée ? murmure ma mère.

— Tu ne vas pas te mettre à ressembler à ton père, se lamente ma mère, d'une voix triste.

Ma sœur l'a appelée la semaine dernière. L'outrance de ma rage au moment de débarrasser la maison paternelle lui a fait peur.

Sans attendre ma réponse, elle se lance dans un long réquisitoire contre lui. Sa rancœur demeure intacte, bien qu'ils aient divorcé depuis plus de vingt ans. Elle ressemble à ces ex du parti, devenus de virulents anticommunistes. La même aigreur devant ce qui fut l'aventure de leur vie. Après leur séparation, ce fut pire. Nous apprîmes toute l'étendue des coucheries de mon père, des coups contre ma mère. Elle déstalinisa notre enfance, nous dévoila les coulisses de nos instants heureux, comme les dirigeants exclus décrivaient les basses manœuvres de Moscou. Notre jeunesse ne fut plus qu'un décor en trompe-l'œil, notre naïveté sans cesse abusée.

Je suis trop fatigué pour refaire l'histoire.

Elle change de sujet, me demande si j'ai le temps d'écrire en ce moment. Je lui avoue que je me suis remis à mon projet sur la dernière nuit de Nerval. Elle sursaute.

— Ça avance ?

Je hausse les épaules. Elle m'adresse un rictus attristé, me demande ce qu'en pense Catherine. Je ne réponds pas. Son sourire suggère qu'à la place de ma femme, elle saurait m'aider à vaincre mes doutes, ainsi qu'elle le faisait avec mon père, lorsque le trac le paralysait.

— Tu voudrais qu'elle entre au parti ? je lâche d'un ton à l'ironie mauvaise.

Elle se rembrunit. Elle a toujours prétendu que son adhésion à la fin des années soixante avait été un choix personnel, motivé par le rejet de ses origines familiales. Elle concevait les réunions de cellule à la maison comme les dîners entre comédiens. Ignorant les remarques de son mari, elle passait la journée en cuisine à préparer des gâteaux, sortait la nappe blanche. Elle nous menait au salon saluer les militants. Ils jetaient un coup d'œil gêné à mon père.

— J'ai fait des efforts pourtant, se défend-elle.

Elle récitait des poèmes d'Aragon ou d'Éluard lors de la cérémonie de remise des cartes. Un dimanche par mois, elle tenait le point de vente de *L'Humanité* devant la boulangerie en bas de chez nous. Elle nous emmenait. Notre présence lui donnait du courage. Dès huit heures du matin, nous nous retrouvions autour du présentoir à journaux qu'un membre de la cellule déposait la veille à la maison. Elle nous faisait brandir *L'Huma* avec la conviction que notre participation ôtait à cette scène son caractère militant, tandis que défilaient nos voisins venus acheter croissants et baguettes. Nous courions autour du présentoir, chahutions, et ma mère, soulagée par la diversion, se consacrait à nous surveiller, attendant que mon père, qui dormait, prenne la relève en fin de matinée.

Ces séances dominicales n'étaient rien à côté des campagnes électorales. Les adhérents avaient pour mission de faire du porte-à-porte. Son statut de femme au foyer rendait ma mère particulièrement disponible. Je soupçonne même certains militants d'avoir profité de l'occasion pour la punir de son mode d'existence bourgeoise – les autres travaillaient.

Je lui rappelle qu'elle s'arrangeait pour que la distribution ait lieu le jeudi, jour où nous n'avions pas école. Elle nous réveillait de bonne heure. La matinée était consacrée au pliage des tracts. Ma sœur, trop petite, nous regardait faire. Je m'appliquais à ce que les bords de chaque feuille soient bien en face. Si avant midi je dépêchais le tas devant moi, elle me promettait de passer au retour à la boulangerie pour acheter un flan.

Nous prenions ensuite un grand bain. Elle nous récurait les oreilles, nous coupait les ongles, nous habillait avec soin. Ma sœur, qui marchait à peine, portait une jupe à bretelles, des socquettes, des souliers bleu marine vernis. J'avais droit à une chemise blanche qui me grattait, une veste sombre, un bermuda bleu marine lui aussi. Ma mère passait des heures à se préparer. Elle misait tout sur son visage, convaincue que la douceur de ses traits rehaussée par un nez en pointe et des yeux en amande lui permettrait d'attirer la sympathie. Elle se décidait pour une robe rose, qu'elle avait portée au mariage de mon oncle. Elle sortait de sa housse un manteau gris perle. Pour parachever le tout, elle prenait sa capeline, rose elle aussi, comme c'était la mode alors. On aurait dit Twiggy, ou quelque mannequin, prête à défiler. Elle glissait des tracts dans son sac noir à chaîne dorée. Le reste demeurait caché dans une poche plastique que je portais avec moi. Il était hors de question de s'en débarrasser dans une poubelle. Elle aurait eu l'impression de ne pas être à la hauteur de son amour. Elle en glissait seulement deux ou trois dans la main d'un locataire bienveillant. « Pour faire circuler autour de vous. »

— Le XVe arrondissement était un fief gaulliste, plaide-t-elle.

Les gens nous ouvraient sans méfiance. Elle prenait un ton urbain. Ma sœur, dans ses bras, chantonnait, tandis que d'une voix timide, le regard sur le paillasson, je saluais à mon tour. Elle parlait de tout et de rien, retardait le moment où elle dévoilerait le motif de sa visite. Ils la fixaient, intrigués, concluaient à quelque œuvre caritative. Elle finissait par actionner le clip de son sac à main, en sortait une feuille pliée. D'un ton le plus détaché possible, elle murmurait : « Un message du candidat du parti communiste français… » Certains chiffonnaient le tract ou bien nous claquaient la porte au nez. À chaque coup de sonnette, le visage de ma mère se contractait. La grimace d'appréhension se transformait aussitôt en un sourire avenant quand la porte s'ouvrait. Elle craignait l'anticommuniste virulent. Quand nous entrions dans un immeuble, elle me rappelait la consigne, à la moindre altercation, gagner l'escalier sans essayer de distribuer aux étages supérieurs. Mieux valait passer aux habitations suivantes. Elle en avait si peur qu'au moindre mauvais pressentiment, un concierge désagréable, un locataire méfiant, elle rebroussait chemin.

Je me figurais cet ennemi qui l'effrayait sous les traits de Long John Silver, le méchant de *L'Île au trésor* qu'elle nous lisait.

L'évocation la fait rire mais aussitôt le souvenir de la rencontre tant redoutée nous plonge dans le silence.

Nous entendîmes des aboiements à l'instant où ma mère sonna. Elle évitait les propriétaires de chiens. Elle perdait ses moyens à la vue de l'animal. Sans attendre, elle me poussa vers l'escalier. Un homme au ventre imposant apparut dans l'entrebâillement de la porte. Ma mère prétexta une erreur. Il insista pour savoir le nom de la personne que nous cherchions. Il connaissait tous ses voisins. Elle se résigna, revint sur ses pas, lui fit son petit discours, presque à voix basse. Il l'arrêta pour faire taire son chien, un teckel,

qui s'avançait vers moi la gueule ouverte. « Arthur !»
grogna le maître. L'homme ne comprenait rien au laïus
de ma mère, l'obligeait à recommencer. Elle se résolut à lui
tendre le tract plié. Lisez, tout est expliqué. Elle me fit signe
de nous en aller, descendit quelques marches. Il parcourut les premières lignes. Son ventre fut secoué par un bref
sursaut de colère. « Connasse !» cria-t-il. L'insulte résonna
dans tout l'escalier. Je restai devant la porte, pétrifié. Ma
mère m'appela. Je sentais contre mes jambes le souffle du
teckel dont le clabaudement couvrait presque les insultes de
son maître. Livide, elle revint sur ses pas, se glissa entre la
rampe et l'homme, me prit la main. « Espèce de salope !»
il lui hurla. Leurs visages se touchaient presque. Elle me
tira vers l'escalier, sans un regard. Ma sœur pleurait à
pleins yeux. À chaque palier, des portes s'entrouvrirent,
laissant apparaître les locataires alertés par les cris. Nous
atteignîmes le hall. Je levai la tête. Le locataire était penché
par-dessus la rampe. La distance rendait son visage encore
plus terrifiant. Il n'était plus qu'une bouche, grande ouverte,
encadrée par deux plis profonds qui rétractaient ses joues,
les dents prêtes à nous déchirer. « Sale pute !»

On parlait de Pierre Aderhold comme d'un jeune premier à la fougue prometteuse. Sa rage donnait à ses personnages une sincérité, une épaisseur. Au sortir d'une représentation, il était comme lavé des petitesses de l'existence. Il s'adressait aux amis défilant dans la loge, aux inconnus qui l'attendaient devant le théâtre pour le féliciter avec cette tendresse lumineuse propre aux êtres sous l'emprise de quelque sentiment puissant. Il se réconciliait avec la terre entière et la terre entière avait quelque charme à ses yeux. Les heures qui suivaient se résumaient à une lente redescente. Il s'attardait au bistrot voisin. À mesure qu'il sentait la grâce s'évanouir, il quémandait un commentaire minutieux de sa prestation. Il finissait par rentrer, la démarche lourde d'un roi en exil. Il conservait le lendemain un peu de cette aura, qui le rendait tendre avec ma mère, et rieur avec nous.

Le renouveau du théâtre passait alors par la compagnie de Mnouchkine, ou par celle de Planchon. Mnouchkine, et son travail sur le corps, son gauchisme, était trop moderne pour mon père. Il préférait la vision marxisante de Planchon, rêvait d'intégrer sa troupe. Il attendait un signe, qui finit par arriver au début de l'année 1971.

Le metteur en scène donnait chaque année une réception où se voyait convié le Tout-Paris théâtral. Lorsqu'ils reçurent l'invitation, mes parents ne doutèrent plus que mon père ferait bientôt partie de sa compagnie.

La fête se déroulait au théâtre Montparnasse. Ils y arrivèrent de bonne heure. Mon père avait horreur d'être en retard. Ma mère fit une entrée remarquée. Sa robe d'un rose fuchsia lui découvrait les épaules et le haut du dos. Elle affichait ce soir-là l'assurance d'une femme du monde. Elle tenait le rôle de l'épouse d'un comédien prometteur. Dès qu'elle croisait un invité, ses yeux inondaient son visage d'une gaieté gracieuse qui retenait le regard. Mon père se dirigea vers le buffet. Un garçon en costume crème lui servit un whisky.

Les nouveaux arrivants se distribuaient selon les lois de la dynamique propre à ces cérémonies. Chaque comédien ayant comme l'on dit un nom, le moindre dramaturge en vogue avaient leur petite cour qui, tels des satellites tournant autour d'une planète, grossissaient ou au contraire diminuaient en raison de leur proximité avec Planchon. Toutes ces comètes se mouvaient selon un jeu compliqué d'attractions et de répulsions, dessinant une fragile cosmogonie sociale que mon père semblait être le seul à remarquer.

D'anciennes connaissances, avec qui elle avait suivi le cours Dullin ou débuté sur les planches, se pressaient autour de ma mère. Elle souriait à leurs louanges, inclinait la tête avec élégance. Elle ne perdait pas son mari de vue.

Il commanda un autre whisky. Il n'avait jamais su se plier à la moindre flatterie. À la seule pensée de se présenter devant un acteur ou un metteur en scène connus avec l'humilité d'un quémandeur, il perdait ses moyens. Il saluait d'une repartie qui égratignait l'amour-propre de l'autre, ou bien commettait une gaffe.

Planchon plaqua ses mains sur les épaules nues de ma mère. Il l'embrassa, vanta sa beauté, d'une voix théâtrale, afin que tous acquiescent bruyamment. Elle rougit. Il lui prit les mains pour chasser sa gêne, s'enquit de mon père. Elle le désigna d'un geste du menton. Il se retourna, lui demanda, rajustant goguenard ses lunettes, comment il avait fait pour épouser une si jolie femme. Mon père plaisanta. Il la lui échangerait volontiers contre le premier rôle dans sa prochaine mise en scène. Il dévalorisait toujours en public les gens qu'il aimait. Planchon jeta un bref regard à ma mère, dont le visage, mis à part un léger mouvement de cils qui ne lui échappa pas, demeura impassible. Elle avait fait partie de sa compagnie à l'époque de ses premiers succès. Il l'avait courtisée, avec nonchalance, peu habitué à ce qu'une débutante lui résiste, s'était fendu de quelques promesses. Elle aimait trop l'amour pour accepter qu'il serve sa carrière.

Planchon se rapprocha de mon père. Ma mère, un sourire figé aux lèvres, guettait les mouvements de leur physionomie. À mesure que la conversation s'animait, le visage de Planchon changeait. La légèreté un brin suffisante laissait place à une bienveillance complice. Il ponctuait ses phrases en tapant sur l'épaule de mon père. En guise d'au revoir, le metteur en scène lui fit signe de lui téléphoner.

L'électrique émotion du triomphe inondait la physionomie de ma mère. Mon père prit un autre whisky. « Non seulement chaque genre d'ivresse, mais chaque degré d'ivresse, et qui devrait porter une "cote" différente, met à nu en nous, exactement à la profondeur où il se trouve, un homme spécial » écrit Proust. Mon père n'en connaissait que deux. Les premiers verres faisaient dégorger la petitesse, à la manière d'un écrivain qui doit d'abord se débarrasser des phrases toutes faites. S'il parvenait à pousser plus avant, son esprit se réveillait soudain. La diction hébétée et heurtée cédait la place à une prolixité lyrique. Une beauté fragile inondait ses traits effilés, son regard perdait toute animosité. Délivrée de sa pesanteur, la réalité devenait une vaste scène. Il récitait d'une voix qui lui montait du fond de la gorge, pure, douce, des poèmes comme s'il venait de les écrire. Il fallait le voir, ces soirs de cuite, s'émerveiller du moindre sourire.

Si par malheur mon père en restait au premier degré, il ressassait les mêmes mots, d'un ton mauvais, l'esprit en proie à une idée fixe. Il se montrait mesquin, querelleur. Ma mère s'abandonnait aux compliments que certains s'enhardissaient à lui murmurer.

Un ancien flirt provoqua chez elle un fou rire à l'évocation d'un souvenir commun.

Mon père le dévisageait, les yeux mi-clos. Au début de leur rencontre, ma mère lui avait avoué cette aventure, lui donnant un relief exagéré afin de ne pas passer pour une oie blanche. La vision de Planchon posant ses mains sur les épaules de sa femme lui revenait comme le tic-tac d'une montre. Un autre whisky l'aiderait à y voir clair.

Il hocha la tête, en proie à une angoisse familière. Il existe une situation pire que l'absence de talent. Ne vivre que pour sa passion, en être pénétré au point de connaître les ressorts de son art et, au moment d'entrer sur scène, perdre toute profondeur. Il s'imprégnait de ses rôles avec la claire conscience de ce qu'il faudrait y mettre. Mais selon un mécanisme bien rodé, le jour de la générale, sous l'effet du trac, il restait au bord de son personnage ou bien le cantonnait à un geste ridicule. Othello, Dom Juan, réduits à Pierre Aderhold remontant du bistrot, faisant ses commissions. La lucidité même qui l'accompagnait durant les répétitions était la preuve de son maigre don – le talent ne rend pas de comptes.

Planchon avait les mains d'un avare. Elles révélaient la convoitise, jamais éteinte. Comme le feu d'une chaudière qu'alimentait l'alcool, la peur d'apparaître pour un provincial mal dégrossi dévorait mon père, ce que toute sa vie il craignit d'être resté, le fils de poissonniers. Aucune victoire ne lui procurerait l'apaisement. Il remâchait à voix basse qu'il allait lui casser la figure. À qui... ? lui demanda ma mère. À qui... ? Il n'écoutait pas. Il maugréait contre Planchon. C'est après Roger que tu en as ? « Roger ! » Il pâlit. « Sale connard ! »

Il saisit au vol une coupe sur un plateau. Elle voulut s'en emparer. Le champagne glissa le long de sa robe, une tache sombre rongea le tissu. Il lui tendit une serviette. Est-ce que tu vas me dire qui à la fin... Il était un homme, merde ! Mon père ne pouvait passer outre une telle provocation. Elle mit un moment avant de comprendre qu'il s'agissait de son ancien flirt. Elle lui caressa le visage. « Tu comprends pas ? Il veut te sauter ! » Il avançait parmi la foule, le cherchait des yeux. Une locomotive lancée à toute vapeur. Ma mère s'accrochait à son bras, le visage chiffonné par un sourire navré. Elle lui glissait des mots d'amour.

Ils croisèrent des amis. Il se calma un instant. « Cet enculé croit qu'il peut baiser ma femme ! » Il reconnut la silhouette élégante de l'ancien flirt, au milieu d'un groupe de femmes. Ses amis s'interposèrent, provoquant une brève bousculade. Il croisa au loin le regard de Planchon, crut y déceler une pointe de déception, ce qui raviva son exaspération.

Il y avait dans le succès une absurdité, la fin d'une quête. Se voir offrir sa chance rompt l'équilibre, la défaite est un putain de chaud manteau. Est-ce qu'elle pouvait entrevoir cela ?

Ma mère voulut rentrer. Les deux amis, soutenant mon père par les aisselles, l'accompagnèrent jusqu'en haut de l'escalier. Il leur fit signe qu'il avait recouvré son calme, descendit lentement. Ma mère le précédait. Elle pleurait, en silence. Il s'emporta. Elle dévalait les marches à pas pressés, sursautant à chaque cri de mon père. Il se tenait à la rampe. Sa colère s'essouffla en un apitoiement pleurnicheur qui préludait les remords. Il lui résuma sa discussion avec Planchon. Elle se précipita vers le vestiaire, récupéra son manteau, lui tendit le sien. « Pierre… » Planté devant l'immense miroir aux moulures en bois doré qui occupait le mur du foyer du théâtre, il marmonnait des insultes. « Pierre ! » Il se lançait des regards méprisants « Qu'est-ce que tu… »

Il décocha un puissant coup de tête à son reflet. Le verre autour de l'impact se fragmenta en petits morceaux. Il cogna à nouveau son front contre la glace. Un craquement sinistre suivit la propagation du fendillement. Le miroir entier se lézarda, de larges pans, tordus par l'onde de choc, se brisèrent au contact du sol. La glace disparut en un tintement fantastique de bijoux sonores, comme si la pièce s'écroulait, découvrant l'alignement de briques brunâtres.

Le bruit d'un mouvement de foule au premier étage parvint presque aussitôt, en écho. Les invités se pressaient en haut de l'escalier, le long des premières marches. Parmi eux, Planchon se fraya un chemin jusqu'à la rampe.

Mon père, le sang coulant en minces filets le long de l'arête de son nez, le regard éteint des ivrognes, implorait ma mère, cachée à la vue des autres dans le renfoncement sous l'escalier. Figée, le bras tendu, le manteau de son mari à la main, elle ressemblait à ces tableaux mythologiques du siècle dernier d'Eurydice changée en statue.

— Jamais d'autre que toi…, murmura-t-il.

« My Lord, my poor Lord,
there's nothing new under the sky. »

Pierre Decazes, d'après Shakespeare

On connaît un homme aux juges qu'il s'est choisis.

Quand j'eus atteint ma onzième année, je passais mon dernier été à Salviac. Mes parents nous rejoignirent pour mon anniversaire à la mi-août. Ma grand-mère exigeait la présence de toute la famille. Elle tenait à fêter l'unique héritier. Nous passions plusieurs jours à table. Mon père s'astreignait à s'enivrer.

Il n'y a pas plus routinier qu'un enfant. Malgré les emportements paternels et la crainte des capitalistes qui constituaient une menace diffuse mais continue, le monde semblait m'avoir délivré ses secrets.

À Paris, je connaissais les instituteurs de mon école, les différents chemins pour rentrer à la maison, les recoins des rues propices aux parties de ballon ou de patins à roulettes, la boulangerie en face de chez nous où j'achetais à goûter. Il y avait surtout la marchande de journaux. Sous son comptoir, dormait le trésor sur lequel je lorgnais, la boîte de petits soldats. Lorsque j'entrais dans sa boutique, elle me la sortait et m'installait dans l'arrière-boutique. J'examinais toutes les figurines avant d'en choisir une, chaque fois que ma grand-mère m'envoyait un petit billet.

À Salviac, j'avais fini par apprivoiser l'âcreté de la campagne.

Plus rien ne me surprenait, ni les odeurs crues des fermes et des champs, ni ces bêtes et ces gens dont avant je redoutais la rencontre. Je savais déchiffrer les signes, l'orage à venir, les coins à poissons, les pierres à serpents. Le bois au bout du jardin était peuplé d'Allemands de la division Das Reich, d'Apaches de Geronimo contre lesquels je luttais, muni de mon fusil à amorce et du casque de poilu du père de ma grand-mère.

La veille de la grande réunion familiale, mon père me prit à part, me saisit par les épaules.

— Te voilà adulte maintenant.

Il avait un goût prononcé pour les mises en scène solennelles. Sa diction, sous l'effet de l'alcool, s'alentissait. Il me fit asseoir et m'expliqua que je devais connaître la véritable histoire de la famille dont mon projet d'en faire le récit le préoccupait si fort. La version de ma grand-mère était un conte pour enfants. Il lui en voulait d'avoir enterré à l'église son père, athée militant, par crainte des réactions des clients de la poissonnerie.

Il commença par rectifier les erreurs supposées. Nous n'étions pas originaires de Coblence, mais de Cologne. Il ne se passait pas une semaine sans qu'un article de *L'Humanité* ne rappelle la naissance de Giscard à Coblence, ville où les nobles se réfugiaient pendant la Révolution française. Le parti y voyait le symbole de la politique réactionnaire du candidat à l'élection présidentielle de 1974. Nous ne pouvions partager le même berceau familial. Il donna également une dimension politique à la désertion de Peter. L'officier devint un junker prussien, grand propriétaire terrien conservateur, qui avait pris en haine mon arrière-grand-père, modeste ouvrier matelassier.

— La vérité est la meilleure alliée du marxiste, déclara-t-il.

Ces rectifications n'étaient qu'un préambule. Il s'attaqua à la biographie d'Esther.

Ton arrière-grand-mère habitait dans une ferme d'un petit village du Loiret. Elle rencontra un garçon, tomba enceinte. Mais le garçon refusa de l'épouser. Rejetée par tout le village, elle fut contrainte de partir après son accouchement. Elle laissa son enfant à ses parents, monta à Paris. Des problèmes de santé la contraignirent au chômage et à la misère. L'exploitation capitaliste était sans limites. Il n'y avait alors ni journées de huit heures ni Assedic. C'était avant que les travailleurs s'organisent en syndicat puis en parti et arrachent au patronat les acquis sociaux qui sont les nôtres aujourd'hui. L'homme avec qui elle vivait l'obligea à se prostituer.

« Voilà ce que ta grand-mère tenait à garder secret » lança-t-il avec une joie mauvaise.

Peter, qui travaillait aux Halles, la croisa un soir rue de Lappe. Il tomba aussitôt amoureux. Il parvint à la convaincre de quitter ce métier dégradant et à s'installer avec lui. Mais son maquereau – il fit une incise pour m'expliquer le sens de ce mot – ne voulait pas la perdre. Peter l'attendit un soir à la sortie de son hôtel. Il me décrivit la bagarre comme une scène de *Casque d'or,* si bien que j'imaginai Esther sous les traits de Simone Signoret avec son chignon à la Goulue et son sourire gouailleur.

« Nous descendons donc d'un déserteur et d'une pute » conclut-il.

Il se tut pour voir l'effet de ses révélations.

J'imagine que dans son esprit, cette ascendance présentait le même caractère qu'un quartier de noblesse pour un aristocrate – Mai-68 avait mis à l'honneur les marginaux. Une chanson révolutionnaire qu'il chantonnait souvent clamait « C'est la canaille ! Eh bien j'en suis ! »

Fils de pute. J'avais encore en mémoire l'injure crachée à ma mère lors de la distribution de tracts. L'insulte provoquait assez souvent des bagarres à l'école pour que j'en mesure la violence. Mais pour moi, la tache la plus infamante était notre origine allemande. J'avais grandi dans le culte communiste de la Résistance. Le long des routes de la Corrèze, de la Dordogne et du Lot que nous empruntions jusqu'à Salviac, des stèles égrenaient le nom des maquisards assassinés. J'avais du sang ennemi dans les veines. Même si je voulais le cacher, notre patronyme le clamait assez. C'était un nom de méchant, de brute, de SS. J'essayais d'en atténuer la sonorité germanique – la prononciation des Salviacois, « Adérol », en faisait presque un mot de patois. Je sus très tôt reconnaître dans le regard des gens la méfiance, surtout chez les plus vieux. Ils me le faisaient répéter, soupçonneux. Mon prénom achevait de les convaincre. On me demandait ce que faisait ma famille en 1940. Lorsque je me rendais chez un ami, son père me faisait subir un bref interrogatoire. Une antipathie sourde le poussait à évoquer la mémoire d'un parent déporté, ou à me conter les exploits du maquis dans sa région.

Notre nom agissait comme un chiffon rouge. Nous suions le Boche, nous l'étions indécrottablement. Il valut à mon père d'endosser régulièrement les rôles d'officiers nazis, d'agents de la Gestapo. Lassé des railleries, des déformations de notre patronyme plus ou moins volontaires, à moins qu'il n'ait entendu désarmer toute hostilité, il prit un pseudonyme pour son métier, Decazes, ce qui lui valut un bel article dans *Le Midi Libre*, de la part du correspondant local de Decazeville, « Un comédien qui n'oublie pas ses origines ». Mon père prétendit aussi qu'en dialecte rhénan « Ader » venait de « Adler » qui signifiait « Aigle », tandis que « Hold » pouvait se traduire par « fier ».

Je trouvais que ça nous donnait un air de chef indien.

Je me fâchai dès le lendemain avec ma grand-mère. Je lui reprochai ses mensonges, sa trahison. Je tournai en dérision la folie des Aderhold, nos séances consacrées au récit familial. « Tu ne m'auras plus... » m'écriai-je.

Les processions de bises sur les joues des grand-tantes, des vieilles cousines m'avaient permis de découvrir qu'après un certain âge, la peau change d'odeur. Ça ressemblait à celle aigrelette d'un cuir passé. Les parfums qu'elles mettaient pour la masquer, toujours plus forts, violette, jasmin, bergamote, viraient sur leur chair.

Salviac sentait cette odeur, ma grand-mère aussi.

Nos vies sont pleines de trahisons, petites et grandes, dont le regret nous tient par la suite en haleine. J'abandonnai ma grand-mère, la sacrifiai, sans un remords, tel un renégat dont les positions ne sont plus dans la ligne du parti.

La déception n'éteint pas l'amour, elle l'enfouit dans les replis de notre mémoire, y plaçant aussi les détails insignifiants, des mots, des images, des sensations, qui le moment venu le feront ressurgir. Lorsqu'il me fut enfin possible d'avoir ma propre chambre quelques années plus tard, ma grand-mère m'offrit un de ses grands lits de campagne. Je m'endormais, bercé par le discret parfum de la malédiction.

Je ne voulais pas grandir.

La fierté éphémère d'accéder à des secrets ne contrebalançait pas la tristesse d'avoir perdu mon petit royaume. Le monde des adultes était pour moi pareil à la révolution, une promesse qui finirait bien par se réaliser. L'obéissance aux parents cesserait comme l'exploitation capitaliste. Mais je sentais aussi qu'une fois plongé dans ce nouvel univers, il n'y aurait plus d'excuse. Je devrais à mon tour entrer dans la bagarre et rendre des comptes.

J'ai ressorti des cartons la copie du dossier de naturalisation de mon arrière-grand-père. Je ne pensais pas l'avoir gardé. J'avais réussi à le récupérer aux Archives nationales, lorsque je faisais mes études d'histoire. Tout y est consigné, depuis le montant de ses revenus annuels jusqu'à ses opinions politiques. À la question « Paraît-il avoir perdu tout esprit de retour ? », un employé a inscrit d'une écriture penchée « Oui, il n'a plus de famille en Allemagne. » Seule la mention en marge d'une page indiquant qu'il aurait déserté l'armée allemande rend à Peter un peu de relief héroïque. Quant à Esther, rien ne laisse supposer qu'elle ait pu être une ancienne prostituée. La naissance d'un fils avant leur mariage est notée. Une fille mère. Sans doute mon père enfant avait-il pris au pied de la lettre les insultes des adultes envers l'inconduite d'Esther.

Il prétendit que tout ça c'était des conneries, quand je lui montrai le dossier. Peter avait caché ce qui risquait de l'empêcher d'obtenir la nationalité française. Il n'en démordit pas. Un déserteur et une pute.

— Maintenant que tu es un adulte...

Mon père l'avait décidé comme on décrète l'état d'urgence. Il ne supportait qu'à grands efforts de me voir perdre mon temps à jouer. Le Noël suivant mon dernier été à Salviac marqua la fin de l'enfance.

Il tenait toujours à ce que l'on nous offre un dictionnaire, quelques grandes œuvres de la littérature, un disque de musique classique et, pis encore, des livres d'histoire. Mathilde et moi rêvions d'un Monopoly. Il s'y opposait comme il nous avait interdit le Coca-Cola. À force de supplications, et grâce à l'intervention de ma mère, il consentit à ce qu'un oncle ou une tante nous en fasse cadeau.

Nous ouvrîmes la boîte, émerveillés de posséder enfin le même jeu que nos amis. Mon père retenait sa mauvaise humeur de me voir brandir les liasses de billets. Je me promettais déjà qu'ils constitueraient le trésor à dérober lorsque je jouerais au cow-boy.

Nous attendîmes le lendemain matin pour supplier nos parents d'en faire une partie. Ma mère ne fut pas difficile à convaincre. Mon père détestait les jeux de société et de manière générale les activités communes. S'il y était contraint, il allumait cigarette sur cigarette, renfrogné ou simplement absent, comme pour démontrer que tout ceci, nous quatre attablés devant le plateau de jeu, à boire du jus d'orange, à nous gaver de bonbons, n'était qu'un écœurant chromo.

Nous étions le jour de Noël. Il n'osa nous refuser. Il fallut l'embrasser chacun notre tour pour lui témoigner notre gratitude. Il nous tendit une joue distraite, nous nous efforcions en retour de lui exprimer le plus bruyamment possible notre joie.

J'adorais jouer, je m'y livrais totalement. En cas de victoire, j'étais certain de posséder la grâce, et cette grâce s'étendait à l'ensemble de mes facultés. La défaite au contraire m'apparaissait comme une prémonition de ma nullité. Je dressais dans ma tête la liste des déceptions du moment, à l'école ou ailleurs. Je grossissais chacune de ces contrariétés jusqu'à en faire le tableau complet de la catastrophe à venir. Il m'arrivait de jeter les cartes, de renverser le plateau, suffoqué par l'injustice du revers qui s'annonçait. Quand je me retrouvais en équipe avec ma sœur, c'était pis encore. Elle se désintéressait du jeu, commettait de nombreuses erreurs. Ça me plongeait dans des colères terribles. Mes parents me faisaient jurer de rester calme. À sa première bourde, j'explosais.

La partie débuta. Dès le deuxième tour, je me retrouvai en mauvaise posture. Même Mathilde me devançait. Les sourires consolateurs de ma mère ravivaient encore mon amertume. Je décidai de n'en rien montrer et prouver que j'avais grandi. J'affichai un air digne, m'arrachai discrètement la peau autour des ongles pour apaiser ma jalousie.

J'étais pris par la défaite qui s'annonçait. Je ne remarquai pas le manège de mes parents. Ma mère hochait la tête d'un ton réprobateur, tapait sur le bras de mon père.

Je comptais et recomptais mes sous, pour distraire ma peine. Les manigances de mes parents finirent par attirer mon attention. Enfin je crois. Ou plutôt, à un moment, il me sembla que s'étalait devant mon père une fortune incroyable que rien ne justifiait.

Vint mon tour. Je lançai les dés. L'un d'eux roula sous la table. Quand je me redressai, j'aperçus le geste furtif de mon père se servant dans la banque. Je lui fis une remarque gênée. Il sourit, reposa l'argent, m'invita à relancer le dé. Les tours suivants, je le surpris à nouveau glisser d'une manière à peine déguisée des billets dans sa pile.

Il trichait.

Pas à la façon des adultes farceurs, dont le stratagème trop voyant ne tarde pas à être démasqué par les enfants, ravis de la plaisanterie.

Il trichait avec aplomb, profitant de la moindre diversion. Je ne pouvais pas imaginer qu'il enfreigne ainsi les principes qu'il s'efforçait de nous inculquer. Je passai le reste de la partie à chercher une autre explication. Je crus qu'il s'agissait d'une de ses blagues qui visaient à gâcher notre plaisir, à nous faire passer l'envie de rejouer avec lui. La partie de raquettes ou de boules que je sollicitais quelquefois, l'été sur la plage, s'achevait toujours par une fâcherie. Je finissais au bord des larmes, et lui hilare, ravi de ses facéties.

Il persévéra avec le même sérieux. Je lui signalai ses petites erreurs. Il afficha une mauvaise foi sereine, menaça de me punir si je persistais dans mes accusations.

D'ordinaire, le jeu l'indifférait, qu'il perde ou l'emporte. Il manifestait cette fois une joie exubérante, cruelle même, dès que nous tombions sur une des cases lui appartenant, ou qu'il nous contraignait à lui vendre une de nos rues.

Il gagna, nous écrasa plutôt. Il rayonnait, exultait. Ma mère exaspérée lui répétait Mais quel âge tu as ? Il quitta le salon tout sourire. Au moment de sortir, il se retourna, ricana, puis à la manière d'un fabuliste me livra la morale de cette expérience, morale qui me servirait toute ma vie, précisa-t-il en préambule. « Tu viens de comprendre ce qu'est vraiment le capitalisme. Tâche de ne pas l'oublier. » Je rangeai le Monopoly dans un tiroir, pour ne plus l'en ressortir, et quand, chez des copains, il m'arrivait d'en faire une partie, je mettais un point d'honneur à perdre, oubliant de prélever mes loyers ou d'acheter des hôtels, prêtant aux joueurs en difficulté, me refusant à cautionner l'idéologie de ce jeu.

Le monde au début des années soixante-dix ressemblait à un kaléidoscope avec ses fragments colorés d'aubes et d'apocalypses. Les gauchistes clamaient « Tout est politique ! », « On ne naît pas innocent ! ». Malgré sa haine envers eux, mon père pensait de même. Tout était prétexte à s'indigner, à dénoncer. Les Palestiniens étaient chassés de Jordanie. Nixon se faisait réélire. Pinochet renversait Allende. La dictature des colonels grecs s'éternisait. Les certitudes étaient franches, vives comme les couleurs à la mode. Nous portions des vêtements aux rouges, aux bleus, aux verts crus. Nos ennemis étaient des fascistes, des nazis, des collabos. À la maison, le tissu des rideaux, du dessus-de-lit, la peinture du coffre à jouets, tout était d'un orange criard, et même les tabourets en plastique translucide. Lors des réunions de cellule, des hommes, dans le halo des fumées de cigarette, discutaient fébrilement.

Mon père était si pressé que tous les moyens étaient bons pour me donner une leçon, leçon le plus souvent mortifiante, persuadé que seules les morsures ne s'effacent pas de la mémoire. L'entrée dans l'âge adulte marqua pour moi celui des larmes. Elles l'arrêtaient, du moins le calmaient un instant. Je ne compris que plus tard l'intérêt que j'avais à m'y abandonner. Il n'y avait pas à ses yeux de véritable contrition sans pleurs. À l'époque, je les versais avec sincérité, dans le ferme espoir d'obtenir son pardon.

Il m'attendait, voulait faire de moi le Rimbaud de la politique, de la philosophie et plus sûrement son camarade de cellule, son pote de bistrot. Son communisme était charnel, instinctif. Il l'était, comme d'autres sont Juifs, Pieds-noirs ou Corses. Avec emphase et totalement. Il redoutait de ne pas être à la hauteur et plus encore de nourrir des sentiments bien peu communistes, contre lesquels il luttait en vain. À jeun, il prônait un internationalisme sans faille. Dès qu'il avait un peu trop bu, son inavouable patriotisme remontait. Il tentait de s'en justifier par des arguments qu'il voulait scientifiques : la position, le climat de la France en faisaient le pays idéal, reposant sur un subtil équilibre entre la folie morbide des Allemands, la *combinazione* italienne et l'orgueil des Espagnols. Leur gastronomie condamnait les Anglais. Quant aux Américains, ils n'étaient qu'un simple agrégat d'individus mus par l'appât du gain.

Il se plongeait régulièrement dans les écrits édités par le parti avec la même application qu'autrefois il étudiait le *Larousse*. À ses anniversaires comme à Noël, nous lui offrions les œuvres de Marx, de Lénine et de leurs continuateurs. Il caressait la couverture des livres, les feuilletait, avec l'air de quelqu'un à qui un grand plaisir est promis. Il les rangeait ensuite dans sa table de nuit. L'été, allongé sur sa serviette de plage, il en posait ostensiblement un devant lui, de sorte que les vacanciers autour de nous ne nourrissent aucun doute sur ses opinions.

Il transféra sur moi ses aspirations à la théorie. Il récompensa mes bons bulletins scolaires par quelques ouvrages de penseurs communistes. J'eus droit aux *Principes élémentaires de philosophie* de Politzer, au *Rôle de la violence dans l'histoire* d'Engels, puis aux *Textes choisis* de Rosa Luxemburg, tous dans la collection des Classiques du peuple des Éditions sociales, à la couverture orange et gris, si peu engageante. Une fois par semaine il me fallait lui en résumer un chapitre. En fait de lecture, je préférais les bandes dessinées offertes en secret par mon oncle paternel, les aventures de Blek le Roc, Zembla l'homme-lion, Mandrake le magicien ou bien encore Guy l'Éclair. Je pouvais glisser ces fascicules de petit format à l'intérieur des Classiques du peuple.

À mesure qu'approchait l'échéance hebdomadaire, je parcourais en diagonale le passage sur lequel mon père m'interrogerait. Par une fatalité inexorable, je ne parvenais pas à en saisir la moindre phrase. Pris séparément, chaque mot était compréhensible ; mis ensemble, ils perdaient soudain toute signification. Je m'entêtais, les répétais chacun jusqu'à ce que leur sens m'entre littéralement dans la tête. Il s'évanouissait dès que je passais au suivant. Après plusieurs minutes d'efforts, je remettais au lendemain. Je définissais un nombre de pages à lire pour être prêt le jour de mon audition. Ce défi avait le don de m'électriser. Sûr d'y parvenir, je retournais alors aux bandes dessinées.

Mon père ne mettait pas plus de quelques minutes à découvrir la vérité. L'idée qu'il me soit impossible d'accéder à ces ouvrages ne l'effleura jamais. Il me fixait avec son regard à la Lino Ventura, habité par une injonction silencieuse à me mettre à table. D'un ton méprisant, il pointait mon manque de conscience politique, sa déception. Sous la violence du remords, je m'engageais à tout lire pour la semaine suivante. Tempérant mon enthousiasme, il se contentait de la promesse d'un nouveau chapitre. Dès que je me retrouvais seul en compagnie de Politzer, d'Engels ou de Rosa Luxemburg, je perdais le fil dès la première ligne.

Paradoxalement, l'univers de ces bandes dessinées s'est longtemps confondu avec la conception communiste du monde. Les héros passaient l'essentiel de leurs aventures à lutter en vain contre des ennemis, avant la victoire finale. Assuré de leur triomphe, je n'étais pas pressé de voir Blek venir à bout des soldats anglais, ni Zembla l'emporter sur les chasseurs. N'était-ce pas au fond cela que voulait m'enseigner mon père à travers ses ouvrages ? Les défaites du prolétariat y étaient énumérées, sans jamais perdre la certitude qu'à la fin de l'histoire surviendrait l'heure de la revanche, la société sans classes.

Mon père m'avait aussi assigné la mission de redresser les erreurs, confondre les mensonges, que propageaient mes professeurs, victimes conscientes ou inconscientes de l'idéologie dominante. En mathématiques, la lutte était à peu près nulle. L'histoire en revanche regorgeait de sujets propices à la controverse. Nous commencions les repas familiaux, avant l'heure des nouvelles à la radio, par le résumé de notre journée. Malheur à l'enseignant qui s'était laissé aller à quelques remarques anticommunistes. Mon père me fournissait des arguments qu'il me fallait ressortir en classe. Il me fallait, je devais. Combien de fois me suis-je levé le matin, la crainte au ventre. Tiraillé entre le devoir filial et mon désir de me fondre dans la masse des élèves, je fixais avec inquiétude l'horloge au-dessus du tableau. L'heure de la récréation, de la cantine approchait sans que j'aie encore rien dit. Je finissais par lever le doigt. Je posais une question dont les mots et le sens trahissaient l'intervention d'un adulte. Avant que l'instituteur, un peu décontenancé, m'ait répondu, je débitais ma harangue. Mon père savait choisir des détails – parfois même il les inventait – dont personne n'avait connaissance, hormis les habitués de la littérature du parti. L'enseignant qui, pris de court, me rabrouait, avait la surprise de voir peu après débarquer mon père. Sa voix forte, sa carrure impressionnante faisaient le reste. Les instituteurs en vinrent à redouter de m'avoir dans leur classe. D'autres, plus malins, me réfutaient en

avançant des faits auxquels j'étais incapable de répliquer.
Je rentrais à la maison honteux, retournais en classe avec
de nouveaux arguments. Le débat s'étalait parfois sur
des jours. Le maître me gardait pendant la récréation. Je
voyais par la fenêtre mes copains jouer dans la cour. Quand
l'enseignant se laissait toucher par mon malaise, il mettait
un terme à la discussion, m'envoyait retrouver les autres.
Le plus souvent, contrarié de voir ses compétences mises
en doute, il s'acharnait à me démontrer mon erreur. La
récréation s'achevait sans que j'aie rejoint mes copains.
« Des anticommunistes primaires » concluait mon père.
Le lendemain, je repartais au combat.

Il n'était jamais pleinement rassuré. Je lui témoignais en
retour un zèle sans faiblesse. J'épousais ses colères, prenais
le même air mauvais en écoutant la radio. Devant la glace
de la salle de bains, j'esquissais des énervements comme lui,
comme lui poussais des soupirs rageurs. Je m'essayais à lire
L'Humanité aux toilettes. Je me faisais venir les larmes en
parcourant les articles. J'étais persuadé que la légère modi-
fication de mon prénom, le changement de la consonne
initiale, sonnait pour lui comme une concession qui m'éloi-
gnait de l'ombre tutélaire de l'auteur du *Kapital*.

J'étais désormais responsable. De mes actes, comme de
la moindre de mes pensées ou de mes relations.

Une des amies comédiennes de mon père avait deux fils
plus âgés que moi. L'aîné, Stéphane, était en première. Je
le croisais dans la cour du collège-lycée. Nous échangions
quelques mots, sous le regard envieux de mes copains. Il
faisait partie d'un groupuscule anarchiste qui, une nuit,
s'était glissé dans les salles de classe pour peindre sur les
murs et les tableaux, « Faites l'amour, pas les maths »,
« Couchez avec vos profs ». Après cet exploit dont il m'avait
mis dans la confidence, il devint mon héros. Je vantais ses
mérites à la maison, fier qu'il m'invite chez lui le samedi

après-midi pour me faire découvrir les disques des Pink Floyd et les bandes dessinées de Gotlib. « Gauchisme puéril ! » s'emporta mon père. Il ajouta une pique sur ses cheveux longs, une autre sur sa paresse, avant de le discréditer définitivement. « Un petit-bourgeois. » Je persistai un temps à voir Stéphane. Malgré moi, dès que je me retrouvais chez lui, mon regard scrutait sa chambre à la recherche d'un détail qui refroidirait mon affection. Sur une étagère de sa bibliothèque, une brochure anarchiste affichait en couverture une caricature de Georges Marchais. Un joint à moitié fumé sur le bord de sa table de nuit et une longue écharpe mauve jetée sur le lit, qui sentait le patchouli, trahissaient ses accointances avec les hippies qu'on raillait à la maison. La déception fit son œuvre.

Je cessai de le fréquenter. Je trouvai un prix délicieux à l'abandonner mais plus encore à le trahir. Dans une séance d'autocritique, je dénonçai, submergé par les larmes, les signes de l'idéologie petite-bourgeoise repérés chez lui. Je tenais tant à prouver à mon père mon infrangible allégeance, saluant sa clairvoyance prémonitoire face à mon aveuglement coupable, que j'accusai Stéphane du vol de quelque argent à sa mère. Mon père arbora un sourire satisfait comme chaque fois que je venais à résipiscence.

Il dénonça le larcin, un soir que son amie et son fils étaient venus dîner. Je dus témoigner. Il m'importait assez peu d'être pris en faute, j'en connaissais la saveur amère. Je ne voulais pas entraîner mon père dans ma chute. Mon mensonge sautait aux yeux. Mon entêtement sans faille, l'absence d'hésitation ou de trouble dans ma voix, mon visage dur eurent raison de leurs arguments. Ils me jetèrent des regards pleins de compassion.

Nous ne les revîmes plus. Mon père ne ratait jamais une occasion de raconter le vol auprès des amis communs. Il se désolait de la cécité de la mère, me lançant un discret sourire complice.

Sa volonté pédagogique n'avait pas de limites. Aucune dimension de notre vie n'y échappait. Il existait une éthique communiste – mon père volait dans les supermarchés mais pas chez les petits commerçants –, un humour, des loisirs communistes. Et bien sûr une sexualité. Quand il nous considérait encore comme des enfants, il s'amusait de notre ignorance. Une de ses blagues préférées consistait à nous charger de transmettre à ma mère des messages à nos yeux sibyllins. « Dis-lui qu'elle va passer à la casserole ce soir. » Nous comprenions aux récris maternels qu'il s'agissait d'un jeu entre adultes. « Préviens-la qu'elle se prépare à subir son juste châtiment... » Et quand nous ne manifestions pas assez de curiosité, il nous relançait, nous demandant si nous en avions saisi le sens. Nous répondions d'un ton indifférent, Vous allez faire l'amour. L'air gêné de ma mère provoquait les rires de mon père.

À Noël, il lui offrait des guêpières, des déshabillés aux tissus transparents. Elle soulevait le couvercle de la boîte, écartait les feuilles de papier blanc qui entouraient la lingerie. Elle conservait l'espoir qu'il s'agissait d'autre chose, qu'enfin il s'était lancé à lui acheter un chemisier, une jupe, enfin n'importe quel vêtement qu'elle aurait pu porter ensuite. Nous découvrions avec elle les froufrous rouges, les dentelles suggestives, les combinaisons ajourées. C'est quoi ? demandions-nous.

Quand il décréta ma brusque entrée dans l'âge adulte ainsi que celle de ma sœur, baignée par la grâce qui me touchait, il entendit faire notre éducation. Il nous détaillait l'usage de cette lingerie, l'effet qu'elle était censée produire, obligeait ma mère à l'essayer devant nous. Nous lâchions un vague compliment comme s'il s'était agi d'une robe ou d'une paire de chaussures nouvelles, pressés de retourner à nos jouets. Ma mère, le regard triste, attifée comme une actrice d'un film érotique, ramassait les papiers d'emballage. Il hochait la tête, déçu, se plongeait dans la lecture des quatrièmes de couverture des classiques marxistes qu'il venait de recevoir.

Il ne se tint cependant pas pour battu. Il s'en remit une fois de plus à l'école, m'inscrivit aux cours d'éducation sexuelle proposés par le collège dans la foulée de Mai-68. Selon lui, un communiste se devait d'être attentif à sa partenaire, dans une vision égalitaire du plaisir. Je restais donc, après les heures de classe, à écouter une vieille dame nous expliquer ce qu'était un orgasme. Je dessinais dans mon cahier la coupe anatomique de la verge ou recopiais les définitions écrites au tableau. « Les homosexuels n'ont pas d'enfants, sauf quand ils sont bisexuels », « l'exhibitionniste montre sa verge généralement dans des endroits où on est forcé de le regarder (souvent dans les ascenseurs) mais il n'est pas dangereux ». Le soir, mon père m'interrogeait, afin que ma sœur profite de la leçon. Il nous expliquait l'importance des préliminaires, les zones sensibles chez la femme et chez l'homme. Tout cela nous semblait une affaire bien sérieuse, une corvée de plus qui nous attendait adultes.

Bientôt, la pédagogie laissa place aux confidences. Mon père s'épanchait auprès de ma sœur, ma mère me prenait à témoin. L'un comme l'autre s'y livraient sous couvert d'en finir avec l'hypocrisie dont les bourgeois avaient jusqu'alors entouré le sexe. La révolution sexuelle n'était pas celle qu'ils attendaient mais c'était tout de même une révolution. Ils ne voulaient pas être en retrait, redoutaient de mal faire et de nous inhiber. Il y avait dans leur ton, dans leurs yeux, la même joie enfantine d'être celui qui dévoile à ses copains le secret des parents.

Ma mère attendait que mon père parte au théâtre. Quand je passais dans le couloir, elle me faisait venir dans sa chambre. Je m'asseyais sur le bord de son lit. Allongée, la tête contre les oreillers, elle avait alors une expression que je ne lui connaissais pas. Elle fixait le mur, affichait une timidité qu'elle devait avoir avec ses amies en abordant le sujet. Elle employait des circonlocutions alambiquées qui m'empêchaient de comprendre, jusqu'à ce que devant mon air benêt, elle lâche quelques mots crus. « Il aime les pompiers. » Plus tard, lorsque je fus en âge de m'intéresser aux filles, elle se montrait joyeuse, comme si elle voulait me dépeindre les plaisirs qui m'attendaient. « Quand j'ai mes règles, ça le rebute pas. » Je rougissais. Ce n'était pas ce qu'elle racontait qui provoquait une gêne profonde – à cette époque, je ne pouvais pas même l'imaginer. Mais ses termes faisaient d'elle un camarade de classe. Un parent ne devait pas évoquer ces choses-là avec ses enfants, me répétait-elle. « Il me laisse même pas reprendre mon souffle. » Parfois c'était pour se plaindre, le plus souvent elle s'abandonnait à la trahison avec le sentiment jouissif d'aller jusqu'au bout, sans retenue. « Il me donne toujours la meilleure note, quand il me compare aux autres. » Je ne posais aucune question, conservais un silence profond. Elle finissait par reprendre ses esprits. Hébétée, elle me faisait promettre de n'en rien dire, ou changeait de sujet, ses aveux n'avaient pas eu lieu. Des moments d'égarement sur lesquels je conservais le silence, comme ma sœur faisait avec mon père.

Ce ne fut que bien des années plus tard, une fois devenus adultes, que nous évoquâmes pour la première fois le sujet, découvrant avec surprise que l'autre s'était vu recevoir les mêmes confidences.

Sur le moment, nous avions eu la pudeur de le taire. Il nous semblait alors qu'il fallait bien que quelqu'un en garde le secret.

Georges tenta pendant longtemps de leur faire oublier le décès de son frère. Peter et sa femme ne s'en étaient jamais remis. Officiellement, le deuxième classe Pierre Aderhold était porté disparu lors d'une offensive sur le plateau de Craonne. Ils espéraient que les Boches l'aient capturé. Les derniers prisonniers rentrèrent d'Allemagne à la mi-1919. Chaque fois qu'elle croyait reconnaître le bruit des pas de son fils dans la boutique, Esther dévalait l'escalier, lançait un regard avide sur le nouvel entrant.

Ils l'attendirent, même après que le tribunal de la Seine l'eut déclaré mort en septembre 1921.

Esther s'éteignit l'année suivante. Peter se réfugia dans le silence. Il n'en sortait que pour répéter que son fils était resté chez les Boches. Il paye ma dette, marmonnait-il. Du jour où l'officier d'état civil était entré dans le magasin, avec sa terrible nouvelle, Peter avait renoncé à ses rituels. Il s'était mis à traîner dans les cafés, souvent même buvait seul chez lui. Lorsque l'ivresse le submergeait, il se reprochait la disparition de Pierre. S'il n'avait pas demandé la nationalité française en 1914, s'il était resté un Boche, il aurait rejoint un de ces camps que le gouvernement français avait créés pour interner les résidents allemands et austro-hongrois durant la guerre. Ils y auraient tous croupi pendant quatre ans, mais Pierre serait encore en vie. Il l'avait sacrifié. Et son rêve de voir son aîné construire une nouvelle famille débarrassée de tout passé boche, tu es Pierre et sur cette pierre, était mort avec lui.

Certains matins, les yeux rougis, il annonçait qu'il allait prendre le train pour chercher son fils. Là-bas, lâchait-il d'un geste de la main plein de mépris. Mathilde, sa fille, finit par quitter la maison, s'installa comme matelassière à façon, du côté d'Argenteuil.

Georges avait passé son enfance dans l'ombre de son frère. À onze ans, il fut placé comme apprenti dans de petites entreprises de mécanique. Il s'était montré incapable de garder une place, préférant traîner avec les vauriens du quartier.

Après la disparition de Pierre, il s'assagit. Il revint travailler à la boutique, s'attacha à seconder son père au mieux. Il avait hérité sa force, sa taille de colosse. « Je sais ce que tu manigances. » Peter l'examinait en silence. Un hochement de tête fataliste ponctuait son inspection. « Tu auras beau faire, tu seras toujours un Boche... » Pierre avait les traits de sa mère, une physionomie bien française, harmonieuse et fine, comme aimait à le souligner Peter. Georges lui proposa de se mettre à la fabrication de matelas à ressorts. Peter le chassa à coups de pied.

Gagné par le découragement de ne pouvoir échapper au désastre annoncé, Georges s'abandonna aux travers que lui prêtait son père. C'était encore une façon de lui donner raison. Il se mit à boire, acquit la réputation d'un type bagarreur. Il partit pour le service militaire avant que les choses ne tournent mal. Il fut envoyé comme mécanicien au 37ᵉ régiment de l'armée de l'air à Casablanca, prit part à la guerre du Rif. « Tout juste bon à te battre contre des Arabes » le blâma Peter.

De retour, convaincu du danger de se livrer à sa nature profonde, Georges s'arrangea pour s'attacher à quelqu'un, à un travail, à une cause. Il trouva à s'engager aux usines automobiles Hispano-Suiza. Il fabriquait des carrosseries sur mesure pour des milliardaires américains, des maharadjahs, des émirs d'Arabie. Ses mains taillaient, assemblaient le métal. Il lui suffisait de s'atteler à la tâche, de s'astreindre comme jadis son père avec le coutil et la laine, pour qu'aussitôt il se sente à sa place et s'apaise. Un ordre se dessinait, dont il perçait le secret.

Un collègue d'atelier le convertit à l'anarchisme. Georges se promena dans les rues de Paris, un revolver dans la poche de son veston. Il avait dans l'idée de tirer sur les clients à la terrasse des cafés. Selon lui, seuls des bourgeois étaient ainsi installés à siroter un verre. Il longeait les tables, la main plongée à l'intérieur de sa veste, cherchant une victime.

Un soir qu'il revenait de sa promenade, il débarqua chez Peter et, plein d'une colère qu'il n'avait jamais exprimée devant lui, avoua ses intentions. Soudain calmé, il ajouta que par crainte de céder à ses pulsions, il ôtait le chargeur avant de sortir. La réaction de son père le désarçonna. Loin de s'emporter contre lui, Peter marmonna : « Se pourrait-il que tu ne sois pas complètement Boche ? »

Georges rencontra Gabrielle peu après, au cours d'une soirée entre camarades d'atelier dans un bar de Pantin. Le café appartenait aux parents de la jeune fille. Elle fut séduite par l'allure imposante de Georges. Elle se mit en tête d'en faire son mari, le convainquit de lui faire la cour. Il la présenta à son père.

Gabrielle n'était pas véritablement jolie, plutôt quelconque même. Un léger embonpoint apparaissait déjà, que soulignait sa robe noire cintrée. Son nez pointu, ses cheveux ramenés en chignon laissaient entrevoir la physionomie dure, sans attrait, qu'elle arborerait sous peu, une fois la maternité et le commerce ayant fait leur œuvre. Son regard était dardé par l'éclat de l'ambition. Elle avait avoué à Peter dès leur première rencontre sa volonté de posséder son propre commerce. Elle saurait garder son futur mari du *Weltschmerz*.

Il lui confia Georges, mourut peu après.

Peter ne s'était pas trompé. Georges essaya d'être avec sa femme, comme avec son père, un bon fils. Il put se croire tiré d'affaire. L'année de son mariage, il réalisa son plus beau chef-d'œuvre pour le nabab de Fatehpur. Le roitelet voulait un phaéton de six cylindres en aluminium, capable de monter jusqu'à 170 kilomètres-heure. Georges et ses collègues y avaient travaillé pendant près de six mois, marchepieds en or fin, ailes effilées dont le dessin devait rappeler le cobra, animal protecteur du royaume, intérieur tout en tissu des Indes, capitons en pierres précieuses. Le souverain vint en personne en prendre livraison. Il brisa une bouteille de Dom Pérignon contre la calandre pour la baptiser et disparut, debout à l'arrière, une coupe à la main, en compagnie de sa maîtresse, une jeune actrice dont le rire et les longues jambes électrisèrent tout l'atelier.

Avec ses camarades d'usine, Georges passa trois jours sans dessoûler pour fêter ça. Quand il rentra penaud chez lui, Gabrielle lui arracha la promesse de quitter son travail à l'usine. Elle ne voulait plus qu'il soit ouvrier.

Le 21 mai 1927, Charles Lindbergh réussit la traversée de l'Atlantique. La nouvelle fit la une des journaux qui annoncèrent l'essor irrésistible des transports aériens. Gabrielle rassembla leurs économies, emprunta à ses parents, et fit construire un hôtel au Blanc-Mesnil, en face du nouvel aéroport du Bourget. C'était une immense bâtisse avec le confort moderne, chauffage central, cosy corner et garage, et une clientèle internationale. Elle racontait que les Aderhold venaient de Hollande – avoir un nom à consonance boche était mauvais pour le commerce. Parfois même, aux aviateurs de passage, elle ajoutait qu'ils étaient de lointains cousins de Clément Ader.

Georges s'était fait un petit atelier au sous-sol. Il s'y réfugiait pour réparer une chaise, un tiroir qu'un client maladroit ou ivre avait cassés. Ses mains, qui s'étiolaient à tenir les registres, retrouvaient leur allant. Elles caressaient la courbe découpée, en ôtaient la poussière de bois, avec la même douceur que lorsqu'elles glissaient le long des hanches de sa femme.

Ils y eurent leur premier enfant, le 12 juillet 1932. Gabrielle voulait le prénommer Alexandre, elle entendait qu'il fasse de grandes choses. Ce fut l'une des rares fois où Georges s'opposa à sa femme. Pierre, déclara-t-il. Son ton sans réplique eut raison de Gabrielle. Il cessa alors de lutter comme si, délesté du rêve familial, transmis à son fils, il avait rempli son rôle.

La crise des années trente les obligea à vendre. Ils ouvrirent peu après un café dans le IX\ :sup:`e` arrondissement, le Royal-Trudaine. Les hommes auront toujours soif, disait Gabrielle. Elle le fit aménager dans le style Arts déco, avec ses banquettes profondes en cuir rouge et ses miroirs à l'encadrement en laiton, aux motifs répétitifs. Elle offrait des consommations aux vedettes qui se produisaient au cirque Médrano un peu plus loin sur le boulevard Rochechouart. Elle baptisait ensuite du nom de l'acteur la banquette où il s'était assis, « Maurice Chevalier » ou « Fernandel »...

Georges passait ses journées derrière le comptoir. Il n'avait pas le droit d'approcher de la caisse, ni de négocier avec les fournisseurs. Gabrielle se méfiait de lui, inquiète de déceler dans ses yeux une petite lueur qu'elle connaissait bien et redoutait. Les jours précédant la catastrophe, il devenait soudain mélancolique, s'apitoyait sur son sort sans même être soûl. « La folie des Aderhold », se lamentait Gabrielle. Il disparaissait un matin, revenait quelques heures plus tard au volant d'un cabriolet ou d'une torpédo qu'il venait d'acheter. Il garait la voiture devant le Royal-Trudaine, entrait dans le café avec une prestance de grand seigneur. D'une voix sans appel, il chassait les clients, donnait leur semaine aux deux serveurs, ordonnait à sa femme de préparer les valises pendant qu'il fermait le bar. Gabrielle n'osait lui tenir tête. Il ressemblait à l'homme qu'elle rêvait d'avoir épousé. Elle revêtait sa plus belle robe, montait dans l'automobile, telle une star de cinéma. Ils déposaient Pierre chez Mathilde, la sœur de Georges qui habitait à Boulogne, près des usines Renault, puis ils filaient sur la Riviera. Là, pendant une semaine, dix jours, quinze, cela dépendait du montant de leurs économies, ils descendaient dans les palaces, jouaient au casino de Monte-Carlo, de Nice ou de Menton. Il la traînait dans les restaurants trois étoiles, la couvrait de cadeaux, se promenait sur la Croisette à son bras. Ils rentraient ruinés, revendaient la voiture, et parfois même les bijoux, rouvraient le café, se remettaient à travailler encore plus dur. Elle conservait dans un album les photos de leurs escapades, les menus, les billets de spectacle. Elle le lui reprochait durant des mois. Il gardait en mémoire la façon dont elle s'offrait à lui lors de leur virée. Le luxe la chavirait. Dans l'intimité des lits des grands hôtels, elle s'abandonnait aux mains de Georges comme une matière à travailler, des formes à tailler, caresser. Au retour, elle redevenait l'épouse austère, économe de ses envies comme de ses sous. Elle lui en voulait d'avoir percé son secret, les amours de midinette qui faisaient battre son cœur.

Les escapades sur la Riviera cessèrent avec la guerre en 1939. Georges fut rappelé quelques mois avant d'être démobilisé. Les Allemands occupèrent Paris. Gabrielle redoutait qu'intrigués par le patronyme de son mari, ils ne découvrent la condamnation à mort par contumace de Peter. Elle ordonnait à Georges de se terrer dans les cuisines dès que des soldats entraient dans le café. La résistance de Georges se limitait à ne pas trinquer avec eux. Parfois il crachait dans leur plat avant que la serveuse le leur apporte. Son fils Pierre se montrait plus virulent. Une fois, il donna en passant près d'une table un coup de pied dans le tibia d'un officier. L'homme, un capitaine au visage maigre, ordonna à Georges de venir lui présenter des excuses. Le ton monta. L'Allemand s'emporta. Georges, livide, encaissa sans bouger les insultes que lui aboyait l'officier. Il voulait le faire fusiller. Les autres soldats riaient aux éclats. Gabrielle offrit une tournée générale, envoya Georges à la cave.

Il échafauda plusieurs scénarios pour se venger du capitaine. Gabrielle lui fit promettre sur la tête de Pierre et de Gérard, le second fils qu'ils venaient d'avoir six mois plus tôt, de se tenir tranquille. Il s'y résigna, s'offrant le même petit plaisir chaque fois qu'un soldat quittait le café. Il le suivait des yeux, l'air farouche, comme s'il s'apprêtait à le filer pour le tuer dans une rue déserte. Gabrielle se prêtait au jeu, prenait un air alarmé. Le soldat disparaissait. Georges marmonnait un juron, descendait à la cave.

Il réussit à déjouer sa vigilance, mais pas celle de son fils. Au-dessus du café, il y avait un escalier menant à l'appartement où Pierre se cachait souvent, sur les premières marches. Il observait la salle, grâce au miroir derrière le comptoir. Près de la porte de service, Georges serrait la bonne contre lui. Ses mains remontaient le long de ses fesses.

Pierre surprit peu après une conversation entre ses parents qui lui apprit la grossesse de la serveuse, le prochain retour de l'époux, prisonnier en Allemagne, qui devait bénéficier d'une mesure de libération. Georges pleurait, implorait le pardon de sa femme. Gabrielle pesait ses chances, éloigner la bonne, calmer le mari trompé avec de l'argent... En quelques minutes, elle se résolut à vendre le café, à fuir Paris. Il fut décidé qu'elle resterait avec Pierre afin de trouver un acheteur. Malgré l'urgence, elle n'entendait pas brader son affaire.

Elle expédia Georges chez ses parents à Salviac, en zone libre. Les trains en direction du Sud-Ouest étaient peu nombreux. Pour obtenir un billet, les gens campaient à la gare en famille, avec des chaises, des couvertures et des provisions. Gabrielle glissa son sac à main sous sa robe. Elle remonta la file en assénant « Priorité ! Femme enceinte ! ». Au guichet, elle circonscrivit l'employé en présentant Georges comme un membre de la Résistance qui devait rejoindre le maquis au plus vite.

Il partit à la fin de l'été 1942. « Je m'ennuie de vous » leur écrivait-il.

Pierre servait au café dès qu'il rentrait de l'école. Le soir, pendant qu'elle rangeait les tables, il montait à l'appartement au-dessus, réchauffait le repas. L'hiver 1942 fut l'un des plus durs du siècle. Ils partageaient le même lit. « Mon pauvre Pierrot, tu remplaces le Fourneau n° 1 et tu es le Fourneau n° 2 pour chauffer la maman. »

Pierre venait d'avoir onze ans. Il ne fut plus jamais un enfant.

Nous n'avons rien entendu mais j'imagine la scène sans peine. Nous dormions dans notre chambre. Quand mon père jouait au théâtre, elle passait sa soirée à l'attendre. Elle regardait la télévision ou bien lisait un roman, l'attention distraite. Vers minuit, elle se mettait à guetter la lumière au-dessus de la porte d'entrée. Une rangée de carreaux en verre et fer forgé la surmontait. Si quelqu'un appuyait sur la minuterie, les carreaux ouvragés viraient de l'orange au jaune. Lorsqu'il revenait de bonne heure, sans détour au café, il devait tout lui raconter, les réactions du public, les menus faits survenus pendant la représentation, la vie des loges. Elle lui faisait répéter, le relançait. Elle aimait, quand il la rejoignait dans le lit, le sentir contre elle, plein encore de l'excitation de la scène.

La destruction du miroir du théâtre Montparnasse avait marqué le début d'une des périodes les plus heureuses de notre existence. Ils avaient vécu les mois suivants dans une entente idyllique, communié dans une même amertume, balançant entre le sentiment d'un profond gâchis et celui d'être victimes des circonstances. Mais avec mon père les périodes d'accalmie ne duraient jamais longtemps.

Il rentrait souvent bien après qu'elle s'était endormie, traînait dans les bars en sortant du théâtre. Elle préférait le laisser décider.

Elle savait, à mesure que les aiguilles de sa montre avalaient la nuit. Elle savait. L'inquiétude montait par paliers. Elle redoutait ses retards. Les maris de ses amies dormaient à leurs côtés. Elles pouvaient même pester contre leurs ronflements. Le lendemain matin, ils partiraient au travail. Ils feraient des projets pour les vacances. Mon père, lui, était dehors.

Ce soir-là, il revint avant qu'elle ne se déshabille. Il avait les gestes lents, hésitants aussi, qui trahissaient l'arrêt au café. Elle fit semblant de ne rien remarquer, comme nous plus tard quand nous fûmes en âge de comprendre. Tout signe dans notre comportement qui révélait notre embarras le mettait aussitôt en colère. Il fallait ne pas s'arrêter à l'incohérence de ses réponses, la maladresse répétée de ses gestes, ses efforts erratiques pour ramasser l'allumette qu'il avait fait tomber – ne pas laisser non plus s'installer le moindre silence. Malgré nos maigres ruses, nous ne pouvions éviter qu'il ne décèle notre manège. Cela s'achevait par une punition, des insultes lorsque nous ne disparaissions pas assez vite, qu'il ne se souviendrait plus d'avoir prononcées.

Ce soir-là, qu'avait-elle fait pour le mettre dans une telle colère ? Il suffisait de peu. Nous ne devions à aucun prix le fixer, pas même croiser ses yeux. Nos regards le poussaient à boire. « Nous étions ses juges », il disait. Il la saisit par le bras, la tira jusque dans l'entrée. Elle s'efforça peut-être d'en rire, de faire passer sa brutalité pour un jeu. Plus sûrement elle dut le supplier de faire moins de bruit pour ne pas nous réveiller. Il ouvrit la porte d'entrée et la poussa dehors.

Elle resta un moment figée. La paille tressée du paillasson lui piquait la plante des pieds à travers ses collants. Elle attendit, dans l'espoir qu'une fois revenu de son emportement, du moins un peu calmé, ou que, ravi de sa plaisanterie, il se décide de lui-même à la faire rentrer.

Chaque arrêt de la minuterie la plongeait dans le silence sans fond de l'escalier. Pendant les secondes où sa main, à tâtons, cherchait l'interrupteur, la pensée qu'il la laisse dehors la tétanisait. Elle colla son oreille contre la porte. Seul résonnait le battement rapide du sang. Elle se résigna à sonner, comme font les femmes dans son cas, humblement, un coup bref de peur d'alerter les voisins. Aucun bruit dans l'appartement ne répondit à son appel. Sans un mot, elle pria mon père, le supplia. Et s'il s'entêtait ? la poigna l'obscurité. Tout le monde saurait. Elle ne serait plus la femme discrète qui, certains jours, portait des lunettes de soleil, arborait le masque des épouses désenchantées. Les autres locataires comprendraient. Elle devrait expliquer, l'excuser. Elle savait par avance ce qu'il dirait, « Ce n'est pas moi », « Je t'aime », « Pourquoi m'as-tu trahi ? » Elle appuya à nouveau sur la sonnette, plusieurs coups rapides. Ses amies l'envelopperaient de leurs airs apitoyés comme d'une couverture dont on réchauffe les naufragés. Elles ne pouvaient pas comprendre. L'intensité du tourbillon. Elle sonna sans s'arrêter. Il allait ouvrir. Ne resterait que le souvenir de la peur, une brève gêne quand elle croiserait les voisins de palier sans doute déjà réveillés. Il était si tendre après. Aucun de ces maris, aux vies sans éclats, jamais n'en serait capable, une tendresse à perdre la tête. Elle entendit son pas lourd de l'autre côté. Elle rentrerait regard baissé pour qu'il ne change pas d'avis, se glisserait dans leur lit. Demain, ils parleraient. Elle savait ses angoisses, sa démesure. Elle comprenait. Elle l'aimait. Il y aurait d'autres crises. Elle serait là. Pas de questions. Aime-moi comme je t'aime.

Elle éprouvait une jouissance douloureuse quand le pire arrivait. Les déceptions, loin de l'éloigner, renforçaient son attachement. L'infidélité faisait partie du jeu. Si le retour de tournée était pour nous une fête, il constituait pour ma mère le moment de confessions pénibles. Il ne lui épargnait le récit d'aucun de ces petits coups sans lendemain, comme il les appelait, avec telle ou telle comédienne, avec ses amies aussi. Sa franchise suffisait à l'absoudre. Ma mère se voyait reprocher sa vision petite-bourgeoise, devait se consoler seule. Elle vivait comme dans les romans qu'elle nous lisait. Chaque crise entretenait la tension nécessaire, constituait une preuve de leur histoire, de sa perpétuation, de sa finalité aussi. Ma mère n'avait aucun doute. Elle était l'unique, celle qui sauverait mon père de ses démons et le guiderait vers le succès – sa muse et sa passion.

La porte demeurait close. D'un geste d'impatience, elle écrasa à nouveau la sonnette. Son timbre resta muet. Seuls le coulissage du bouton dans le boîtier, la résistance du ressort firent un léger couinement, mécanique. Il avait débranché la sonnerie. Elle tambourina contre la porte. Le bruit de pas s'éteignit. L'obscurité éphémère l'effrayait, une peur qu'elle n'avait encore jamais éprouvée, la fin de leur complicité. Il existe une complicité du drame, aussi charnelle et intime que celle du lit.

Elle se recroquevilla sur les marches, le menton appuyé sur ses genoux. Il allait cuver dans la cuisine, manger ce qu'il trouverait dans le Frigidaire, fumer quelques cigarettes. Ne pas douter de son amour. La fatigue s'abattrait sur lui comme un coup sur la nuque. Il se traînerait jusqu'à la chambre, s'arrêterait pisser. À jeun ou ivre, il restait longtemps aux toilettes. Ne garder en tête que son humour. Elle n'avait jamais autant ri avec un autre homme. Il passerait devant la porte de l'entrée. Il n'aurait pas encore dessoûlé. Et aussi ses élans. Il y mettait une telle force, comme si sa vie à cet instant en dépendait. Il s'affalerait sur le lit, s'endormirait aussitôt. Elle ne pouvait attendre qu'il se réveille. Elle songea à trouver refuge chez des militants de leur cellule. Ils habitaient à cinq minutes. Elle descendit l'escalier ciré, en faisant attention à ne pas glisser. La rue était déserte. Va petite mère. Va. Le combat commence à peine. Nous ne sommes que les fantômes d'autres hommes. Elle marcha sur la pointe des pieds pour ne pas déchirer ses collants contre le macadam. Elle dirait Pierre m'a mise à la porte. Si c'était la femme qui ouvrait, ce serait plus facile.

Elle entra dans l'immeuble, une construction récente avec son hall en marbre grisâtre, ses rangées de boîtes aux lettres en fer, sa suite de portes en verre, de poignées en acier. Le ronronnement presque silencieux de l'ascenseur lui apporta un répit. La lumière du palier s'enclencha toute seule. Elle ne voulait pas qu'ils la plaignent. Tu ne vas pas renoncer maintenant. Retourner dans la rue, dormir devant la porte, attendre qu'il t'ouvre comme une mendiante. Elle redressa la tête, ordonna quelques mèches, tira sur sa robe. Il faut que l'histoire continue, ton histoire, la nôtre. Rappelle-toi, l'amour, le vrai, est rude – comme un homme sautant hors de son ombre.

Elle entendait ma grand-mère au téléphone. « C'est la malédiction » et aussi « Les femmes sont faites pour souffrir ». Elle se battrait.

Elle appuya sur la sonnette, un coup sec. Au bout de quelques secondes, des pas hésitants s'approchèrent de la porte. Elle sonna à nouveau, son doux sourire aux lèvres.

Ma mère entra donc dans la lutte avec mon père. Le combat dura tout au long des années soixante-dix, souterrain, sourd, sans guère de trêve. Elle ne l'abreuva pas de reproches après cette nuit-là. Elle visait plus loin. Aussi se contenta-t-elle de quelques récriminations, sans quoi son silence aurait pu le mettre sur ses gardes. Mais dans les jours qui suivirent, son regard se couvrit d'un mince voile d'affliction. Elle cessa de sourire, incapable de secouer sa tristesse. Mon père s'inquiéta. Il essaya de deviner la cause de ce chagrin silencieux. Il en vint à la conclusion qu'elle souhaitait. Il l'avait blessée. Elle commença par le convaincre qu'elle devait trouver un emploi. Les dettes s'accumulaient. Mon père s'y opposait. Il y voyait un signe de défiance vis-à-vis de son talent. Il allait percer, tout irait bien. Elle laissa les factures traîner. Il les jetait ou bien les déchirait. Un soir, il rentra et beugla qu'elle lui coupait les couilles. Ils ne se disputaient jamais à froid. Il fallait que mon père soit bourré – bourré comme un sac plein à craquer, bourré à ne plus tenir debout, son corps livré à lui-même, le regard tout à la fois effrayant et perdu. Il la couvrit d'injures, cassa la vaisselle. Ma mère pleura. Il la serra dans ses bras, se résigna à ce qu'elle prenne un travail.

Ces disputes se reproduisaient régulièrement. Cachés dans nos lits, sous les couvertures, ma sœur et moi

161

entendions les cris, les assiettes brisées, les pleurs. Le lendemain ils nous disaient « ton père, ta mère, m'a encore joué la grande scène du II ». La « grande scène du II » était pour nous le point d'orgue de l'amour. Je m'attachai, plus tard, à la reproduire. Un soir de Noël j'enjambai le balcon, menaçai de sauter, à la suite d'une dispute au sujet des cadeaux que ma femme m'avait offerts. En rentrant d'une soirée qu'elle avait passée à danser avec un autre homme, je donnai un coup de boule contre une porte, m'ouvris l'arcade.

Pour les épouses au foyer en quête d'un emploi, il existait alors un arrangement commode, une transition entre le monde de la maison et celui du travail : devenir représentante Tupperware. Tous les jeudis, ma mère invitait ses amies, les amies de ses amies, à des réunions commerciales autour d'un thé. Mon père, tapi dans la pièce à côté, suivait d'une oreille distraite la conversation. À la moindre digression, sur l'école, sur le prix des chaussures ou du sucre, il faisait irruption et se lançait dans un cours d'économie politique. Elle parvint à obtenir qu'il s'absentât. En échange, elle dut promettre de continuer l'œuvre maritale de prise de conscience auprès des clientes.

Elle ne tarda pas à vouloir influer sur ses choix de carrière. Peu après le début du scandale du Watergate au début de 1973, l'imprésario de mon père lui décrocha deux jours de tournage dans une publicité. Il devait traverser à quatre pattes le salon avec deux enfants à cheval sur son dos. Il atteignait épuisé le rebord du canapé pendant qu'une voix off suggérait à la femme d'essayer l'huile Aurea, plus digeste. Il refusa. Il était comédien, pas représentant de commerce. Il ne pouvait en tant que communiste se mettre au service du capital. Ma mère l'approuva, suggérant que d'autres n'avaient pas eu les mêmes scrupules. Salvador Dalí et son amour du chocolat Lanvin s'affichaient sur tous les murs ainsi que sur le petit écran. Elle concéda qu'il était un sale franquiste, uniquement motivé par l'argent. Et un grand peintre, ajouta-t-elle, comme pour elle-même. Il en convint de mauvaise grâce. Par curiosité, elle lui demanda le montant du cachet, fit remarquer que cela permettrait de nous offrir des vacances cet été. Mon père remonta ivre du café, insulta sa femme, brisa des verres, le plat en faïence offert par ma grand-mère. Nous achetâmes peu après une Renault 16 d'un beau bleu marine. Le plaisir de partir en Bretagne à son volant durant l'été 1973 atténua le sentiment de compromission.

Quelques mois plus tard, juste après l'élection de Giscard à la présidence de la République au printemps 1974, on proposa à mon père une comédie au théâtre du Palais-Royal. Il s'agissait d'un petit rôle mais bien payé. Mon père méprisait le théâtre de boulevard, un genre bourgeois que ni Feydeau, ni Labiche, ni Courteline ne venaient racheter. L'humour aux effets appuyés, les personnages caricaturaux, la morale si convenue le révulsaient. Les comédiens qui s'y adonnaient avaient un jeu simpliste, de vrais ringards.

Elle reconnut la pauvreté de la pièce, les facilités du texte, autant de raisons pour y participer sans crainte. Une production si mauvaise ne tiendrait pas trois mois, six tout au plus. Avec l'argent ainsi gagné nous pourrions déménager pour un appartement plus grand.

Mon père resta ferme dans son refus. Le boulevard relevait d'un choix autrement plus lourd que la publicité, il signifiait l'abandon, la trahison même, de toute ambition théâtrale. Ma mère n'insista pas. Elle exagéra l'exiguïté de notre logement. Elle étendit le linge dans leur chambre − « il sèche mieux que dans la salle de bains » −, elle cessa de ranger la planche à repasser qui trônait désormais dans l'entrée − « je m'en sers tout le temps » −, laissa traîner nos jouets dans le salon − « les enfants m'épuisent... ».

Mon père nous ordonna d'aider notre mère. Elle changea de stratégie. Elle entreprit de repeindre notre chambre. Nos affaires et nos meubles furent déplacés dans les autres pièces. Une forte odeur de peinture envahit l'appartement. Lorsqu'il revint soûl, les poings serrés, ma mère se dit que le moment de sa reddition était arrivé. Un vase, la dernière assiette du service de leur mariage, ainsi que plusieurs verres disparurent dans la dispute. Dans les cas les plus épineux, la « grande scène du II » se répétait plusieurs soirs de suite. Le lendemain, il brisa la fenêtre de la cuisine. Un filet de sang marbrait son bras, gouttait depuis son coude sur le carrelage pendant qu'elle lui retirait les éclats de verre. Le surlendemain, d'un coup de tête, il démolit la porte. La main bandée et le front ouvert, il l'enlaça. Ma mère lui caressa le visage. Dans quel état tu t'es mis... Elle lui offrit le réconfort de se croire héroïque. C'est pour ses enfants qu'il le fait, le plaignait-elle auprès de leurs amis.

Il endossa donc le rôle de M. Languedoc, un boucher à l'allure virile qui donnait la recette de l'épaule de veau à ses clients travestis.

Nous déménageâmes comme notre mère nous l'avait promis dans un grand appartement, au 3 de l'avenue Trudaine. L'immeuble jouxtait le Royal, le café ouvert par mes grands-parents et qui existait toujours. Nous avions vue sur la butte Montmartre et la basilique du Sacré-Cœur. Ma sœur et moi eûmes chacun notre chambre.

Ma mère semblait en passe de remporter la victoire. Elle s'était cependant trompée sur un point. *La Cage aux folles* où figurait M. Languedoc connut un tel succès qu'elle tint l'affiche sept années.

Mon père s'abandonna à ce soudain confort. Il souffla comme un boxeur entre deux rounds.

Grâce à l'entremise d'un camarade du parti, ma mère décrocha cette même année un poste de correctrice au journal *Pif Gadget*.

Même la situation politique offrait des perspectives raisonnablement optimistes. Mitterrand avait failli remporter l'élection présidentielle de 1974, l'Union de la gauche nous laissait espérer une prochaine victoire. Nous avions confiance en la verve de Georges Marchais, la combativité de Georges Séguy pour triompher de la pusillanimité des camarades socialistes.

Mon père passa ainsi insensiblement de la France de la guerre d'Algérie, et son climat de guerre civile, à la France de Sautet, des soirées attablés au milieu des cadavres de bouteilles et des cendriers emplis de mégots, des conversations débordant d'états d'âme, et d'âmes vendues au diable. L'insidieux embourgeoisement qu'il redoutait si fort se produisait à pas feutrés. Pouvoir prêter aux amis dans la difficulté, emmener leurs enfants en vacances avec nous, organiser des fêtes furent des moyens efficaces d'en atténuer la mauvaise conscience.

Le coup de fil important qui devait, comme dans les mauvais romans, changer sa vie ne venait jamais.

— C'est vous qui vous êtes mis là-dedans, Delong. À vous de vous en sortir...

Je sursaute sur ma chaise, me demande si j'ai bien entendu. La voix du shérif, dans la version française, est celle de mon père. Avant que j'aie eu le temps de revenir de ma surprise, il poursuit.

— Un revolver ne sert pas à un mort...

Je savais qu'il avait doublé des films américains, mais pas des westerns.

Chaque apparition de l'homme à l'étoile me saisit tel un rappel à l'ordre, comme autrefois quand il me surprenait dans ma chambre en train de jouer.

Je ne suis plus allé au bureau depuis une semaine. J'ai dit à Catherine que je voulais achever mon manuscrit sur la dernière nuit de Nerval.

Le matin, après qu'elle est partie au travail, je m'assois à ma table, suçote mon crayon noir en attendant d'avoir l'esprit clair. La peur m'écrase avant même que je commence à écrire. Impossible de me concentrer, le flux des souvenirs efface dans mon esprit le mot que je m'apprêtais à noter. Je reste penché au-dessus de ma feuille, le souffle oppressé. Je finis par me lever. Je me fais chauffer un café. J'attends les frémissements contre les parois de la casserole pour le verser dans la tasse, dans l'espoir que la brûlure sur la langue me tirera de mon anxiété. La matinée défile en un rituel superstitieux, une cigarette, une partie de solitaire sur mon ordinateur, la vérification de la pointe de mes crayons. Catherine m'a offert un taille-crayon électrique. Je commence enfin une phrase, la gomme, retourne à la cuisine prendre un autre café. Je parviens ainsi jusqu'à l'heure du déjeuner. Pendant que je mange, je regarde un western sur Internet. Je passe l'après-midi devant l'écran, dans un état d'hébétude.

Je croyais ne me rappeler aucun de ces moments sans histoire qu'ont les fils avec leur père, il m'en revient plusieurs subitement. J'y vois l'espoir d'un répit, d'un tournant qui marquera la fin ou du moins le ralentissement du flux menaçant des remémorations.

Quand la bonne humeur le gagnait, l'esprit potache de mon père ressurgissait. Notre numéro de téléphone était le même que celui d'un cabinet médical à un chiffre près. Par malheur pour celui qui se trompait, mon père entretenait la méprise. Ma sœur et moi nous précipitions dans sa chambre, l'écoutions, hilares, pasticher Jouvet dans *Knock* et conseiller des lavements. Il me rendait complice de ses blagues. Une veille de Noël, chez un traiteur, il se fit passer pour un étranger, s'affubla d'un accent, goûta à tout, me parla dans une langue inventée.

À l'écran, le shérif et deux complices se cachent au sommet d'une colline qui surplombe le chemin menant à la ville. Ils attendent, postés derrière un gros rocher, Larry Delong, un fermier qui doit passer avec sa carriole remplie de provisions. Ce dernier, interprété par Randolph Scott, a le tort d'occuper une terre lorgnée par son voisin, un puissant propriétaire à la solde duquel travaille en secret l'homme à l'étoile. Je me repasse plusieurs fois le passage pour l'entendre annoncer son plan à ses acolytes.

Aucun de ces rappels n'a la saveur des soirées où nous regardions ensemble des westerns à la télévision. Nous vouions une même passion à ce genre, d'autant plus vive qu'empreinte d'une certaine mauvaise conscience. Mon père se lançait, avant que le film ne commence, dans un exorde sur l'idéologie qu'il véhiculait. Il me rappelait la façon dont les pionniers avaient conquis le Far West, à coups de massacres. John Wayne avait droit à une diatribe serrée pour ses prises de position anticommunistes. Revêtu de la panoplie de cow-boy que mes parents m'avaient offerte un Noël, j'écoutais tout cela comme les sermons de ma grand-mère avant de me rendre à la piscine. Le lion de la Metro rugissait, les roulements de tambour de la Fox se faisaient entendre. Nous oubliions aussitôt tout esprit critique. Nous tremblions lors des combats, applaudissions aux bagarres, sifflions aux exploits de John Wayne.

J'adorais les westerns avec les Indiens. J'attendais avec une crainte impatiente la scène de l'attaque surprise. Un fermier puisait de l'eau au puits. Le chien aboyait. C'était le signe de l'imminence du péril. Je me pelotonnais contre mon père. La caméra s'attardait sur le toit de la grange. On devinait des ombres. Ma main descendait avec une lenteur calculée sur la crosse de mon revolver. Soudain, un bref sifflement. Une flèche se fichait en plein cœur du fermier. Il lâchait son seau dont l'eau se répandait sur le sol. Les Peaux-Rouges surgissaient au milieu de la ferme en hurlant. Mon bref soubresaut se communiquait à mon père qui sursautait lui aussi. Je dégainais mon revolver. Presque aussitôt, il rabattait mon chapeau devant mes yeux. Ma mère ne voulait pas que je fasse de cauchemars. Je rageais de manquer les images de l'attaque. Mais au fond, j'aimais tout autant les imaginer – je me figurais des visages couverts de traits de peinture rouge, des couteaux tranchant les scalps des soldats – et plus encore sentir mon père me protéger tel le fermier cachant ses enfants dans la cave.

Lui préférait les films de cow-boys, où le héros, ne pouvant fuir son destin, se voyait contraint d'affronter le méchant en duel. Au début du film, il renonçait à son existence d'aventurier par amour. Il remisait son colt dans un tiroir, s'acharnait à semer le blé, à pousser le soc de sa charrue. Tel ce personnage, mon père s'efforçait de goûter les joies d'une existence bourgeoise avec la maigre patience dont il était capable. En voyant le sourire de sa femme, il se convainquait qu'il faisait bien.

L'embuscade a échoué. Larry Delong a descendu un des trois tireurs qui, avant de mourir, lui révèle que le shérif est l'auteur du guet-apens. Malgré sa fiancée qui le supplie de quitter la région, Delong se décide à retourner en ville.

Je suis sûr que comme moi, mon père aurait voulu que la vie soit un western. Elle le fut une fois. Je venais d'entrer en cinquième au lycée Jacques-Decour. Un soir après l'étude, le proviseur me convoqua. On m'accusait de vol. Mon père arriva, se pencha vers moi. « Je ne te le demanderai qu'une fois... » Je niai. Il ressortit du bureau du proviseur quelques minutes plus tard, me prit par la main. « On rentre à la maison. » Je m'attendais à voir son cheval devant la porte du lycée.

Le western approche de la scène finale. Le fermier descend de sa monture, l'attache devant le saloon. À l'autre bout de la grand-rue, lui fait face le shérif, qui l'attend. Je ne peux m'empêcher de m'imaginer à la place du héros. Mon père et moi avançons l'un vers l'autre, la main en suspens au-dessus de la crosse de nos colts.

Ni la victoire de Delong, ni même le corps de l'homme de loi, allongé sur le ventre près d'un abreuvoir, ne peut effacer la vision de l'instant précédent, avant que les deux cow-boys dégainent. Mon père et moi nous fixons, un dernier sursis. Il me scrute, les yeux dans les yeux, comme s'il voulait voir si j'aurais le courage de le trahir, et ma culpabilité de n'avoir pas su déjouer l'histoire.

Mon père écrivait en secret des lettres à Planchon, le suppliant de lui donner un rôle dans ses prochaines mises en scène.

La vie quotidienne, la famille, les courses, tout ce qui ralentissait son destin étaient comme des cailloux dans ses chaussures, le mettaient en rage. Dès qu'il n'était plus en mouvement, il perdait toute confiance.

Ma mère redoutait ces temps morts comme autant de menaces. Elle me confiait ses inquiétudes. Une fois mon père parti au théâtre, nous nous retrouvions dans sa chambre. Les confessions sur sa sexualité laissèrent la place aux confidences sur son travail ou les emportements de son mari. Elle me disait de fermer la porte. Elle ne voulait pas que ma sœur entende. Elle m'assurait qu'elle ne pouvait pas parler de certaines choses à ses amies. Ton père ne connaît rien aux relations de travail. Sa solution consiste à créer un syndicat ou à se mettre en grève ! Elle prenait une pause, m'adressait un sourire de connivence, poursuivait ses aveux. Certains soirs, des sanglots dans la voix, elle me détaillait leurs disputes. Elle ne m'épargnait aucun éclat, ni les insultes échangées, me jouait la scène avec l'acrimonie pointilleuse des plaignants.

Je gardais un air impassible. Je hochais la tête, accompagnais d'un rire bref ou au contraire d'une moue réprobatrice le récit des brimades de son chef de service, des travers paternels. Je ne devais pas l'interrompre. La moindre question rompait le charme. Elle semblait soudain prendre conscience de mon âge, m'envoyait me coucher, le regard empreint d'une déception qui me mortifiait.

Très vite, elle attendit que je lui donne mon avis. Je puisais mes conseils dans les westerns. Le laconisme des dialogues, les réactions tranchées des héros me poussaient à lui proposer des moyens radicaux. Je prenais exemple sur John Wayne dans *Rio Bravo*, pour lui souffler de menacer sa collègue. Elle saurait lui faire payer sa prochaine crasse. Je lui suggérais de jeter les bouteilles de whisky de mon père, m'inspirant de la méthode de Burt Lancaster avec Kirk Douglas dans *Règlements de comptes à OK Corral*.

Mes prescriptions au fond importaient peu. Pouvoir s'épancher et se laisser gagner par l'énergie que je mettais à lui prodiguer mon aide suffisaient à ma mère. Elle me surnommait son Jiminy Cricket.

Elle pensa que c'était le bon moment pour renouer avec sa famille. Son frère et sa sœur désapprouvaient son mariage et elle en souffrait.

L'un de mes oncles était militaire, l'autre banquier. Mon père pratiquait envers eux la cuite provocante, qui le plongeait dans un abrutissement massif. Seul mon grand-père, François Berthelot, venait nous voir. Son amour des femmes, sa façon de s'affranchir des convenances plaisaient à son gendre.

Ma mère nous envoyait une semaine à la Toussaint et une autre à Pâques chez sa sœur. Son mari, le banquier, était l'exact opposé de mon père. Efflanqué, le visage osseux, barré par une moustache, il souffrait de l'estomac, mangeait sans appétit des plats maigres que lui cuisinait à part ma tante. L'odeur sucrée de sa pipe me changeait des senteurs goudronneuses des Gauloises paternelles. Il professait en tout de solides opinions conservatrices et catholiques. Une immense affiche du candidat Giscard lors de la campagne présidentielle de 1974 était accrochée dans la salle de jeu au rez-de-chaussée. Je lui décochais un flot d'insultes, à voix basse pour ne pas être entendu de mes cousins. Je me sentais un Apache au milieu des cow-boys – en territoire ennemi et plus encore coupable d'aimer y passer des vacances. Il régnait chez eux un ordre un brin désuet que j'ignorais à la maison. Les jeux, les repas se déroulaient à l'abri de tout cri. Une chose en particulier symbolisait à mes yeux l'harmonie bienveillante de leur univers. Ma cousine Aude, qui avait le même âge que moi, apprenait le piano. Elle se rendait chez son professeur chaque semaine. Je l'y accompagnais. Nous étions en novembre. Il y avait de la neige je crois. Pendant que ma cousine prenait sa leçon, je restai seul dans une salle d'attente où les mères pouvaient écouter sans déranger les progrès de leurs rejetons. Depuis la fenêtre, je vis la lumière des réverbères qui dessinait sur les trottoirs à intervalles réguliers des ronds blanchâtres. Le radiateur réchauffait mes vêtements. Le velouté des notes, la succession délicate d'arpèges au ton léger m'évoquèrent la cabane de planches que je fabriquais avec mes copains dans la grange de ma grand-mère. Aude butait sur le même passage, reprenait, avec la même application. J'ai toujours vu des pianos chez ceux dont l'inquiétude de l'avenir s'est évanouie.

Notre cinq-pièces bourgeois, notre vie à peu près réglée, le succès de *La Cage aux folles* étaient, aux yeux de ma mère, une revanche dont elle n'entendait pas se priver. Elle convainquit sa sœur de venir dîner quand elle et son mari passeraient par Paris.

La solennité de l'occasion incita ma mère à expédier le repas de Mathilde et moi avant leur arrivée. Les railleries récurrentes de mon père envers mon oncle et l'anxiété maternelle grandissante à mesure que l'heure approchait nous poussèrent à nous cacher dans le salon pour les espionner. Nous nous tînmes allongés sur le canapé, l'oreille tendue. Ils admirèrent notre nouvel appartement, complimentèrent la cuisine. Il y eut bien une petite algarade au sujet de la sortie d'*Emmanuelle*. Ma tante déplora cet étalage de sexe à l'écran. Mon père répliqua qu'il n'y avait rien de plus naturel que de faire l'amour. On n'est pas obligé d'inviter la terre entière dans sa chambre, lui répondit mon oncle. Un léger coup de pied de ma mère sous la table étouffa toute riposte.

Ma tante lança la conversation sur *La Cage aux folles*. Elle l'interrogea sur les coulisses, lui demanda comment étaient Poiret et Serrault au naturel. Mon père, habitué à ce genre de questions, lui débita son discours bien rodé. Il égratignait les deux vedettes en prenant soin d'ajouter un compliment qui donnait un portrait en demi-teinte. Pour la première fois, il sentait chez son beau-frère et sa belle-sœur une réelle attention.

Il proposa de leur mettre des places de côté. Il y avait plus de deux mois d'attente. Mon père vit l'esquisse d'un sourire sur le visage de mon oncle. Il l'imagina se rengorger auprès de ses collaborateurs ou ses clients, se raidit, fixa son verre de rouge avec cet air absent qui préludait au drame. Ma mère, sur ses gardes, ne proposa pas même de café, fit signe à sa sœur de presser le mouvement. Il se fait tard, suggéra ma tante.

« Vous connaissez cette citation de Brecht... ? » Le ton et le nom de l'auteur auraient dû l'alerter mais mon oncle, soudain plein de sympathie pour mon père, l'interrogea du regard. « Qu'est-ce qui est pire que le vol d'une banque... ? » Mon oncle se recomposa une expression fermée. Ma mère tenta une diversion, nous appela pour dire au revoir.

Nous arrivâmes, la mine faussement innocente des gamins occupés l'instant d'avant à une bêtise. À notre grande surprise, ils n'y prêtèrent aucune attention.
— La création d'une banque !
Une grimace que je ne lui avais jamais vue ennoya les traits de ma mère. Je ne sais plus lequel des deux appela l'autre mon petit bonhomme, mais l'autre répondit qu'il n'était pas son petit bonhomme. Ils partirent sans même nous embrasser. « Aucun humour » marmonna mon père.

Le coup de fil important vint enfin au début de l'été 1974, alors que la révolution des Œillets battait son plein au Portugal. Louis Malle le voulait pour tourner dans *Lacombe Lucien*. Il lui offrait un des deux rôles principaux. Les yeux de mon père se plissèrent, donnèrent à son visage la rondeur d'un ballon. Ma sœur et moi trouvions qu'en proie à une joie soudaine il ressemblait au comique américain Oliver Hardy faisant le joli cœur. Un ancien champion cycliste avant-guerre, Henri Aubert, qui finit dans la Collaboration, expliqua Louis Malle. Aubert prenait sous sa protection le jeune Lucien Lacombe, le faisait entrer dans une officine française de la Gestapo. Trois mois de tournage près de Figeac. Le regard de mon père flotta dans le vague. Il tortilla son doigt autour du fil du combiné comme Hardy avec sa cravate.

Il négocia avec le directeur du Palais-Royal son remplacement le temps du tournage, m'offrit un vélo de course, une guitare à ma sœur, et partit dans le Lot rejoindre l'équipe. Nous l'accompagnâmes à la gare d'Austerlitz. À la fenêtre, il nous salua, telle une vedette en partance pour Hollywood, nous envoyant des baisers, secouant son mouchoir comme s'il n'allait plus nous revoir.

Gabrielle et Pierre rejoignirent Georges à Salviac au début de l'année 1944.

Bien qu'elle eût tiré un bon prix de la vente du Royal-Trudaine, elle n'entendait pas que son mari se sorte à si bon compte de son aventure avec la serveuse. Elle voulait que Georges trouve dans le travail et l'obéissance à sa femme la seule réparation possible de sa faute. Sa mère, Mélina, l'encourageait dans cette idée. Les hommes, il ne faut pas les quitter des yeux, lui répétait-elle. Édouard, son mari, filait au café dès qu'il le pouvait, grappillait sur l'argent des courses de quoi se payer un verre.

Tous les repas se ressemblaient. Gabrielle gardait le silence, ou commentait d'un ton railleur les propos de Georges. Elle jetait des regards à sa mère, comme pour lui dire, vois l'homme que j'ai épousé. Elle refusait de dormir dans le même lit que lui, s'était installée en bas. Elle réservait ses démonstrations d'affection à Pierre. Elle le traitait comme son petit mari, lançant à la dérobée un œil noir à Georges, pour lui faire sentir ce qu'il avait perdu.

Il se soûlait avec l'aide discrète de son beau-père qui le resservait dès son verre vidé. Édouard rapportait les nouvelles entendues au café. Les résistants avaient un informateur à la Kommandantur de Cahors. Il leur donnait les noms des Français qui travaillaient pour la Gestapo. Les

FTP étaient venus à Salviac au printemps dernier régler son compte au maréchal-ferrant. Il avait dénoncé un maquisard. Tout le village dut défiler devant son cadavre exposé à la mairie.

Pierre vit un mort pour la première fois. Il le fixa avec le dégoût des enfants pour les méchants, sans compassion, ni peur. Il rêvait de devenir résistant, clamait sa haine des doryphores, comme les paysans du coin surnommaient les Allemands. Ni les remontrances ni les claques sur les cuisses que lui administrait Gabrielle ne le faisaient taire. Les enfants du village jouaient à la guerre. À cause de son nom, il était contraint de tenir le rôle du Boche.

Au tout début du mois de juin 1944, un de ses copains lui révéla le départ prochain de son père pour le maquis.

— J'ai promis à ta mère..., marmonna Georges.

Gabrielle donnait à manger à Gérard, son second fils, sur ses genoux, sans paraître écouter les propos de son mari.

Pierre poussa un sifflement. Son père avait aussi juré fidélité à sa mère, ça ne l'avait pas empêché d'embrasser la serveuse. Il n'avait rien dit de la scène aperçue dans le café. Il s'en vengeait en troublant le silence des repas par ses vociférations contre les Boches. L'homme qui avait trahi sa mère se confondait en une même hostilité avec celui qui attendait lâchement la défaite des Allemands.

Pendant qu'Édouard remplissait à nouveau son verre, Georges chercha à apaiser la rage de son fils. Il connaissait des gars du maquis, déclara-t-il. Pierre l'observa un instant avec intérêt, puis un sourire moqueur se dessina aux coins de ses lèvres. Georges fit semblant de ne pas le remarquer. La semaine dernière, en montant au terrain que ses beaux-parents possédaient sur les hauteurs vers Florimont, il était tombé sur quatre FTP. Seul leur chef paraissait avoir dépassé la trentaine. Ils essayaient d'emmener une vache qui paissait dans le champ d'à côté. Les gars étaient des citadins, de Brive. Georges les avait aidés. Un coup sec contre les carreaux les fit sursauter. Leur voisin apparut, le visage collé à la fenêtre. Un détachement de SS arrive, gémit-il. En provenance de Gourdon. Il tira son mouchoir, épongea la sueur sur son front, dans son cou. Édouard lui offrit du vin. L'autre raconta que les Allemands avaient fusillé un vingtaine d'otages là-bas. Il tendit son verre pour qu'Édouard le lui remplisse à nouveau, le vida. Il s'éclipsa. Il devait prévenir le quartier.

Pierre demanda si les Boches allaient arrêter tous les hommes du village. Gabrielle le réconforta. Mélina reprocha à son gendre son aide dans le vol de la vache. Si les Allemands l'apprennent, notre compte est bon. Gabrielle poussa un soupir d'exaspération. Elle monta coucher son plus jeune fils, envoya Pierre dans sa chambre.

Georges attaqua une nouvelle bouteille. Il chercha à se rappeler un souvenir heureux. Quand il avait serré pour la première fois la serveuse dans ses bras ? S'il s'était montré moins naïf, il aurait vu tout de suite, dans son regard de contentement comme quand elle empochait un gros pourboire, qu'elle calculait déjà les bénéfices de la situation. Ils avaient dû lui verser 100 000 francs pour qu'elle disparaisse. Une bonne poire, disait Gabrielle.

Même ici à Salviac, lui et Édouard passaient pour des naïfs. Avant-guerre, à la foire, ils avaient acheté une vache deux fois son prix. Prenant un air matois, Georges s'était approché des naseaux de la bête, pour écouter son souffle, puis avait soulevé sa queue, s'abîmant un moment dans la contemplation de son cul, avant de faire une moue approbatrice. Il avait ensuite payé une tournée aux paysans, goguenards. Le gendre et le beau-père étaient rentrés, avec la vache, chantant à tue-tête, bientôt dégrisés par les cris de leurs femmes.

Il n'était pas un fermier ni un commerçant, mais un ouvrier. Il était de ces hommes dont leurs mains disent tous leurs sentiments. Gabrielle s'emporta. Tu m'écoutes ? cria-t-elle. Sa mère lui fit signe de se calmer. Les enfants à l'étage devaient l'entendre. La main de Georges s'abattit sur la table. La bouteille roula sur le côté, le vin s'écoula à gros jets entre les assiettes. Il se leva. La lenteur pleine de gravité avec laquelle il traversa la pièce alarma aussitôt Gabrielle. Où tu vas ? Elle lui courut après.

Il gagna la grange, entassa dans une charrette plusieurs chaises aux pieds brisés, l'ancienne porte des toilettes. Tout ce qu'il récupérait dans l'espoir de le réparer. Un vieux matelas déformé, les taches du coutil trahissant les misères des corps, le châssis d'une commode vidée de ses tiroirs. Et des planches. Les éclats de vernis rappelaient leur meuble d'origine. Elles se dressaient dans la charrette, serrées les unes contre les autres, certaines couvertes de clous comme autant de griffes.

Il fila ensuite dans le fond du jardin. Qu'est-ce que tu mijotes ? Il s'agenouilla devant le puits, déplaça une pierre de la margelle, saisit le fusil de chasse enveloppé dans un chiffon et quelques cartouches. Tu vas me répondre ?

— Arrêter les Boches, lâcha-t-il sans se retourner.

Gabrielle s'accrocha à son bras. D'un geste doux, comme quand il saisissait une armoire un peu lourde, il la souleva, sentit le corps de sa femme parcouru de frissons. Si tu fais ça, c'est fini entre nous ! Il la reposa devant la porte. Il aurait voulu s'excuser pour la peine qu'il lui avait causée. Sa physionomie déformée par la colère et les larmes l'en dissuada. Il lui aurait parlé comme autrefois, avec cette voix presque féminine qui surgissait d'entre ses lèvres quand il était tendre. Elle l'aimait alors. Il lui aurait pris le visage entre ses mains. Ne crains rien. Il était trop tard pour les remords. Il étreignit les brancards, s'avança dans la cour. C'est fini ! tu entends ! C'est fini !

Il longea l'arrière de l'église où il s'était marié dix-huit ans plus tôt, traversa la place déserte et son monument aux morts de la Première Guerre. Il s'enfonça dans les rues, l'air empli du bruit des roues cerclées de fer sur le macadam. Il devinait aux brefs mouvements des rideaux la présence des habitants aux fenêtres. Il s'arrêta devant le panneau indiquant l'entrée du village. La route faisait un léger coude. Son beau-père le rattrapa. « Je viens avec toi. » Il l'interrogea du regard. Édouard avait fait la guerre de 14. Les Allemands verraient la barricade bien avant d'arriver. Georges pesta contre la malchance, la seule ligne droite de la région. Édouard lui dit qu'il suffisait de barrer le passage. Ils n'auraient qu'à se placer en aval derrière le mur du cimetière, ils prendraient la colonne sous leur feu.

La barricade achevée, Édouard jeta un coup d'œil au soleil. Ils ne seront pas là avant un moment, assura-t-il. Il partit chercher de quoi se désaltérer.

Georges posa son fusil en équilibre sur le matelas au sommet de l'édifice. Il fixa l'horizon. Le silence qui tendait l'air le rassura. Le remous des rues de Paris, leur foule glissant autour du passant à la façon des vagues lui manquaient et, avec eux, le vrombissement des automobiles qui roulaient à vive allure sur l'avenue Trudaine. Il éprouvait une véritable passion pour leur vitesse, filer à près de 100 kilomètres-heure, faire naître et mourir presque en un même mouvement le défilé d'arbres et de maisons. Sans essence ni pneu de rechange, ces quatre années de guerre étaient passées au ralenti, la revanche des paysans. L'avion aussi le fascinait. Quand il faisait son service dans l'armée de l'air à Casablanca, il passait ses journées à fourailler dans les moteurs, s'enivrait de leur odeur d'huile chaude.

Il accompagnait son pilote en des vols de reconnaissance. Le Breguet XIV laissait derrière lui les faubourgs de la ville blanche, la plaine de la Chaouia, atteignait en quelques minutes les contreforts du Rif, comme s'il se délestait de tout passé. La destination n'était qu'une concession, seuls la distance parcourue, le kaléidoscope des paysages le faisaient vibrer. Il descendait de la machine, entrait dans le premier bar, étranger, avec la sensation renversante de pouvoir tout recommencer. Son visage, qu'il apercevait dans le miroir derrière le comptoir et dont ni l'âge ni les coups n'avaient pu effacer le caractère poupin, le rattrapait.

Le vent ramenait vers lui l'odeur aigrelette des champs de blé. Les rangées des chênes verts sur les côtés de la chaussée et leurs fossés de mauvaises herbes dessinaient un point de fuite, trois cents mètres plus loin, par où déboucherait la colonne allemande.

Il serra son fusil. Pour la première fois, le silence et la solitude ne l'impressionnaient pas. La chaleur déjà forte de début juin l'avait dégrisé quelque peu, sans entamer sa détermination.

— Tu vas arrêter tes conneries et fissa !

Le maire et son conseil municipal encadraient Édouard, son casque de poilu sur la tête, la gibecière pleine de bouteilles. L'édile ordonna aux autres de déblayer la barricade.

— Et toi Georges, rentre chez toi cuver ton vin !

Le fusil de chasse pointa sa bouche menaçante dans leur direction. Georges hocha la tête.

— Foutez-moi le camp !

Le maire le supplia. Les Allemands fusilleraient tout le monde, brûleraient le village. La détonation pétrifia les deux élus dans la position qui était la leur un instant auparavant, les mains en avant, prêtes à se saisir de l'arme. Georges abaissa le fusil à hauteur de leur ventre. La prochaine...

Le conseil municipal battit en retraite.

Le gendre et son beau-père s'assirent. Ils entamèrent la première bouteille.

— Si tu veux partir...

Édouard haussa les épaules. Il avait survécu à la guerre d'avant, il trouverait bien le moyen de résister encore à celle-là. Il ajouta qu'il n'avait rien contre les Allemands personnellement, même s'il prenait les armes à nouveau contre eux.

Son casque sur la visière duquel avait été ajoutée une plaque dorée, honneur et patrie, formait un contraste un peu ridicule avec son visage ridé par le soleil, sa moustache grise qui trahissait son âge, la maigreur de son corps, de larges bretelles qui tenaient son pantalon de coutil. En février 1915, une mitrailleuse l'avait fauché aux Éparges. Les docteurs firent des miracles. Il prit part à l'offensive du Chemin des dames. Un éclat dans le ventre lui fit espérer la bonne blessure qui le renverrait chez lui. En temps de guerre, il n'y a pas de pire ennemi que le médecin. En mai 1918, il repartit dans l'Aisne. Une odeur entêtante envahit la forêt de trembles où était cantonnée sa compagnie. « Ça sent le kirsch ! » s'écria le capitaine. Les hommes furent pris de vomissements. Un liquide visqueux se mit à couler de leurs yeux, des cloques jaunâtres couvrirent leurs visages. L'air devint brûlant. Il ne sut jamais trop comment il avait survécu au gaz moutarde. Il en garda de violentes douleurs aux poumons, la respiration sifflante des asthmatiques.

Malgré ses blessures et les combats auxquels il avait pris part, personne ne le traitait avec la considération qu'on accordait aux anciens combattants, la faute au zézaiement prononcé qui ponctuait ses phrases. Il lui avait coûté son nom. Il était le seul parmi ses huit frères et sœurs à ne pas s'appeler Poujade. Trompé par sa prononciation, le fonctionnaire qui tenait les registres militaires au moment de sa conscription l'avait inscrit sous le patronyme de Pouzade. Il devait au zozotement son talent d'amuseur public. Son récit des « Zéparzes » provoquait les éclats de rire de son auditoire.

Ils s'attaquèrent à la deuxième bouteille. Le soleil commençait à baisser. Sortant du chemin de terre menant au cimetière, quatre hommes armés avançaient en tirailleurs. Georges reconnut les FTP rencontrés quelques jours plus tôt. Un paquet de cigarettes dépassait de la poche de la chemise du plus âgé. Georges lui en demanda une. Ils fumèrent en silence, s'attachant à donner à leurs gestes un air solennel. L'autre l'informa que son maquis se repliait sur Domme. Il lui tapa sur l'épaule, repartit avec ses hommes. Ils avaient presque regagné le cimetière quand l'autre revint sur ses pas. Il tendit sa mitraillette à Georges. Descends-en le plus possible...

Le village était maintenant désert. Georges n'avait jamais eu autant soif de sa vie.

Gabrielle, son dernier-né dans les bras, et sa mère apparurent au carrefour. La mèche avantageuse, ses douze ans arrogants comme un de ces gamins élevés sans père, Pierre marchait en avant, d'un pas décidé.

Il admira la mitraillette, une Sten, puis s'enthousiasma de voir Georges, la main droite sur la détente, la gauche sur le chargeur de côté, la bretelle de toile passée autour de son cou. Il ressemblait aux maquisards qui étaient venus dans le village pour abattre le traître.

Étrangement calme, Georges, en bras de chemise, arborait un regard que Pierre ne lui connaissait pas. D'habitude, il ne prenait jamais rien au sérieux. Quand il avait trop bu, il lui murmurait des paroles incompréhensibles.

Cette fois-ci il avait la mine grave de ceux qui s'apprêtent à faire leur devoir. Faire son devoir. Pierre aimait cette expression qui accompagnait les héros de ses livres d'histoire. Vercingétorix à Alésia, Jeanne d'Arc sur le bûcher, Bara contre les Vendéens, le caporal Peugeot en 1914, chacun avait fait son devoir et Georges suivrait leur exemple. La prochaine fois, Pierre réclamerait aux gamins du village de jouer le chef des FTP.

Georges, surpris par un tel élan de fierté filiale, baissa les yeux. Pierre se tenait droit, le menton levé, au garde-à-vous, soldat attendant ses ordres. Sa présence donnait à l'amas de meubles qui barrait la route, à Édouard, son casque de travers et son vieux fusil de chasse, à Georges, aux mains encombrées par la mitraillette, un air d'héroïsme. Il serra son fils dans ses bras, comme s'il embrassait son père.

Ce que l'histoire avait pris à Peter, il allait le lui redonner. Contre toute attente, malgré la déception qu'il avait lue toute son enfance sur le visage paternel, Georges avait réussi en un court moment de sursaut à reprendre la lutte, à la gagner. Pierre, son Pierre, accomplirait la destinée que Peter espérait pour son aîné. Il fonderait une famille, recommencerait tout à zéro. C'en serait fini de l'esprit boche. Gabrielle donnerait à leur fils la force nécessaire.

Il passa la main dans les cheveux de Gérard. Gabrielle avait la dignité d'une future veuve. Il lui saisit le menton, échangea un regard avec elle, crut y discerner la lueur de leur escapade. Il lui donna un dernier baiser, pendant que Mélina maugréait contre l'entêtement des hommes.

Georges reprit son poste d'observation. La colonne ne devait plus être très loin. Édouard se redressa en s'aidant de la chaise renversée au pied de leur monticule. Il sortit de sa gibecière une bouteille de prune.

L'alcool emplit la poitrine de Georges comme un ennemi brûle les villages. Le bref tremblement de ses muscles le tira un instant de son ivresse. Il se demanda quelles images

Pierre conserverait de lui. Il l'imaginait racontant à ses enfants, comme il l'avait fait avec les siens, les quelques souvenirs qui lui remonteraient. Des manifestations spectaculaires de la force paternelle. Le sien avait porté sur son dos presque sans effort la machine à carder à travers l'atelier. Georges se rappelait la scène avec le même regard admiratif qu'avait eu son fils, trente-cinq ans plus tard, quand, à son tour, il avait soulevé une table de billard à la suite d'un pari. Et aussi des plaisanteries rebattues, qui, une fois adulte, donnent l'illusion, un bref instant, que l'on peut à nouveau sentir l'odeur du père, le toucher, l'embrasser. Aussi Concarneau. Il reprit une large gorgée de prune pour mieux se laisser submerger. Dans la vie on n'a Quimper. Il rit. C'était Peter qui avait inventé ces pauvres jeux de mots, fier d'y parvenir dans une langue qui n'était pas la sienne. Georges se montrait maladroit avec Pierre, ses conseils aussitôt contredits par Gabrielle. Seules ses mains ne l'avaient jamais trahi. Quand elles lui fabriquaient un jouet, elles faisaient surgir dans les yeux de son fils un éclair d'admiration qu'aucun de ses mots ne provoquait jamais.

Sa mitraillette lui échappa, glissa contre le dossier de la chaise. Il la récupérerait en descendant pour aller prendre position derrière le mur du cimetière. Les idées se faisaient confuses. Il aurait fallu arrêter la prune. Il serait incapable de viser tout à l'heure, mais elle l'aidait à se souvenir.

Il songea à son père. À sa mort, Georges avait retrouvé dans le carnet paternel, conservé entre deux pages, une coupure de journal desséchée comme un trèfle à quatre feuilles, une vieille réclame pour la Compagnie de literie Lafontaine qui vantait les mérites du matelas à ressorts. Georges avait encore en mémoire la colère de son père quand il avait évoqué la possibilité de se lancer dans le nouveau procédé. Il voyait dans la présence de cette coupure un aveu de tendresse posthume bien dans le genre de Peter.

Rouge

Il sourit en pensant que les Boches avaient pris à son père son aîné durant la Grande Guerre et ses deux autres enfants durant la suivante. Mathilde était morte dans le bombardement des usines Renault de Billancourt. Et lui...

Ma mère descendit l'escalier, pressée, en retard. Elle souffrait de la vie de bureau. « J'ai résisté trente-sept ans avant de devenir salariée » s'excusait-elle auprès de son chef de service. Dring... !!! Elle atteignit le palier de l'étage en dessous, hésita à remonter à l'appartement. Ce n'était pas tant les horaires, ni même les collègues ou la hiérarchie que de recommencer chaque jour la même chose. Refaire est un aveu. Dring... !!! Elle en voulait à mon père de l'avoir contrainte à endosser ce rôle. La femme du fermier, économe, vigilante, effacée. Elle s'habillait désormais de vêtements ternes qui cachaient ses formes. D'avoir réveillé son sens du sacrifice. Elle eut un haussement d'épaules. Tant pis ! Se ravisa, chercha ses clés dans son sac. Les autres, dans le bus, au bureau ne se doutaient pas des idées qui lui traversaient l'esprit. Dring... !!! Où pouvaient être ces clés ? Le regard d'un homme croisé dans la rue était une promesse qui lui durait la journée. Dring... !!! Une mauvaise nouvelle. Elle sentait la petite pointe dans le ventre, l'alarme annonciatrice. Qui c'est ? demanda ma sœur à la porte. Ouvre ! Leur amour était différent. Différent. Peut-être simplement une erreur. Dring... !!! Une erreur de numéro. Elle se précipita dans la chambre, jeta ses affaires sur le lit. En tout cas, qui que ce soit, il insistait. Elle reprit son souffle. L'homme appelait de loin. La voix était parcourue par des éclats nerveux. On entendait des rires, des conversations en arrière-fond. De la part de qui ? Monsieur Malle... ? Mathilde et moi essayions de deviner à ses grimaces qui était à l'autre bout du fil. Quoi... ? Hier soir... après le tournage... Il devait être dans un café ou un restaurant. Un éclat de rire sonore couvrit la fin de sa phrase. Elle nous faisait signe de continuer à nous préparer. Nous allions être en retard à l'école... Oh... oh... oh... Nous tentions d'estimer la gravité de la nouvelle au nombre de trémolos dont elle ponctuait la conversation. Sa main s'agitait dans notre direction. Nous refusions de bouger... Non je ne suis pas de la région. À l'entrée de ?... Livinhac-le-Haut... près de Figeac... oui... Oh... oh... Son regard fixait un point entre les portraits de Marx et Lénine. Elle maintenait le combiné à deux mains contre son oreille. Oh... oh... oh, oh, oh, oh. Je voulus prendre l'écouteur. Elle me donna une tape sur les doigts pour que je le repose. Nous entendions la conversation de plus en plus animée des clients en fond... Attendez je note... Un stylo ! nous cria-t-elle. Oui... Vous remercierez monsieur Malle... Allez-y, je vous écoute. Elle inscrivit un numéro de téléphone qu'elle répéta pour être sûre de ne pas avoir fait d'erreur... D'accord... Oui, oui. Ça fait souffrir mais c'est... Ma sœur tirait sur la manche de ma mère pour savoir. Je me fis venir les larmes pour attirer son attention... Pas avant midi... Merci... Au revoir... L'hôpital ne répond pas sinon... Oui j'ai compris...

L'odeur de son corps en sueur et contusionné se mêlait à la chaleur des rayons de soleil qui entraient par la fenêtre ouverte. Nous avions pris le train pour Figeac l'après-midi même. Il avait le visage tuméfié, le torse nu bandé et la jambe surélevée maintenue par une poulie. Ma sœur et moi l'embrassâmes en silence, sortîmes dans le couloir. Est-ce que tu étais soûl quand tu as pris le volant ? Nous n'entendions pas ses réponses, seulement la voix pleine de sanglots de ma mère. Pierre. Jure-le-moi sur la tête des enfants ! Tu avais bu ?

Il reprit *La Cage aux folles* peu après la chute de Saigon. Ma mère ne parlait pas de l'accident. Mon père au contraire s'en lamentait sans cesse. Il le mettait sur le compte de la malchance qui le poursuivait. Il reprochait à sa femme de ne plus croire en lui. Les dernières assiettes en faïence y passèrent. La fatalité, Madeleine ! hurlait-il. Il l'accusait de lui attirer la poisse avec ses doutes, avant de fondre en larmes et de la serrer dans ses bras.

Dans les westerns, le destin se plaisait à provoquer le fermier. Des cow-boys traversaient la région avec leur troupeau, détruisaient les récoltes, arrachaient les clôtures. En ville, ils terrorisaient les citoyens paisibles, tuaient le shérif.

Ma mère s'inquiétait. Chez mon père, les catastrophes arrivaient en série. Ils se disputaient à voix basse dans la cuisine, dans leur chambre. Ces altercations silencieuses nous impressionnaient plus encore que leurs cris. Les grandes décisions sourdaient à bas bruit. Ma mère m'en informait le soir, dans sa chambre. Je l'écoutais sans broncher. Elle me brossait le tableau d'un homme qu'une maladie secrète rongeait, s'emportait contre sa belle-mère et les Aderhold. Des générations d'alcooliques, maugréait-elle. L'arrière-grand-père ? Un ivrogne ! Le grand-père ? Un soiffard. Je m'effrayais, prenais la défense de mon père. Il est atteint du même mal, me lançait-elle. Il nous détruira tous. On ne peut rien y faire. Je pleurais avec elle, promettais de ne jamais toucher un verre de vin.

Il nous réunit dans le salon pour un de ces conseils de famille qu'il aimait à mettre en scène. Il faut se ressaisir, annonça-t-il. Se ressaisir. J'ai entendu ce mot toute mon adolescence. Il faut te ressaisir. Cela signifiait la fin des conneries et la reprise en main. On va tous se ressaisir. Pendant quelques mois, nous vivions dans une atmosphère d'excitation spartiate.

Quel que soit son désir de combattre les mauvais démons de mon père, ma mère eut l'habileté de ne jamais tenter de calmer ses emportements politiques. Elle le laissait au contraire donner cours à sa rage qui, selon elle, lui permettait de supporter ses concessions professionnelles. Les préceptes affichés de fraternité, de justice lui paraissaient de bons principes éducatifs.

La politique occupait toute notre vie. Je me rends compte de l'étrangeté foncière d'une telle vision. Ce n'était pas propre au communisme. J'avais des copains gaullistes, anarchistes, trotskistes, nationalistes... Tout le monde alors était certain que la politique changerait le monde. Elle nous tenait en haleine, nous donnait envie de grandir, nous protégeait de tout cynisme comme de toute aigreur. Engouement pour engouement, je préfère encore cette traversée sans gouvernail aux préceptes d'une éducation dénuée d'à-coups et de soubresauts. Enfants, nous aurions été bien étonnés de voir ces files de clients attendre fébrilement l'ouverture d'un magasin pour acheter le dernier téléphone portable, et plus encore de l'air extatique des heureux détenteurs.

Depuis que nous ne partagions plus la même chambre, ma sœur et moi grandissions à la merci de nos parents, essayant de nous débrouiller chacun de notre côté. Je me montrais un disciple enthousiaste quand ma sœur résistait à toute politisation. Elle allait à la fête de l'Huma pour les concerts, s'intéressait par provocation à tout ce que mon père dénonçait. Dès qu'elle entra en quatrième, elle se maquilla, se mit à fumer, se cachant à peine, porta un blouson de cuir. Je la croisais souvent le soir, après les cours, en compagnie de garçons. Je la dénonçais avec le sentiment confortable d'être dans la ligne.

Mon père admit avoir passé un peu trop de temps dans les cafés, assura que c'était terminé. Ma sœur jura d'être plus assidue en cours. Nous pleurions tous, sauf lui. Je m'engageai à m'inscrire aux jeunesses communistes.

Nous étions une dizaine de jeunes militants, venus du IXᵉ arrondissement, à nous retrouver une fois par mois dans un immeuble cossu de la rue Rochechouart. La pièce ressemblait à une salle de classe. Aux murs étaient affichés des drapeaux rouges de tous les pays. Je m'installais dans le fond, près des larges fenêtres qui donnaient sur une cour.

J'écoutais les premiers mots du responsable local avec attention. Le dirigeant, de quelques années notre aîné, était de ceux en qui le parti aime à placer ses espoirs. Sérieux jusqu'à la garde, le ton atone, le regard inexpressif, il nous abreuvait d'exposés, avec toujours les mêmes conclusions, aussi prévisibles que sans fondement, sur le rapport de forces favorable, la justesse de la ligne.

Au bout de quelques minutes, mon regard était attiré par les lumières crues des spots d'un photographe. Son atelier se situait juste en face, dans la cour. Je ne discernais que le crépitement rapide des flashs et parfois un mouvement de sa main donnant une indication à son modèle. En levant un peu la tête, j'avais en revanche une vue plongeante sur ses mannequins. De jeunes femmes arboraient pour toute tenue des guêpières, des bodys en résille, des nuisettes, prenaient des poses alanguies sur un canapé en cuir, les hanches bien cambrées, les seins en avant. Elles relevaient leurs cheveux en des gestes provocants, adressaient un baiser à l'objectif.

Ma concentration faiblissait. Je jetais de brefs coups d'œil en direction du studio. La vision fugitive d'une femme dénudée me faisait rougir. La rhétorique monotone me repoussait bientôt vers la cour. Je m'accordais une observation un peu plus longue, détaillais les formes du mannequin, étudiais sa lingerie. Elles ne ressemblaient pas aux prostituées de Pigalle. Lorsque avec mes camarades de classe nous en croisions dans les rues autour de la place, la vision de ces femmes au visage outrageusement fardé, en des tenues qui laissaient apercevoir leurs chairs aux tons peu engageants – elles avaient l'âge d'être nos mères –, nous troublaient sans nous exciter. Les modèles du photographe resplendissaient de candeur sensuelle.

La culpabilité me poussa à me lancer dans la rédaction d'une autobiographie édifiante, sobrement intitulée « Manifeste d'un jeune communiste ». Je désirais l'offrir à mon père pour sa fête.

« Comment cela se fait-il qu'un jeune soit d'accord avec ses parents alors que la jeunesse représente le bouleversement, l'anarchie ? On a d'abord et avant tout cherché à comprendre et à analyser leurs arguments, les comparer avec la réalité, et ne pas croire ce qui sort de la télévision.

En somme, Réfléchir avec un grand R », écrivis-je en introduction.

J'élaborai un plan. Il se divisait en quatre parties, la famille, la classe, la cellule et la rue qui elle-même se subdivisait en deux chapitres, « le bistrot » et « la campagne électorale ».

« Quand on entend parler à la télévision du Chili, de l'Espagne, de l'Iran et de bien d'autres pays encore, on a peur pour mon père. On le voit attaché au poteau d'exécution. » On ne disait jamais « je » chez nous. La psychologie, les états d'âme avaient quelque chose d'obscène, trahissaient un penchant à l'égoïsme. Mon père affirmait que le déclin du PCF avait débuté lorsque Georges Marchais s'était mis à parler en son nom. Thorez, Duclos ou Waldeck entamaient leur déclaration par « Le parti communiste quant à lui... ». Je commençais mes phrases par « nous », ou plus souvent par « on ». La colère, la tristesse, la joie étaient collectives – non pas impersonnelles mais fraternelles. Je me faisais un nouveau copain ? « On le trouve sympa. » Je regrettais la fin des vacances ? « On y retournera. » Je riais d'une blague ? « Il nous a fait rire... »

Le soir, après mes devoirs, je poursuivais la rédaction de mon manifeste.

« Nous avons pu nous rendre compte du luxe capitaliste dans lequel vit Pompidou. Dans son palais, il a des serviteurs avec des chaînes en or. Les plafonds aussi sont en or et de grands lustres en cristal pendent au-dessus de la table. »

J'écrivis l'introduction avec enthousiasme. Insensiblement, le rythme se ralentit. Je refis mon plan. Les subdivisions augmentèrent. J'établis une grille, avec les sentiments à détailler, les mots – les adjectifs surtout – qui devaient s'y trouver.

Une annonce dans *L'Humanité* proposait un séjour en Allemagne de l'Est. En août 1976, je partis dans une résidence pour étrangers du côté de Leipzig. Les autres jeunes du groupe étaient, comme moi, des enfants de communistes. Ils se moquaient de la politique comme d'une guigne, attendaient la fin des excursions pour gagner les bars. J'étais le seul à noter sur un carnet le pourcentage de crèches supérieur à celui de l'Allemagne de l'Ouest, le taux ridicule de criminalité, la part du loyer dans le salaire, toutes informations chiffrées que j'amassais comme des preuves pour mon père.

Je me portai volontaire pour prendre part à un chantier de solidarité internationale. Nous devions construire une piste d'athlétisme. Deux matinées par semaine, un car nous emmenait dans la banlieue de Leipzig, jusqu'à un petit stade entouré d'immeubles délabrés. Là, en compagnie d'étudiants angolais et vietnamiens, je cassais des cailloux, transportais des brouettes de terre, sous les ordres d'un contremaître soûl dès le matin. Il s'en prenait aux Noirs, me faisait signe de me reposer pendant que les autres s'échinaient. Sur une banderole accrochée devant les tribunes, flottait une ribambelle de silhouettes représentant les habitants des cinq continents qui se donnaient la main, au nom de l'internationalisme prolétarien.

« Dans notre long périple vers la connaissance parfaite de la politique et l'analyse d'une situation, il y a des embûches. » « Nous reconnaissons nos erreurs. » Il suffisait que je me penche sur ma feuille pour qu'aussitôt tout s'efface.

Un soir sur deux, les jeunes de la Freihe Deutsche Jugend, l'organisation officielle, donnaient un bal en notre honneur. Un responsable faisait un discours, puis la sono asthmatique diffusait les Beach Boys. Une fille, déjà presque une femme, me fit danser un slow. Andrea ne parlait ni français ni anglais. Mon allemand était rudimentaire. Un de mes camarades jaloux de ma conquête se proposa de servir de traducteur. Nous nous retrouvâmes tous les trois sur un banc, dans le parc à côté. Je lui vantai les succès du régime, la félicitai sur son adhésion aux FDJ. Mon compagnon me reprocha à voix basse mon entrée en matière. Andrea me remercia pour les quelques compliments que mon traducteur avait glissé sur ses cheveux, son sourire. Tout aussi timide que moi, il profita de parler en mon nom pour se lancer dans des éloges de plus en plus précis de la plastique d'Andrea. Elle me prit la main, mon compagnon lui saisit l'autre. Nous rougîmes, ne sachant trop comment passer à l'étape suivante, malgré son air engageant et son épaule appuyée contre la mienne. Je n'avais jamais entendu parler allemand que dans les films de guerre. Elle m'interrogea sur la vie à Paris. Mon interprète peinait à suivre. Je sortis un petit dictionnaire bilingue. Elle aimerait que tu lui en fasses cadeau, me traduisit mon compagnon. Elle m'embrassa avant même que je réponde. L'autre réclama aussi un baiser, elle s'exécuta en riant. Elle voulut voir de l'argent français. Nous lui offrîmes quelques pièces. Elle nous donna un nouveau baiser et rendez-vous pour le lendemain. Le manège dura plusieurs jours. Andrea repartait chaque fois avec de la monnaie, un livre, un stylo. Elle nous laissait lui faire la bise, nous abandonnait ses mains, menaçait de disparaître si nous poussions plus avant. Un soir, notre guide nous surprit. Il nous mit en garde. Certaines filles – il prononça le mot sur un ton méprisant, comme s'il désignait des prostituées – flirtaient avec les étrangers pour leur soutirer des objets qu'elles revendaient au marché noir. Andrea ne chercha pas même à nier.

Je voulais éteindre sa méfiance, qu'il sache la sincérité de mes efforts. « Mon père et ma mère ne nous obligent pas à étudier. C'est nous que la joie de pouvoir connaître plus de choses pousse en avant. Et en cas de mauvaises notes, beaucoup d'enfants reçoivent une torgnole. Chez nous, on s'explique, on débat sur les raisons de cette note et on prend les mesures nécessaires. On préfère faire appel à notre intelligence plutôt que nous frapper.» Des cauchemars apparurent, brefs, intenses. La trame en était toujours la même. Des Indiens m'attaquaient. Je me réveillais en sursaut, me rendormais avec l'espoir de les avoir chassés, mais dès que je m'assoupissais, ils réapparaissaient. Parfois le décor me trompait, j'étais dans une maison qui ressemblait à celle de ma grand-mère ou dans la cour de mon école. La prescience de ce qui allait suivre m'oppressait. Les Indiens surgissaient.

La découverte de l'existence de magasins d'État me peina plus encore que la trahison d'Andrea. Un après-midi, j'y achetai avec les francs qui me restaient des confiseries, des bouteilles de Coca, des plaques de chocolat, les distribuai aux Allemands qui travaillaient à la résidence. En quelques minutes, une dizaine de personnes m'entourèrent. Un policier les dispersa. Il me raccompagna à ma chambre. Devant la porte, il sollicita par gestes quelques bonbons. Le lendemain, notre guide me sermonna devant tout le monde, me reprochant mes menées antisocialistes qui visaient à propager la société de consommation parmi le peuple. Si je suis sincère, la mortification publique me procura un soulagement. Je retrouvais le sentiment familier d'injustice qui m'habitait à la maison – je me sentais le seul véritable communiste du groupe. Durant le séjour, j'éprouvais un malaise diffus d'être dans un pays où nos idées avaient triomphé, où le gouvernement, l'armée, la police se tenaient de notre côté, habitué que j'étais à faire partie d'une minorité, certes porteuse de l'avenir, mais minorité, vivant avec la sensation d'être à part, exclue.

J'attribuais ma déception au caractère boche, sans humour, des habitants de RDA. Je rentrai avec non pas la foi intacte, mais l'envie d'y croire sauve, et sans vêtements. En déballant ma valise, ma mère s'emporta. J'avais troqué mes jeans, mes polos, jusqu'à mes chaussures avec les camarades allemands. J'avais rapporté aussi un immense drapeau de l'Allemagne de l'Est qui recouvrit le mur de ma chambre. Lorsqu'il discutait politique avec ses invités, mon père me faisait venir. « Mon fils, qui a été en RDA... » Je déclinais chiffres et faits à la gloire du régime, d'une voix intimidée. Je croyais voir dans son regard de la fierté à mesure que je détaillais les réussites du socialisme. « La Révolution est pour bientôt » concluait-il.

J'avais treize ans, et l'on peut se demander pourquoi les destinées des fils se chargent des rêves des pères.

Je suis nu, dans une cabane. À côté de moi, Tom Sawyer, nu lui aussi. Enfin il ressemble à Tom. Ou plutôt je me dis que c'est Tom. La forêt grouille de Peaux-Rouges, même si leur nom n'est jamais prononcé. Ils sont simplement les Rouges comme dit Tom en parlant d'eux. Les Rouges nous poursuivent. Les Rouges veulent notre mort. L'œil de leur chef nous scrute par la fenêtre. Je ne distingue que sa pupille noire, qui occupe tout l'encadrement. Je reconnais son regard. C'est celui de Nixon. Je crie Assassin ! Sa main brise la vitre, tâtonne parmi les draps. Je me recroqueville à la tête du matelas. J'appelle au secours. Aucun son ne sort de ma gorge. Il attrape Tom. Ce dernier porte une robe mais c'est bien Tom. Il leur indique ma cachette. La couverture se soulève. Le chef au-dessus de moi me fixe, le couteau à la main.

En un ultime effort j'achevai le premier chapitre de mon manifeste. « Si on est communiste, c'est bien sûr un peu conditionné par notre environnement. Chaque enfant l'est.

Un type dont ses parents sont...» Je posai mon stylo. Je rangeai mon cahier avec ceux où j'avais noté les souvenirs de ma grand-mère.

La malédiction, pensai-je.

La colonne dirigée par le capitaine Otto Kahn, comprenant trois automitrailleuses, deux chars légers, une vingtaine de camions, soit au total deux cent cinquante hommes, roulait à vive allure. Partie de Gourdon en début d'après-midi, elle avait fait un détour par Dégagnac à la suite d'informations données par un gendarme. Les Allemands pensaient y surprendre l'un des chefs FTP du Lot. Le renseignement se révéla faux. La colonne perdit beaucoup de temps à rassembler les habitants, puis à les interroger. Le capitaine Otto Kahn hésita à repartir. La nuit était plus propice aux embuscades du maquis et il leur restait une trentaine de kilomètres pour rejoindre Frayssinet-le-Gélat, à travers des départementales vallonnées et virageuses. Il contacta par radio le major Dickmann qui lui ordonna de poursuivre sa mission. Ils quittèrent le bourg vers dix-huit heures, atteignirent Salviac une heure plus tard.

Pour rattraper leur retard, ils ne ralentirent même pas à l'entrée du village, au croisement avec la route de Gourdon par où il était prévu qu'ils arrivent, s'ils n'avaient pas été détournés sur Dégagnac.

Aucun des deux cent cinquante Allemands n'eut l'idée à cet instant de tourner la tête, ni de regarder en direction de l'autre voie. Ils auraient pu y apercevoir l'enchevêtrement d'objets qui, deux cents mètres plus loin, barrait la chaussée, et deux hommes, l'un affalé au pied de la barricade, l'autre penché à son sommet, assoupis, le corps relâché, la bouche ouverte, la tête nue pour l'un, un casque couvrant le visage de l'autre, le fusil et la mitraillette ayant glissé sur le côté.

Du croisement, où défila à tombeau ouvert la colonne, on aurait pu croire à deux combattants morts pour la France.

L'entrée au lycée, au moment où Sadate et Begin signèrent les accords de camp David, marqua une rupture.

Je tombai amoureux de Caroline.

Jusqu'alors, dans la cour, nous nous tenions d'un côté, les trois seules filles de ma classe de l'autre. Des chahuts qui provoquaient leurs cris aigus, des insultes plus ou moins virulentes constituaient toutes les relations que nous avions avec elles.

À la fin du premier trimestre, plusieurs garçons se risquèrent à leur adresser la parole. Des discussions s'engagèrent sur un ton nouveau, fait de sérieux et de retenue, qui nous poussaient à rabrouer ceux qui continuaient à les bousculer ou les injurier.

Mes copains rêvaient de ses seins ronds et lourds. Ils dévoraient des yeux leur balancement lorsqu'elle courait avec nous en gymnastique. Moi, c'était le geste qu'elle faisait pour caler ses cheveux derrière son oreille dont je m'étais entiché. J'ai toujours succombé aux détails, mouvements des mains, inflexions de la voix, fragments de peau nue que laisse voir le bâillement d'une échancrure.

Les goûts musicaux formaient l'essentiel des conversations. J'ignorais les noms des groupes en vogue. Les nombreux vetos paternels envers ce qui touchait la culture anglo-saxonne me condamnaient à vivre en marge. Je demandais de l'aide à ma sœur. Elle connaissait tous les tubes, les entendait chez ses copines. Je la soupçonnais d'en passer à la maison sur la platine des parents quand elle était seule. Mon silence sur ses copains fut le prix à payer pour mon apprentissage. Nous nous enfermâmes dans sa chambre, attendîmes que mon père descende au café. Mathilde avait récupéré un vieux mange-disques. Le volume au plus bas, nous écoutâmes les Doors, Queen, les Beatles, des groupes de disco. Nous sursautions au moindre bruit, inquiets que mon père remonte à l'improviste.

Mes camarades citaient les paroles de leurs chansons favorites comme si elles contenaient le sens de la vie, dénigraient les autres chanteurs. Ils me sommaient de me rallier à leur cause. J'étais passé maître dans l'art de la discrétion. Je ne contredisais plus que rarement mes professeurs d'histoire. Je ne m'affranchissais de ma timidité que lorsque la conversation prenait une tournure politique. Je sortais de ma torpeur, mû par une rage de convaincre, comme si mon existence en dépendait. J'abreuvais mes interlocuteurs d'anecdotes signifiantes à la gloire des pays de l'Est. En Hongrie avant le communisme, il y avait deux millions de mendiants. Des parents faisaient grandir leurs enfants dans des jarres, ils leur causaient des déformations irréversibles afin de soutirer des aumônes. À son arrivée à Cuba, Castro avait fait jeter à la mer trois millions de machines à sous.

Surpris par la vigueur de mon ton, vexés des sarcasmes dont j'accablais leurs arguments, ils tentaient de me tenir tête. Je leur assenais des chiffres, j'inventais comme mon père à qui je racontais ces faciles succès. Ma hargne inhabituelle provoquait une gêne, me valait une mise en quarantaine momentanée. Stalinien. Le mot me colla à la peau toute mon adolescence.

Le socialisme commençait à devenir une pose à la mode. Une alternative distinguée aux excès gauchistes et plus encore au dogmatisme des cocos. Jusqu'alors nous faisions partie du paysage. Enfant, je me sentais bien plus stigmatisé par nos origines allemandes que par notre appartenance au parti. Insensiblement les têtes de classe au contentement giscardien et ceux à qui leurs bons sentiments de gauche donnaient un air décontracté m'adressèrent le même sourire condescendant. Nous passions désormais pour des êtres bornés, à l'image de Georges Marchais. J'aimais cet isolement. Leurs regards navrés m'offraient une posture bien moins remarquable que celle du punk ou du rasta, mais suffisante pour me donner une identité particulière. J'y trouvais même une fierté. L'hostilité des autres était la preuve que nous avions raison.

En arrivant au lycée, je m'étais attaché à Lionel. Je l'avais choisi pour son caractère simple et sans façon, copain avec tout le monde. Je me tenais dans son ombre protectrice. Il faisait partie du petit groupe qui prit l'habitude de retrouver les filles sous le préau. Je me tenais derrière lui, ma tête dépassant de son épaule. Caroline me regardait comme un paysage à travers une fenêtre.

En classe, je ne la quittais pas des yeux. Je roulais dans ma tête des scénarios compliqués. Je grimpais sur le toit du lycée pour déployer une immense banderole à son effigie. Je sautais sur l'estrade en plein cours, lui déclamais un poème, sous le regard sidéré des autres élèves et du professeur. Mon imagination me suggéra des histoires d'amour de plus en plus extraordinaires. Je l'arrachais à un autre, comme mon arrière-grand-père avec le souteneur d'Esther, je risquais ma vie pour elle, la suivais au bout du monde. Je retardais la scène des aveux, grâce à d'incroyables rebondissements, et quand, à bout de péripéties, je ne voyais plus aucun moyen de différer le dévoilement de ma passion, je me plongeais aussitôt dans une nouvelle intrigue. Je m'effrayais de mon imagination de midinette, m'abandonnais à mes rêveries avec un lancinant sentiment de culpabilité qui s'effaçait dès que mon esprit faisait apparaître Caroline.

Je l'ai tant aimée en secret.

Un soir pendant le dîner, mon père lança la radio contre le mur. Raymond Barre venait d'annoncer la fermeture de plusieurs usines sidérurgiques en Lorraine. La voix du présentateur s'éteignit en un gargouillis. Mon père s'acharna sur les morceaux du transistor à ses pieds. Ma sœur courut se réfugier dans le couloir. Une dispute violente s'éleva entre mes parents. L'assiette paternelle s'écrasa derrière moi. Il s'apprêtait à jeter son verre quand son regard tomba sur moi. Ma mère m'observa à son tour. Je n'avais pas esquissé le moindre geste, continuant à manger, la tête baissée. J'étais en train de sauver Caroline de l'incendie du lycée. Elle se tenait à la fenêtre d'une salle de cours, je grimpais le long de la gouttière pour l'atteindre. Mes parents, oubliant aussitôt la sidérurgie lorraine, s'inquiétèrent. Mes rêveries me dévoraient. Je m'endormais à toute heure du jour, bercé par mes récits. Ils me traînèrent chez le médecin qui me prescrivit vitamines et remontants, sans aucun effet.

Aimer a toujours eu pour moi des allures de cavale. Mon père ne s'y trompait pas. Il m'interrogeait pour savoir si j'avais une amoureuse. Je me gardais bien de lui avouer. Il y voyait le risque d'un abandon de toute conscience politique, entendait en combattre les effets. Il me prodiguait des conseils de copain de régiment. « Baise-les mais ne t'attarde pas. » Plus je sentais sa réprobation comme une nuée orageuse, plus je m'enflammais. « À sa première déception amoureuse, il fera une connerie... » assurait-il.

Mon professeur de français et sa manie des classements me plongèrent dans mes premières affres amoureuses. À chaque début de trimestre, il nous obligeait à nous installer en classe en fonction des notes obtenues. Les premiers occupaient la rangée du devant, par ordre décroissant, jusqu'aux derniers assis au fond de la salle. Lorsqu'il nous rendit nos copies au retour des vacances de Noël, je me retrouvai à côté de Caroline. Elle me sourit en signe de bienvenue, je m'en souviens encore. C'était la première fois qu'une de ses réactions m'était destinée. Elle avait deux sourires. L'un, large et sans retenue, que je trouvais enchanteur. Elle y mettait toute son âme, du moins c'est ainsi que je le percevais. L'autre était plus discret, presque embarrassé. Ses lèvres se pliaient à la façon de deux chapeaux pointus. Je l'avais bien étudié. Il se révélait presque aussi désarmant que le premier, j'y devinais une faiblesse qui me donnait envie de jouer le protecteur. Elle ne m'offrit jamais que celui-là comme s'il ne pouvait y avoir que de la gêne entre nous, d'autant plus forte que j'y répondais par un de ces raclements de gorge qu'à l'adolescence les garçons lâchent pour se donner un peu d'assurance.

De temps à autre, pendant le cours, mon coude heurtait son bras, sa jambe touchait la mienne, me tirant violemment de mon songe. Parfois elle se penchait à mon oreille, me demandait un stylo, une feuille. Sa requête se transformait aussitôt en un message amoureux, une complicité d'amants qui me troublait. Sentir sa tête penchée près de la mienne provoquait chaque fois un bourdonnement. Je n'entendais plus ce qu'elle me disait, essayais d'en comprendre le sens à ses gestes. Ma maladresse lui arrachait des rires, que je voulais aussitôt corriger.

Quelque chose de nouveau se présentait à moi, je n'avais fait qu'y rêver jusqu'alors : lui avouer mes sentiments.

Je passai les trois mois suivants dans une peur panique que se dessine une occasion propice à laquelle je n'aurais pu me défiler. Je ne voulais ni me dévoiler ni reconnaître que j'en étais incapable. Dans les deux cas, c'en eut été fini de mes rêveries. Il fallait que ce soit la malchance ou les circonstances qui m'en empêchent pour que je puisse continuer à imaginer des scénarios.

Le trimestre s'acheva sans que j'aie rien tenté. Je ratai mes examens de français, me retrouvai au fond de la classe, sous le regard mauvais des autres, mais soulagé.

Quelques rares élèves traînent devant le lycée. Un réverbère à la lumière blanchâtre éclaire l'entrée. Le concierge, à travers la vitre de sa loge, m'indique le bureau de la directrice.

Elle m'a appelé en fin d'après-midi. Simon est accusé avec ses copains d'avoir tagué le mur de la cour. Je traverse les locaux déserts et ces odeurs de vieux meubles, de papiers mouillés. Le ton moralisateur de la directrice m'a replongé dans cette atmosphère de drame qu'enfant je connaissais si bien, avec le même effroi, la même excitation.

J'aperçois Simon, seul dans une salle de classe, recroquevillé sur sa chaise, secoué par moments de tremblements.

La vision me tétanise. Je me revois trente-cinq ans plus tôt assis devant la porte du proviseur, attendant mon père. Chaque seconde me rapprochait de son arrivée. La peur me gagnait, embâcle sournoise qui montait depuis mes jambes, me rétractait le sexe, me glaçait le ventre, jusqu'à mon cœur dont les battements propageaient un souffle froid dans ma poitrine.

Simon se fige quand j'entre. Je me surprends lui déclarant « Je ne te le demanderai qu'une fois... » Il hoche la tête. Son regard paraît étonnamment immense.

« J'avais envie qu'il se passe quelque chose » m'avoue-t-il. Je retiens mes larmes à grand-peine.

Je crus qu'une interrogation surprise en mathématiques m'offrait enfin l'occasion de gagner le cœur de Caroline. Le résultat s'annonçait catastrophique. Même les habituelles têtes de classe, qui affichaient une mine réjouie après chaque devoir, paraissaient accablées. Lionel s'effraya de la chute de sa moyenne. Caroline était la plus abattue. Les discussions sur nos goûts musicaux avaient fait place à l'attente anxieuse des copies. Sa voix, au bord des larmes, qui nous faisait regretter de ne pas être seul avec elle pour la consoler, acheva de me convaincre d'agir.

J'avais tout prévu. Je m'approchai du bureau du professeur en bondissant. Les copies se trouvaient dans un des compartiments de sa serviette. Je les glissai sous mon pull, m'en débarrassai dans la benne à ordures des cantines.

La directrice nous fait asseoir, sans un mot, se plonge dans la lecture du dossier de Simon, nous observe l'un après l'autre. Sa mise en scène d'une autorité ostentatoire m'agace, comme si elle confondait le père et le fils dans la même réprobation. Je ne parviens pas à me concentrer, son sermon me parvient en un grondement étouffé.

Le proviseur se présenta devant nous le cours suivant. Un murmure interrogatif parcourut la classe, en même temps qu'un frisson de fierté le long de ma nuque. Il nous annonça qu'un fait grave s'était produit. Nos devoirs, mais aussi ceux d'une autre classe, avaient été volés. Dans ma hâte, j'avais emporté sans m'en rendre compte ceux des premières. De légers sourires se dessinèrent sur les visages de mes voisins, exactement comme je l'espérais. Caroline triturait son stylo. Je m'imaginais l'aborder à la sortie. C'est pour toi que je l'ai fait ! lui aurais-je avoué. L'évocation me fit rougir.

Nous fûmes menacés d'un zéro collectif si le coupable ne se dénonçait pas. Je vis les épaules de Caroline se soulever, un soupir profond. Mon amour, ne crains rien ! pensai-je. Je me levai sans un mot.

La directrice nous explique le coût des dégradations, dramatise la situation, si elle le note dans son dossier, cela poursuivra Simon toute sa scolarité. Elle joue l'étonnement, un élève si gentil, discret, qu'est-ce qui t'as pris ? Je baisse la tête. Je suivis le proviseur avec le même air que devait avoir Guy Môquet le jour de son arrestation. Je cherchais des yeux Caroline, en longeant la rangée de tables qui menait à l'estrade. Je scrutais en vain sur son visage les signes espérés de son admiration. La directrice promet de lever la sanction s'il révèle les noms de ses complices. Je garde le silence. Je reconnais en observant les changements qui s'opèrent sur les traits de Simon – l'accélération discrète de sa respiration, le rétrécissement de ses lèvres, l'avancée légèrement insolente du menton – un sentiment si souvent éprouvé. Je m'effraie de ces traces laissées à mon insu, dont j'aurais voulu éteindre la flamme. Il se tait.

Lorsqu'il ne s'agissait pas de politique, mon père prônait un respect sans faille du corps enseignant. Il me compara aux fascistes qui faisaient avaler de l'huile de ricin à leurs opposants. De retour au lycée, je dus au début du cours demander publiquement pardon. Malgré ma voix blanche, mon ton blême, le professeur poursuivit sans m'accorder aucune attention. Le regard de Caroline quand je rejoignis notre petit groupe sous le préau demeura aussi absent. Tout au plus pouvais-je percevoir chez elle une légère méfiance à mon égard, comme un individu capable des pires folies.

Nous quittons le lycée sans un mot. Je voudrais serrer Simon dans mes bras. Au lieu de ça, je m'emporte contre lui. Il m'écoute tout d'abord sans broncher, surpris par la virulence de ma réaction.

Je l'engueule sans même reprendre mon souffle. Tout le long du retour. Le regret me submerge, j'aimerais le réconforter. La gratuité de son geste m'exaspère. Pas même une revendication, un slogan. À mon époque ! je lâche. À mon époque... La consternation me coupe un instant la parole. On s'en prenait au système, à l'autorité, aux profs. Je le compare aux abrutis qui gravent leur nom sur les monuments historiques. Soudain, d'une voix faible d'abord, puis de plus en plus forte, il me répond qu'il s'en fout de la politique, qu'il n'a rien à revendiquer. L'injustice de mes reproches lui est si forte que son ton retrouve des intonations enfantines.

La colère me déborde.

Catherine accourt dans l'entrée au bruit de nos cris, tente de me calmer. Simon s'enferme dans sa chambre, suivi par ma femme.

Je reste seul un moment dans la cuisine. Les premières gorgées de whisky m'apaisent. Je me ressers un verre.

Catherine s'assoit à mes côtés en silence. Son regard qui m'adresse un reproche tendre et sa main posée sur ma cuisse me font venir les larmes.

Elle s'inquiète.

— Qu'est-ce qui se passe ?

— Je...

Il me semble que tout le monde, les amis, Pauline, Simon, elle, me demandent des comptes, comme si j'avais mené une existence double, enfoui un secret, redouté en fait qu'il pèse sur mes enfants. Je ne bande plus, je n'ai pas écrit une ligne depuis des mois. J'ai essayé de changer de sujet, me suis mis à vouloir faire un roman sur l'histoire de la famille.

Catherine me prend dans ses bras, me berce.

— Il est très fâché ? je lui demande.

Elle me murmure à l'oreille.

— Arrête de te torturer.

Sa voix me fait l'effet d'un paysage après la pluie.

— Tu ne lui as même pas demandé ce qu'il avait écrit...

Je l'interroge du regard.

— Son graffiti ! Il a tagué le prénom d'une fille.

Le prénom d'une fille !

Je devine dans son tag la même promesse impérieuse, qui autrefois me saisissait dès que je croisais le regard de Caroline.

Peu importe ce que l'on dit, ce que l'on fait, nous portons en nous les fantômes du passé, nous les voyons ressurgir chez nos enfants avec l'étonnement naïf du dupe.

Mes parents m'avaient élevé dans le culte des sentiments puissants, persuadés que ressentir à moitié trahissait une nature sans grandeur. Je ne pouvais me contenter d'attirer l'attention de Caroline lors des conciliabules sous le préau, ou de lui proposer de la raccompagner.

Il faut aimer sans imagination, les filles n'aiment pas les rêveurs... La colère me prend. La voix de mon père me souffle « il faut les baiser... ».

Je voudrais lui dire.

Peu avant la fin du dernier trimestre, Caroline nous annonça qu'elle déménageait. Encore quelques semaines et elle quitterait le lycée. La nouvelle de son départ éclipsa celle de la mort du maréchal Tito.

Je m'en ouvris à Mathilde. Son expérience en la matière, j'en étais certain, dépassait de beaucoup la mienne. En échange d'alibis auprès de mon père ou d'aide pour ses devoirs d'histoire, elle m'enseignait comment on embrassait, ce qui plaisait aux filles, les phrases à ne pas dire.

Elle me suggéra, en raison de ma timidité, de lui rédiger une déclaration d'amour que je glisserais dans le sac de Caroline. Je consacrai plusieurs soirs à l'écrire. Insatisfait du résultat, je me rabattis sur *Green*, de Verlaine, dont les vers figuraient dans le *Lagarde et Michard* : « Voici des fruits, des fleurs, des feuilles et des branches / et puis voici mon cœur qui ne bat que pour vous / Ne le déchirez pas avec vos deux mains blanches / et qu'à vos yeux si beaux l'humble présent soit doux. » La lettre resta des semaines au fond de mon sac, finit par se couvrir de taches. Sous la pression de ma sœur, je me décidai enfin à agir. Je recommençai avec soin, ajoutai « Je vous aime » à la fin. Au tutoiement trop politique à mes yeux, j'avais préféré le voussoiement qui suggérait, me semblait-il, une passion d'adulte. Je déposai mon bristol dans son cartable. Je me la figurais tour à tour me guettant à l'entrée du lycée, glissant dans mes affaires une réponse que je dévorais pendant la récréation, ou m'invitant à la fin des cours pour discuter à l'écart. Nous venions de commencer l'étude du *Rouge et le Noir* et, influencé par le héros, je me promettais de me suicider en cas de réponse négative. Elle ne m'attendit pas devant le lycée. En classe, son regard passait sur moi, sans s'arrêter. Dans mon cartable, aucun mot. Nul signe d'elle ni le lendemain ni les jours suivants. L'année scolaire s'acheva sans qu'elle m'ait jugé digne d'une réponse. Je me demandai durant tout l'été si je devais agir comme Julien Sorel ou répondre à cette injure par un égal mépris.

La réalité dépasse nos prévisions, comme le ruisseau qui, à Salviac, débordait les petits barrages construits avec les copains. Certains soirs, je rentrais avec une des deux autres filles de ma classe. Elle habitait près de chez moi. Nous restions un moment devant mon immeuble. Elle riait plus que d'habitude, s'esclaffait en me donnant une tape sur le bras, me faisait parfois des confidences. Quelques semaines après la rentrée, je me risquai d'un ton que je voulais le plus indifférent possible à lui demander si elle avait des nouvelles de Caroline. Tu sais garder un secret ? Je jurai. Elle me récita d'une traite mon mot d'amour. Devine ce que c'est ? Elle ne me laissa pas le temps de répondre. Un gars a envoyé ça à Caroline à la fin de l'année dernière. Je baissai les yeux. J'aurais adoré recevoir une déclaration pareille... Caroline aussi avait aimé. Super romantique ! Mais il n'y avait aucun nom dessus ! Je la fixai, interloqué. Une lettre d'amour anonyme ! Dans mon excitation à la lui donner, j'avais oublié de signer. Je me mordis les lèvres au sang. Caroline n'a pas cherché à savoir ? Si bien sûr, mais bon... Tu t'imagines demandant c'est toi qui m'as écrit ça ? Je sursautai. Elle se tut un moment. Je vais te dire un truc. Mais il faut vraiment que tu le gardes pour toi. Promis. Non parce que sinon Caroline, elle serait super fâchée après moi. Elle s'approcha, me prit le bras. Elle a fini par trouver celui qui avait écrit le mot, un gars en terminale. Elle avait à peine commencé le premier vers qu'il lui a récité tout le poème... Ça fait quatre mois qu'ils sortent ensemble. Mais je t'ai rien dit... Elle déclama à nouveau les vers de Verlaine. Son timbre se fit doux, presque murmurant. Elle termina par mon « Je vous aime », me regardant droit dans les yeux. Je rougis, détournai la tête. C'est pas toi qui aurait fait ça hein..., lâcha-t-elle, un regret dans la voix. Tu lui aurais envoyé un tract !

Les Allemands quittèrent la région la dernière semaine d'août 1944. Après l'épisode de la barricade, Gabrielle décida qu'il était temps de partir. Ils prirent le train, descendirent à la gare de Decazeville. Ils s'installèrent à la terrasse d'un café. Cette localité de l'Aveyron offrait le spectacle saisissant d'une cité du Nord, avec ses terrils, ses hauts-fourneaux, perdue au milieu des causses. Le charbon était pour elle ce que l'or fut pour le Klondike, une ruée. Une sirène retentit à midi précise. Son mugissement se prolongea en un roulement grandissant de galoches sur les trottoirs de la rue Gambetta. Une marée de mineurs en sabots, l'équipe du matin, rentrait chez elle. Une forte colonie d'Espagnols s'était réfugiée ici après la guerre civile contre Franco, expliqua le serveur. La commune avait dépassé les 12 000 habitants et ne possédait pas de poissonnerie. Gabrielle décida d'en ouvrir une.

La déroute ne dure qu'un instant, y survivre prend toute une vie. Dès que sa femme avait le dos tourné, Georges s'éclipsait au café un peu plus haut sur la place. Le reste du temps, il vidait les poissons. Sa grande carcasse ressemblait à une maison inhabitée.

Au nord de la ville, il y avait un quartier appelé la Californie. Ses habitants étaient partis en nombre chercher fortune aux États-Unis. Certains revenaient au pays. Ils débarquaient à bord de voitures américaines décapotables qui passaient à peine parmi les ruelles, faisant triller leurs klaxons. Georges se pointait aussitôt pour contempler le véhicule. Il admirait les énormes pare-chocs chromés, le galbe élégant des calandres, le bombement sensuel des capots, savourait en expert le travail de ses collègues de Detroit ou de Cleveland.

Pierre ne lui avait pas pardonné. Son père, alité, bredouillant des mots sans suite. C'était toute l'image qu'il gardait de lui au lendemain de la barricade. Gabrielle avait caché la mitraillette au fond du jardin. Pierre s'était imaginé la volant. Il aurait attendu le long d'une route un camion allemand sur lequel il aurait ouvert le feu. Le mépris pour son père ne disparut jamais vraiment.

Le jeune homme avait tout du frimeur comme le Sud-Ouest en produit tant. Les cheveux courts, plaqués en arrière, mince, l'air rêveur, il portait un pantalon haut et cintré à la Gene Kelly et des chemises dont il retroussait les manches au-dessus des coudes. Il buvait pour se soûler, jouait au rugby pour se battre, faisait du théâtre en amateur. Le samedi, il se rendait dans les night-clubs environnants avec la voiture de son père, une cigarette aux lèvres, le bras accoudé à la portière, il rêvait à la mort de James Dean. Il se serait bien vu comédien.

Decazeville était en proie à ces convulsions qui agitent les cités minières promises à la destinée des villes fantômes. Les premières fermetures de puits intervinrent au début des années cinquante, auxquelles répondirent des grèves violentes. Les fils des mineurs grévistes se battaient avec ceux des jaunes dans les cours des lycées, sur les terrains de rugby, dans les bals. Les jeunes n'avaient jamais été aussi jeunes. Ils compensaient l'inquiétude lasse des adultes. Il y avait aussi les fils de communistes et d'anarchistes espagnols. Ils se reprochaient la défaite avec l'ardeur des enfants investis des rancunes paternelles.

Georges n'était ni mineur, ni républicain, ni résistant, ni collaborateur. Il n'avait aucune haine à transmettre. Pierre s'éprit de celle des autres. Il rallia les rouges. Ils étaient les mieux organisés, volontiers bagarreurs. Il descendit dans les puits occupés réciter des poèmes d'Éluard à la lueur des lampes en cuivre. Au printemps 1955, un peu avant Aubin, les roues mordirent sur le bas-côté. Pierre termina dans le fossé. « Monte à Paris... » lui souffla Georges. Gabrielle pleura, lui prépara un colis, y ajouta un pain de quatre livres et l'accompagna à la gare – soulagée au fond qu'il s'en aille. À son arrivée dans la capitale, Pierre se lia avec deux autres provinciaux. Jean-Marie Binoche était attiré par le mime dont il venait de discerner le potentiel révolutionnaire. Raymond Vidal, venu de l'Ariège, déclamait de la poésie en toute occasion. Ils lui firent découvrir l'Old Navy, sur le boulevard Saint-Germain. Une bande d'artistes s'y retrouvaient. Ils étaient une vingtaine, des comédiens, quelques peintres et photographes, ayant l'ambition de faire la révolution, de mettre à bas l'art. Ils partageaient tout, les filles, l'alcool et leur peu d'argent. De vingt ans plus âgé que ses compagnons, Adamov régnait sur l'Old Navy. Il avait fréquenté Antonin Artaud, les bordels les plus sordides d'Europe. Ses pièces étaient jouées. Il en jouissait tout en s'efforçant de conserver la même aura inquiétante, pour mieux fuir le succès. Son accent russe renforçait l'étrangeté de ses propos. Chacun rêvait de partager ses virées nocturnes auprès des prostituées. Boris Vian les surnommait les Angoissés.

L'extraordinaire impatience qui les avait saisis au sortir de la guerre ne les quittait pas. Ils étaient des gamins à la rancœur inextinguible. La guerre d'Algérie sonna l'heure de leur revanche.

La bande de l'Old Navy la vécut dans un état d'excitation presque hystérique. Ils se préparaient à la guerre civile, prenaient part à toutes les manifestations. Pierre surtout n'en ratait aucune. Celles interdites par la préfecture avaient sa préférence. Il rossait quelques flics, finissait la nuit au poste. Ses poings parlaient pour lui. Une telle rage embâclait ses convictions politiques qu'Adamov le prit en sympathie. Il reconnaissait en sa révolte la même attente messianique – que l'histoire resserve les plats, que puisse s'exhaler la vengeance des fils –, le même espoir d'un monde d'orphelins. Il l'initia à Brecht, aux surréalistes. Il lui fit connaître Rimbaud, Nerval, Lautréamont et Jacques Vaché.

À chaque manifestation, c'était au tour de Pierre de se faire protecteur. Dès qu'ils approchaient du lieu de rassemblement, Adamov, qui craignait d'être en dehors de l'histoire, comme un galet abandonné par la marée – sa famille propriétaire de puits de pétrole dans le Caucase avait fui les bolcheviks –, était pris d'un léger tremblement. La police chargeait, Pierre le dégageait à coups de clef anglaise, l'entraînait dans les ruelles adjacentes. Après l'avoir mis à l'abri dans un café, il rebroussait chemin pour affronter les agents lancés à leur poursuite. Il leur ravissait leurs képis, les distribuait à ses amis, comme des trophées.

Les soirs de grande manif, il filait au 44 rue Pelletier défendre le siège du parti d'éventuelles attaques des fascistes. En compagnie d'ouvriers venus de banlieue, il restait éveillé jusqu'au petit matin, à coups de cafés et de cigarettes, attendant l'hypothétique assaut.

Gabrielle lui écrivait des lettres inquiètes. Il lui répondait, des nouvelles que tous deux savaient fausses. Georges était mort au début de la guerre d'Algérie.

À l'automne 1961, le FLN appela à une manifestation dans Paris. En arrivant à l'Old Navy, Pierre perçut tout de suite l'ambiance des soirs d'émeute. De la bouche de métro se déversaient des Maghrébins de tous âges. Les hommes portaient un pardessus beige dont le col recouvrait une écharpe aux couleurs sombres. Les femmes, un fichu sur la tête, donnaient la main à leur progéniture. Au carrefour Saint-Michel, les sirènes des cars de police répondaient aux ululements des manifestantes.

Un mouvement d'abord confus, puis marqué et rapide de reflux se dessina parmi les manifestants, provoquant un début de panique. Les membres de la bande rallièrent peu à peu le café. Sans prendre le temps de s'asseoir, ils entamèrent le récit exalté des scènes aperçues en chemin. Sur la place Saint-Michel, les CRS chargeaient en lançant les guéridons en fonte contre les vitres du Terminus. Des gardes mobiles jetaient dans les paniers à salade stationnés rue Hautefeuille des dizaines d'Algériens, frappaient ceux qui tentaient de leur venir en aide. Binoche avait vu des bus vides remontant la rue des Écoles, leur destination habituelle remplacée par l'inscription « Service spécial, pas de voyageurs ». La préfecture préparait une grande rafle. La soirée avançant, les informations se firent alarmantes. Des manifestants auraient été jetés dans la Seine depuis le pont de Neuilly. On parlait de deux cents morts, des dizaines de noyés.

Raymond Vidal entra en compagnie d'un Algérien les cheveux couverts de sang. Ils l'installèrent dans l'arrière-salle, entreprirent de nettoyer sa blessure. Adamov lui offrit une cigarette. Leur première décision fut de créer un comité. Ils le baptisèrent des deux rues qui croisaient le boulevard, juste devant le café. Ils entendaient s'opposer aux autres organisations d'intellectuels et à leurs intitulés ronflants, englués dans un idéalisme petit-bourgeois. Adamov en était le président d'honneur. L'Algérien refusa de donner son nom, de participer au comité. Organisons une manifestation franco-algérienne pour défier le pouvoir gaulliste ! Binoche était monté sur une table. Adamov promit de contacter Sartre pour qu'il leur apporte son soutien. Ils voulaient faire quelque chose tout de suite. « Une protestation ! » Par des Français de France ! Le principe d'une inscription dénonçant le massacre fut retenu. Ils la peindraient près de la préfecture de police. Adamov en pondit le texte. « Ici on noie les Algériens. » Binoche connaissait un marchand de couleurs. Ils se cotisèrent pour l'achat d'un pot de peinture noire et d'un pinceau.

Adamov voulut faire partie du commando qui irait peindre le slogan. Il adorait finir dans les commissariats, pour susciter l'indignation chez les artistes exigeant sa libération – se sentir aimé. Pierre, Vidal et Binoche l'accompagnèrent.

Ils remontèrent la rue de Seine, déployés en tirailleurs. Binoche marchait en avant, sur le trottoir d'en face, surveillant tout mouvement suspect qui pouvait venir des quais. En retrait, se tenaient Adamov et Pierre, avec la peinture. Vidal surveillait leurs arrières. L'étroitesse de la ruelle, à peine l'espace pour une voiture, faisait craindre de se retrouver facilement cerné.

— Mardi je crois, lui répondit Vidal.

— Mais quel jour... ? s'énerva Pierre.

— Le 16... non le 17...

Il hocha la tête. Il voulait graver la date dans sa mémoire.

Ils laissèrent sur leur gauche la rue Visconti puis la rue des Beaux-Arts.

— Ces derniers temps j'ai découvert avec stupeur que les choses pouvaient être, au théâtre comme dans la vie, nommées par leur nom... ! s'écria Adamov.

Le danger, son atmosphère électrisante, lui donnait une voix lointaine, détachée de lui-même. Le dramaturge se rappela la visite d'une jeune femme à l'Old Navy qui cherchait Pierre. « Mavra ! » Adamov l'avait tout de suite reconnue. Deux ans plus tôt, elle avait tenu ce rôle dans *Les Âmes mortes* adaptées par le dramaturge et mises en scène par Planchon. Elle avait sursauté. Durant les répétitions, il traînait dans les loges des comédiennes, leur murmurait des propositions qu'elles rougissaient d'entendre. « Pierre est parti en mission... » s'était empressé de déclarer quelqu'un. Elle était sortie sans un mot. Pierre chercha en vain à se rappeler cette Mavra.

Adamov désigna la cigarette entre ses doigts.

— Des Gauloises !

Il répéta le nom plusieurs fois.

— Vous n'imaginez pas mon combat pour parvenir à ne plus parler de tiges oblongues dans un paquet rectangulaire...

Pierre voulut savoir s'ils se souvenaient d'autre chose.

Elle a parlé d'un rendez-vous, d'une audition, indiqua Vidal. Pierre se rappela le coup de fil de la veille. Une voix agréable. Elle lui avait dit que les jeunes premières du cours Dullin voulaient jouer Agnès, Juliette ou Silvia. Mais elle n'était pas faite pour les rôles du répertoire. Elle avait choisi Stella d'*Un tramway nommé désir*. Il lui fallait quelqu'un pour la réplique. Il n'avait pas retenu son nom. Elle l'appelait sur les conseils d'une amie, s'était faite insistante. Au Flore, demain à dix-huit heures.

La description d'Adamov ne la rendait que plus mystérieuse. L'inconnue l'attirait. C'eût été une faiblesse que de l'avouer. Rouge, il était rouge. Mavra. Bleu aussi comme les fleurs. Il demanda au dramaturge qu'il lui raconte à nouveau la scène à l'Old Navy.

Les cheveux collés par la pluie, son imperméable léger dégouttant d'eau, elle était entrée dans le café, se tenant dans l'entrebâillement. Elle avait observé les clients attablés avec l'air d'une femme lasse qui cherche son homme. Pierre ressentit un bref pincement au cœur. Il ne parvenait pas à démêler si tout cela était pure invention ou ressortait d'une de ces perceptions intuitives dont le dramaturge faisait étalage.

Ils atteignirent le croisement avec la rue Mazarine. Pierre insista. Était-elle jolie ?

— Elle est de celles qui, une fois leurs préventions vaincues et leurs principes mis de côté, se révèlent des amoureuses passionnées, répliqua le dramaturge.

Son pardessus dont les pans flottaient au vent le faisait ressembler à un mage inspiré.

— La puissance érotique des bourgeoises..., suggéra Adamov.

Pierre l'écoutait sans broncher.

— Elles sont prêtes à accepter toutes les trahisons, si nous leur laissons espérer de nous sauver. Il n'y a pas de plus grand plaisir que de les décevoir.

Leur rire s'envola entre les façades. Binoche fit remarquer que Pierre ne savait même pas son nom. Vidal connaissait un type au cours Dullin, Rouault. Il pourrait le renseigner.

— Il a établi son QG aux Deux-Magots. Un grand type, rouquin.

— Vous savez pourquoi je n'ai jamais écrit de roman ? s'écria Adamov. C'est presque impossible de faire couler la prose.

Une quinte de toux le contraignit un instant à se taire. Une pluie fine se remit à tomber. Le dramaturge, en un geste théâtral, alluma une cigarette, tira une bouffée. Des volutes de fumée masquèrent son visage un instant.

— Comme du sang. Le sang épais de la prose.

Ils débouchèrent sur la rue Bonaparte. Sur la droite, en contrebas, ils aperçurent le quai Conti où ils avaient décidé de peindre l'inscription. La Seine au loin charriait des milliers de reflets argentés. Pierre ressentit un nouveau pincement. Le souvenir de Mavra ressurgit. En fait il ne l'avait pas quitté. Il s'en voulut de cette attirance pour une voix, pour une femme qu'il n'avait jamais vue. Pourtant cette idée même le séduisait. Il imagina une jeune fille au regard fragile, traversant la ville aux mains des flics. Une scène en noir et blanc comme dans les films d'Eisenstein.

Un car de police dévala les quais à tombeau ouvert.

— Planquez-vous ! cria-t-il.

Le car poursuivit rue des Saints-Pères sans même ralentir. Pierre sentit une excitation qu'il ne connaissait que trop bien. Ce n'était qu'un prélude, les frémissements de l'insurrection. Elle viendrait bientôt. Il y prendrait part corps et âme. Mais il n'avait qu'une seule chance de retrouver Mavra. C'était cette nuit.

C'est arrivé un soir, je m'en souviens avec précision, au début de la classe de première. Je fermai la porte de ma chambre, m'installai à mon bureau. J'ouvris un cahier, pris mon stylo. Une première phrase me vint. « La balle atteignit John au cœur. Il mourut sur le coup, sans avoir le temps de souffrir. » J'ignorais la suite. Quelque chose en moi me guidait. Je m'étais mis insensiblement à mentir. Mes résultats, mes horaires, mes activités, tout devint sujet à fabulation. Je mentais, ma sœur aussi, sans raison, par réflexe. Notre existence réelle se faisait clandestine. Lorsque je disais la vérité, je me troublais comme si je dévoilais mon intimité.

Je levai la tête, aux aguets, prêt à cacher mon cahier sous un ouvrage de classe. Il flottait un air de mauvais coups. Le plaisir fut si intense que je poursuivis.

Le mensonge a fait de moi un écrivain.

Je me comportais en adolescent obéissant, raisonnable en tout point – ni alcool, ni rixe, et pis encore, le rejet de tout excès. Il me tirait de mes rêveries par de longs prêches sur l'esprit de rébellion. Il me traîna voir *L'Âge d'or* de Buñuel. Au dîner, j'avouai mon ennui pendant la projection. Il explosa. « Petit-bourgeois ! » Je dus esquisser un léger sourire. La salière traversa la pièce, fracassa le battant de la porte.

L'apathie fut mon salut. Juste un répit, quelques instants pour souffler. Une mauvaise note me valait des jours de sermons, de serments. Je m'amenderais, m'améliorerais. Celui que j'étais, tricheur, sans grâce aucune, vivait sous la férule de ma personnalité future, brillante, sérieuse. Mon avenir pour tout reproche. Je taisais le résultat de mon devoir raté, misais sur le suivant avec l'espoir de me refaire. Le bulletin trimestriel arrivait à la maison sans que la poisse m'ait quitté.

La lumière d'une petite lampe posée sur le rebord de mon bureau dessinait un halo conspirateur autour de ma feuille. J'étais assis dans une pose inconfortable, en équilibre. Lassée des coups de stylo sur mon bureau, ma mère avait recouvert le plateau d'un film vinyle adhésif qui me faisait grincer des dents quand je l'effleurais. Cela m'obligeait à écrire la main gauche suspendue au-dessus de la feuille. La droite était posée sur mon sexe comme une protection. Les mots venaient en un flux incessant, si vite que je formais à peine mes lettres. Je ne prenais pas même le temps de me relire, tout ralentissement, même léger, aurait rompu le charme.

Un silence buissonneux régnait dans ma chambre comme il n'en existe que la nuit. Un silence de battement de cœur, qui semble augurer un coup de théâtre, le début d'une aventure. Longtemps je n'ai pu écrire que dans cette ambiance de conjuration nocturne.

Toujours des histoires d'amour. L'écriture est apparue avec mon intérêt pour les filles. Je me gratifiais d'un physique impeccable, brun comme la plupart des héros de western, le nez cassé – cela me donnait un air plus séduisant –, grand, svelte, la peau débarrassée du moindre bouton d'acné. Je faisais preuve d'assurance ou plutôt, car il fallait que ça reste un rêve possible à atteindre, je surmontais ma timidité pour séduire la fille. Je découvrais le pouvoir sexuel des mots. Par la suite, quand je fus plus âgé, une phrase réussie, un passage bien tourné me procurait la même plénitude que la jouissance. Je fis longtemps l'amour, l'esprit occupé à en décrire la scène. Je caressais, pénétrais, m'abandonnais – dans ma tête, chaque geste se décomposait en phrases que je me promettais de noter. Le contentement que j'éprouvais à trouver le bon angle ou l'expression juste décuplait mon plaisir.

La honte me submerge. Pis que si je racontais un souvenir de masturbation. Mon père me prenait parfois sur le fait, il avait l'habitude d'entrer par surprise dans ma chambre. Il hochait lentement la tête, me demandait si je n'avais rien de mieux à faire. Le repas suivant, il racontait la scène devant ma mère et ma sœur. Le rouge me montait au visage, mais au fond je redoutais bien plus qu'il me surprenne en train d'écrire.

Ce fut longtemps un grand mystère pour moi. Enfant, je n'avais que le présent, l'habitais complètement, un devoir, un jeu, un samedi. Du jour où mon père décréta mon entrée dans l'âge adulte, il disparut. N'existaient plus que le passé auquel je devais rendre des comptes et l'avenir annoncé radieux. Le communisme nous faisait déserter l'existence, il nous remplissait de regrets, de promesses, nous lestait de défaites, de lendemains.

Aimer, écrire furent pour moi la révolte du présent. S'éprendre d'une femme lui rendait son urgence. Avec mes histoires, j'abolissais l'histoire. Écrire, aimer, c'était tout un, rompre le fil, briser la malédiction. Tout était bon pour échapper au destin promis.

Mes personnages avaient des prénoms américains. John arrivait devant saint Pierre qui, au vu de sa vie mouvementée, le condamnait à l'enfer. John réussissait à le fléchir. Il devait redescendre sur Terre avec la mission d'empêcher le meurtre d'une jeune femme. S'il y parvenait, Dieu l'accueillerait parmi les élus. John finissait par s'éprendre de la jeune femme, mais l'ange gardien ne pouvait espérer vivre son amour qu'à la mort de sa bien-aimée...

Je n'avais jamais lu un livre ou presque. Je n'avais aucun modèle à imiter, aucune ambition littéraire. Peu importaient le style, les mots. J'écrivais. J'étais ailleurs. Chaque soir le même miracle, je m'asseyais devant la feuille, aussitôt naissait un personnage, ou plutôt il mourait, le bateau coulait en pleine tempête, le feu engloutissait la ferme, les Indiens décimaient la caravane. Je devais trouver une suite pour que le récit continue. Le hasard était ma revanche contre les démonstrations marxistes de mon père. Je me gorgeais de rebondissements, de coups de théâtre.

J'écrivais deux ou trois romans par semaine, tous inachevés. Je les rédigeais sur mes cahiers de classe. Je déchirais ensuite les feuilles. Mon père pénétrait dans ma chambre sans frapper. D'un geste rapide, je tournais la page et lui présentais un exercice de mathématiques, une leçon d'histoire. J'apprenais les premières lignes pour répondre à ses questions.

Ma culpabilité, loin d'être un frein, constituait la source de mon plaisir, un plaisir au goût amer, que je recherchais avec avidité. En cette honte résidait le ravissement d'écrire. Si j'avais écrit au grand jour, comme s'il s'était agi d'une activité banale, sans gêne, je me serais vite arrêté. Le secret dont je l'entourais instinctivement suscita ma vocation, puis la fortifia. Je n'écrivais jamais aussi bien que dans ces moments où la trahison me tenaillait. L'excitation coupable qu'elle provoquait n'a pas disparu. Il y a quelques années, une manifestation du 1er mai que je manquai malgré ma promesse me procura l'un des plus beaux après-midi d'écriture. J'entendais au loin la foule défiler, les slogans scandés. La mauvaise conscience me lançait, les mots me venaient. Jack faisait partie d'une bande qui dévalisait les stations-service. Au cours d'un braquage, il était mortellement blessé, mais Faye, la fille du pompiste, en tombait amoureuse. Elle partait en Amérique chercher auprès des Indiens un antidote qui pouvait lui redonner vie.

Je m'étais caché derrière un rayonnage à la bibliothèque du lycée afin d'observer une élève de ma classe assise un peu plus loin. Elle y venait souvent pour réviser. J'ai oublié son nom. Depuis Caroline, je n'ai plus vécu un jour sans être amoureux. Il suffisait que je croise une fille, aussitôt mon imagination s'emballait. Je la regardais à peine, juste le temps de discerner un détail, qui me permettrait de donner à mon récit une touche nouvelle. Elle se réduisait à une expression, la couleur d'un foulard, la forme d'un visage. J'aimais à blanc. L'élue de mon cœur avait un tic qui m'émouvait. Lorsqu'elle réfléchissait, elle posait sur ses lèvres son index à l'ongle verni. Je pris un livre au hasard. J'en parcourais distraitement les pages lorsque passait un élève ou un professeur. Je tombai sur une phrase de Claude Simon au sujet de coléoptères aux élytres mordorés. Je ne sais pourquoi j'éprouvai un tel trouble. J'en oubliai la fille. Je pris un dictionnaire, gagnai une table à l'écart, recherchai la signification de chaque terme. L'idée que tout autour de moi porte un nom, jusqu'au moindre grain de poussière, à la forme de l'ampoule au plafond, à l'expression de la bibliothécaire qui me fixait, agit sur moi comme une révélation. La rhétorique communiste, telle qu'elle s'exprimait dans *L'Humanité*, qu'il s'agisse d'une analyse politique ou d'un compte rendu de film, figeait les mots. Elle les enrôlait à son service, militants exsangues aux visages sans contours, les faisait disparaître sous le sens univoque de la revendication ou de la critique. Je me mis à en remplir des carnets avec leur définition, ému à l'idée de m'approprier le petit morceau de réalité qu'ils recouvraient. Je glissais dans mes phrases un adjectif rare, un verbe tombé en désuétude. Je leur rendais vie à la façon de mes ancêtres dont j'aurais dû écrire l'histoire.

Aimer, écrire étaient une échappée. Comme dans ces films où le héros, les tueurs à ses trousses, court de toit en toit, j'écrivais le soir sans souffler. Mon stylo était mon épée, pas de temps morts ni de répit. Taille, tranche, tue. Les mots couraient.

Mon père s'alarmait. Il voyait dans mon apathie le signe d'une crise d'adolescence, annonciatrice d'une conversion à ce qu'il redoutait le plus, le gauchisme, cette contestation virulente des pères. Convaincu que ça me changerait les idées, il m'emmena, durant l'été, au festival de Vaison-la-Romaine, où il avait été engagé dans une pièce aux côtés de Jean Le Poulain. Ma timidité amusait les autres comédiens. Ils félicitaient mon père de préparer la relève, prenaient mes dénégations pour une marque de modestie. Dès que la conversation s'engageait, ils me reposaient la question, persuadés qu'au fond je brûlais de monter sur les planches. Ils s'étonnaient de ne pas me voir aux répétitions, ni de partager l'étouffante vie des troupes en tournée semblable à une cour féodale avec son seigneur et ses vassaux. Lors des repas, les acteurs s'installaient à la grande table selon un rituel précis bien que jamais formulé. Le rôle-titre présidait, les autres se répartissaient, des plus importants jusqu'aux figurants qui mangeaient au bout, en compagnie des techniciens. Mon père par principe déjeunait avec eux.

Jean Le Poulain pontifiait, exubérait. Ses commensaux affichaient des rires d'allégeance, inclinaient la tête à la moindre de ses remarques. Le regard de la vedette tomba sur moi comme un prince sur une pauvre paysanne. Il glissa un mot à l'oreille de son adjoint, qui s'empressa d'en faire de même au convive à ses côtés. Je pouvais suivre la progression du conciliabule. Après avoir écouté avec déférence son voisin de gauche, le comédien condescendait à informer celui de droite. La nouvelle parvint en bout de table. Mon père se tourna vers moi. « Il manque un figurant dans la première scène. Le Poulain demande si tu veux le faire ?» Sans même réfléchir, je marmonnai non. Il me regarda, je crois bien qu'il sourit, et fit passer ma réponse. La même scène se reproduisit à l'envers. Du dédain à la servilité, mais chacun, en prenant connaissance de ma réponse, me jetait un coup d'œil incrédule, hésitait à la transmettre. Il s'y résignait cependant, s'excusant de l'étrangeté de mon attitude. Le Poulain tendit l'oreille pendant qu'il portait à sa bouche une cuisse de poulet. Il sursauta. Sa main se suspendit un instant. Il me dévisagea avec attention, comme s'il cherchait à déchiffrer une énigme.

Mon père ne m'emmena plus jamais avec lui en tournée. Je me forçais à tracer des récits réalistes. James est ruiné par la chute du cours du blé. L'histoire, récalcitrante, m'échappait. Il décidait de se pendre. Au moment où ses pieds cessaient de toucher le sol, le téléphone sonnait, une erreur. Séduit par la voix de la jeune femme sur le répondeur, le fantôme de James partait à sa recherche dans l'espoir que l'amour lui rendrait la vie. J'insistais. Je décidais de raconter le lent déclin de Salviac, la disparition du monde paysan voulu par le capitalisme. Le premier chapitre tenait la route. Un jeune sur son vélo dévalait la côte menant au village. Il découvrait un nouveau commerce qui avait fermé. Des phrases de plus en plus courtes suggéraient l'accélération de la bicyclette dans la descente. Dès le deuxième chapitre, ça dérapait. Le conseil municipal décidait de déplacer le village au Brésil. Ils démontaient pierre par pierre les maisons, chargeaient le tout sur un bateau. Une tempête les assaillait.

Ils échouaient sur une île habitée par des femmes. Je passais des semaines à tisser des histoires d'amour entre les jeunes Salviacois et les amazones. Ma mauvaise conscience me suggérait des rebondissements pleins d'allégresse.

Écrire me consumait.

Pierre écrasa sa cigarette. Le destin s'amusait à contrarier sa rencontre avec Mavra. Les deux rendez-vous manqués au Flore puis à l'Old Navy en étaient un signe. Ils avaient le goût romantique des regrets qui reviennent hanter ensuite, s'enflent avec le temps comme une créance sur l'existence. Loin de le décourager, les contretemps lui donnaient l'envie de contrecarrer le hasard.

Il fallait se décider. L'important n'était-il pas qu'il sache de quoi il était capable ? Le parti pouvait compter sur lui. Sa présence, sa rage n'avaient rien d'un moment d'ivresse comme son père et sa foutue barricade.

Pierre se mit soudain à courir.

— Je reviens ! cria-t-il à Vidal qui le suivait du regard s'engager dans la rue Bonaparte.

Binoche agita le pinceau et le pot de peinture en de grands gestes.

— Pierre, vous nous lâchez ?

La phrase d'Adamov fut la dernière chose qu'il entendit. La silhouette du dramaturge sous le lampadaire disparut, le silence se fit à nouveau.

Les soirs d'émeute règne dans Paris une ambiance feutrée comme s'il avait neigé.

Sa foulée était souple, légère. La pluie lui zébrait le visage. Il ralentit un peu, cala sa respiration sur sa foulée, deux expirations courtes, une inspiration longue. Les trottoirs étaient déserts. Il croisa la rue de l'Abbaye, vide de voitures, volets fermés. En approchant du boulevard Saint-Germain, il aperçut dans le caniveau des manteaux abandonnés, seule trace de l'arrestation violente des manifestants. Des spectateurs faisaient la queue devant le cinéma pour voir *Horizons sans frontières* avec Robert Mitchum. Il poussa la porte des Deux-Magots, reconnut Rouault à sa chevelure rousse. Dans le fond de la salle, où se regroupaient les habitués, il lisait à voix haute un livre. Une jeune femme, assise à côté de lui, l'écoutait, les yeux clos. – Mavra tu connais ? Rouault, tiré de sa lecture, le fixa méfiant. – Mavra ? Pierre insista. – Une femme portant le nom d'un personnage des *Âmes mortes*, je m'en souviendrais, plaida l'autre. Pierre se remémora sa conversation téléphonique avec la jeune femme. – Elle veut passer une scène d'*Un tramway...* – Vois pas, répétait Rouault. Pierre le saisit par le col de sa veste. La fille cria. Rouault blêmit. Il réfléchit. – Ben... Pierre le secoua. – C'est peut-être Madeleine, risqua-t-il. Pierre l'invita d'un clignement d'yeux à continuer. – Je vois qu'elle. Madeleine Berthelot. Il me semble qu'elle a joué dans une adaptation de Gogol... – C'est ça, c'est le nom qu'elle m'a dit ! se rappela Pierre. Il lâcha Rouault. Où pouvait-il la trouver ? L'autre se récria qu'il n'était pas le bottin. Les muscles de Pierre se contractèrent. La voix de la jeune fille à côté se fit entendre timidement. – Je connais quelqu'un avec qui elle est amie... – Je t'écoute. – Monique Sivens. Elle habite au... Elle sortit un petit carnet de son sac... Au 5 rue Mignon. Pierre la remercia d'un baisemain. – Mais tu peux pas y aller maintenant. Le boulevard est fermé, plaida Rouault. Pierre lui lança un sourire en s'éloignant. Il se retourna au moment de franchir la porte. – Tu devrais t'arrêter de lire, elle est mûre...

Des colonnes de gardes mobiles et d'auxiliaires arpentaient le boulevard, le fusil-grenade à la main. Derrière eux, un officier aboyait. « Les Maghrébins ! Seulement les Maghrébins ! » De loin en loin des cars barraient la chaussée. Pierre décida de rejoindre la rue Mignon en prenant par derrière. Il longea la rue de Buci, tournant le dos au boulevard. Des hommes couraient, chassés par des supplétifs. Il se cacha sous une porte cochère. Les Algériens et leurs poursuivants passèrent, sans le remarquer. Les façades hautes et rapprochées de la rue Saint-André-des-Arts formaient un canyon. Rue de l'Éperon, la gorge se resserrait encore. La nuit et ses lampadaires comme des feux en lisière, son silence tendu qui donnait au moindre bruit une aura de danger renforcèrent son excitation. Rue Serpente. Au bout se dressait le carrefour avec la rue Danton. Des policiers armés de bidules encadraient un cortège d'Algériens, en rangs serrés. Des cars, dont le moteur tournait, attendaient à l'angle du boulevard. Le jour domestique, la nuit libère. Les petits matins appartenaient aux usines, aux masses innombrables des exploités. Des coups pleuvaient sur les têtes, la crosse d'un fusil dans les côtes, un corps vacillait, puis se relevait. Débarrassée de l'agitation de la journée, du flot des voitures et des passants telles des terminaisons nerveuses, Paris s'offrait, belle fille un peu lasse. Des traînées de sang coulaient le long des visages, maculaient les pardessus beige en un silence impressionnant. Aime, aimer, verbe des verbes. L'officier, le regard hostile, lui fit signe de ne pas s'attarder dans le coin. Pierre s'éloigna sans se retourner.

Monique Sivens l'accueillit fraîchement. Il ne se souvenait pas où ils s'étaient rencontrés. C'était elle qui avait conseillé à Madeleine de le contacter pour l'audition. Elles avaient attendu plus d'une heure au Flore. Elles avaient vu le cortège, les trottoirs coupés en deux, les badauds et les habitués du quartier massés contre les immeubles, pour se tenir à l'écart des manifestants. Pierre eut un mouvement d'impatience de la main. Le boulevard s'était soudain vidé de ses passants, poursuivit Monique. Un serveur sur le seuil de la terrasse observait la scène. « Les crouilles vont comprendre leur douleur... » Madeleine avait décidé de se rendre à l'Old Navy. Monique espérait qu'il ne lui était rien arrivé. Elle le tiendrait pour responsable. Pierre baissa la tête, se retint de s'emporter. Avait-elle une idée d'où elle aurait pu aller ensuite ? Elle pouvait peut-être lui donner l'adresse de Madeleine. Monique refusa. Les muscles de Pierre se contractèrent. Elle s'en aperçut. Elle s'engagea à prévenir Madeleine de sa visite. Pierre s'emporta. Ce n'était pas demain, mais ce soir qu'il devait la voir. C'était important, vital même. – Tu n'avais qu'à venir au rendez-vous, répliqua Monique. Il se raidit. Il n'avait pu faire autrement. Il s'assit sur les marches de l'escalier, la tête entre ses mains. – Et d'abord tu lui veux quoi ? – La voir. Lui parler. Une question de vie ou de mort. – Tu la connais pas. Tu l'as même jamais vue... Pierre haussa les épaules. – Je suis pas en train d'acheter une voiture... Il comprit au silence de Monique que sa remarque avait fait mouche. – 17 rue Saint-Séverin. Il bondit sur ses pieds, lui cria Merci ! en dévalant les escaliers.

La place Saint-André-des-Arts était déserte. Des chaussures, des montres jonchaient les trottoirs, des débris de verre et de chaises éparpillés sur la chaussée indiquaient la violence des affrontements. Il s'arrêtera sous ses fenêtres, criera son nom, « Mavra ! », comme Brando dans *Un tramway*, jusqu'à ce qu'elle lui ouvre. Ils s'embrasseront sans un mot. Longuement. Un car de flics s'arrêta à l'angle du boulevard Saint-Michel. Un policier le héla. Pierre tourna la tête. Les flics traversèrent à sa rencontre. Il déguerpit, prit la petite rue Francisque-Gay. Juste derrière lui, il pouvait entendre le souffle d'un des agents. Il ralentit un peu, se retourna, lui décocha un coup de pied dans le bas-ventre. L'autre s'écroula avec lourdeur, surpris par l'attaque. Pierre reprit sa course vers la rue Saint-Séverin. Il lui caressera le visage, la contemplera un moment. Des policiers secoururent leur collègue. D'autres continuèrent la poursuite. Il se fera tendre, très tendre, pour ne pas succomber à l'émotion qui lui fera battre le cœur à grand rythme. Des coups de sifflet. Il entreprit de les semer dans le dédale des petites voies. Ses doigts parcourront la nuque, les épaules de Madeleine. Ses lèvres sillonneront son front, son nez, ses joues. Le quartier grouillait de flics. Il l'a toujours attendue. C'est elle, il le sait, le grand amour. Il ne pourrait longtemps leur échapper. Il lui fallait trouver une cachette. Son Grand Soir.

Il aperçut au loin une femme qui s'apprêtait à disparaître sous une porte cochère. Il accéléra dans un ultime effort, la rejoignit, entra avec elle. « Je vous en prie mademoiselle, sauvez une victime de la répression gaulliste... » Madeleine, qui revenait de chez une amie, sursauta. En se retournant, elle lui adressa son plus beau sourire.

La petite icône bleue en bas de mon écran clignote. Pauline vient de se connecter.

Son visage aux traits grossis par la caméra m'apparaît. Elle me fixe, surprise comme moi de nous voir malgré les milliers de kilomètres qui nous séparent.

La perspective déformée, comme si le décor partait à la renverse, m'offre la vision d'un studio meublé, aux placards d'exposition, aux murs à la blancheur sans taches.

Les premiers mots s'égrènent avec lenteur, quelques banalités sur le décalage horaire, le temps qu'il fait à Montréal, ses soirées, ses amis. La même timidité nous saisit chaque fois, j'ai l'impression de parler dans un hygiaphone.

Catherine, penchée au-dessus de mon épaule, s'inquiète de la savoir en bonne santé.

Je les écoute discuter. Ça fait un an et demi maintenant que Pauline est partie.

Je l'avais accompagnée à Roissy. Un matin très tôt, nous avions pris le RER, au milieu des employés de ménage et des manutentionnaires. Un silence hébété régnait, comme si chacun s'interrogeait sur son existence.

Dans le grand hall, battus par le flot des vigiles, des pousseurs de caddies, du personnel des compagnies aériennes, le petit peuple des aéroports indifférent aux séparations, nous nous dîmes adieu. Il flotte en ce lieu une désolation aux odeurs de produits d'entretien, de croissants bon marché. Seules les gares connaissent la poésie des départs.

Catherine part se coucher, nous restons seuls Pauline et moi.

Elle me demande sur quoi j'écris. Des choses, je lui réponds sans préciser.

Ces derniers jours, les symptômes se sont encore aggravés. Il n'y a rien que je n'ai déjà la conviction d'avoir vécu. Un voile recouvre le présent, le sentiment diffus d'une perte au moment même où les choses se produisent.

— Et Simon ?

Depuis trois semaines, il ne m'adresse plus la parole. Le visage fermé, hostile, malgré mes excuses. La dernière fois, je l'ai embrassé sans qu'il me rende mon baiser.

Je n'ai pas aimé qu'il dégrade un bâtiment scolaire, je me défends. Le regard tendre de Pauline me fait sentir l'étrangeté de ma dispute avec mon fils. J'insiste, plaide la responsabilité de chacun envers le bien collectif.

Elle me raille gentiment.

— Communiste ! me lance-t-elle avec un large sourire.

Je ne bronche pas.

— En fait t'es un bolchevik...

— Qu'est-ce que tu connais au communisme, je lui réplique d'un ton pincé.

Une grimace ombre son image. Pauline cherche à deviner si je plaisante à mon tour, ou si je suis sérieux.

— Ce que j'ai appris en classe, plaide-t-elle.

Je l'interroge comme quand je lui faisais réviser son bac.

— C'est un des trois grands totalitarismes du xxᵉ siècle.

L'habituelle pointe au cœur me saisit.

Je voulais être le premier qui réussirait le rêve familial de tout reprendre à zéro. Je pensais à ma grand-mère et sa malédiction. J'étais certain d'en triompher.

Ne t'en fais pas une épopée, m'avait pourtant prévenu Catherine. Pauline était née le jour où l'armée chinoise avait réprimé le mouvement de la place Tian'anmen. Simon six ans plus tard, peu après que les sandinistes avaient perdu le pouvoir au Nicaragua.

— Le fascisme est le moins pire des trois..., poursuit Pauline, sur le ton de l'élève me récitant sa leçon.

J'étais avec eux comme à bord d'un train fantôme. Je redoutais de les endoctriner. Je ne m'emportais pas contre le journal télévisé. Les repas sans histoire, l'absence de cris m'étouffaient, mais je les croyais salutaires pour eux. Les contes que je leur racontais avaient tous un happy end. Chaque matin, Simon établissait la liste des petits plaisirs de sa journée, j'y voyais le signe de ma victoire. Les héros de Disney remplaçaient Tom et Robinson, pour que ma fille et mon fils ne vivent pas en marge des autres. Je me réjouissais de les voir me demander les marques à la mode et plus encore de les leur offrir. J'imaginais mon père, railleur, « Quelle victoire ! Engraisser les multinationales... ».

— Le nazisme est un totalitarisme plus abouti...

La connexion devient instable. Par moments l'image se fige, ou la voix s'arrête puis reprend en un chevrotement ridicule.

J'étais encore plus effaré qu'eux quand ils revenaient avec une mauvaise note. Catherine me demandait de les sermonner. Aux premiers mots, leur expression contrite, leurs promesses de se rétablir me paralysaient. Je bredouillais des encouragements, m'excusais de les rabrouer. Ma femme prenait le relais, me reprochait mon indifférence envers leur scolarité.

Quand je rendais visite à mon père, je m'échauffais en chemin. Dès que j'arrivais chez lui, je devançais ses colères. Il m'interrogeait, inquiet que je ne verse ni dans le réformisme ni dans l'anarchisme. Je lui offrais des brevets de bolchevisme en retour. Rouge, je suis rouge. Le fils rageait en sa compagnie, le père gardait le silence auprès de ses enfants. Je leur taisais l'histoire de la famille. Je les faisais rire en leur citant les jeux de mots paternels qui avaient bercé ma jeunesse, dans la vie on n'a Quimper, il est aussi Concarneau, ceci dit Bel Abbès. Il me remontait aussi des détails, d'infimes détails, la pluie qui gouttait à travers le toit de la grange, le contact de la serviette entre mes orteils au moment d'éliminer le sable de la plage, la façon dont ma grand-mère tuait les lapins. Ces fragments qui remplissent toute enfance me faisaient ressembler à un espion récitant des dates et des lieux pour rendre crédible sa nouvelle identité.

« Le communisme a duré soixante-dix… de… près de 100 millions… » Il n'y a pas de petites ou de grandes trahisons, des désillusions seulement. « Il constitue le… » J'ai cru qu'il suffisait de ne pas reproduire les mêmes erreurs pour échapper à l'héritage. Un signal m'indique que le programme tente de rétablir la connexion. « Quoi ? – Le communisme est… » La voix s'interrompt, « j'entends pas ! », revient quelques secondes. « … Pire que le nazisme… car… »

Un grand silence règne dans la cuisine. Je suis penché au-dessus de mon ordinateur. J'ai fait de mes enfants des orphelins, je m'en rends compte aujourd'hui.

— Ton grand-père a été communiste !

Ma voix retentit plus fort que je ne l'aurais souhaité.

— Et moi aussi, ajouté-je, presque en gémissant.

L'image de Pauline réapparaît, s'immobilise presque aussitôt. La vision de son expression horrifiée, qui crispe ses traits, s'affiche sur mon écran.

Est-on coupable d'avoir voulu être amnésique ?

Je me souviens d'une chanson que mes parents écoutaient avec cette émotion procurée par les chants qui semblent donner à notre vie un air de roman. Il s'agissait d'un titre de Reggiani.

Y avait toute une équipe.

On parlait politique.

Je m'suis battu avec un type.

Et tu m'as emmené.

Je pourrais raconter notre histoire rien qu'avec ses mélodies, et celles de Jean Ferrat.

La voix de Ferrat était sans arrière-pensées, confiante comme un ouvrier attendant la révolution. Elle faisait chavirer les petites femmes du peuple, nous promettait le monde et les bonheurs simples. Celle de Reggiani au contraire conservait, en fond, un timbre de rêves passés, de types défaits.

Dans les jours qui suivaient la « grande scène du II », il y en avait toujours un qui sortait le disque de sa pochette, le posait sur la platine. Ils pleuraient en silence.

Je bois...

Au combat que tu as mené

Pour m'emmener loin de la fête.

Ils se tenaient par la main, parfois mon père entraînait ma mère dans un slow. Ils oubliaient notre présence, bercés, perdus dans leur histoire, se lançaient des regards amoureux et las.

Ce soir je bois à ta défaite.

Le fermier, dans les westerns, serrait les poings quand les bandits le provoquaient. Il esquissait le geste d'un coup de poing, se reprenait aussitôt, ramassait son chapeau, grimpait sur sa charrette, sous les moqueries. Son fils le prenait pour un lâche. Sa femme lui adressait un sourire triste. Ma mère s'efforçait de le rassurer, peine perdue. Il doutait de son talent, de son destin, de ses choix, de l'amour qu'elle lui portait, de l'affection de ses enfants.

Margaret Thatcher arriva au pouvoir. Les Soviétiques intervinrent en Afghanistan. La révolution sandiniste renversa Somoza au Nicaragua. Les années se succédèrent en un sentiment de désordre, mélange d'avancées et de reculs. Mon père commença à douter qu'il verrait la révolution. Il se reprenait, affirmait qu'elle surviendrait à la génération suivante, nous la léguant en héritage à ma sœur et à moi.

Le septennat de Giscard s'écoulait comme les eaux sales du bain. Nous luttions contre lui et sa petitesse qui menaçaient de nous engluer. L'atonie de ces années décupla notre rage. Nous donna un sentiment d'urgence. Nos batailles, nos défaites s'appelèrent Longwy, Manufrance, Boussac... Nous n'avions jamais vu d'ouvrier, nous n'en connaissions qu'au travers des articles de *L'Humanité*.

Seules défilaient, inexorables, les représentations de *La Cage aux folles*. 500e, 750e, 1000e... Elles consumaient mon père. Seul le plus implacable des rituels lui rendait supportable cette succession. Son existence durant, il ne fit qu'ajouter de nouvelles habitudes aux précédentes, sans que les anciennes disparaissent. Il aimait se croire bohème, mais sa bohème était elle-même une habitude, des plus contraignantes.

Il ne se levait jamais avant onze heures et demie. Il buvait un café, s'asseyait dans le fauteuil près du téléphone. Il lisait *L'Humanité*, de la première à la dernière page. Il passait ses après-midi au Royal-Trudaine. Parfois je l'y retrouvais avec mes copains, après les cours. Mon père jouait au flipper. Il nous impressionnait par son habileté, nous laissait en quittant le café quelques parties gratuites. Les autres m'enviaient.

J'ai toujours détesté les cafés, autant qu'il les a aimés. Il régnait sur une petite cour d'habitués. C'était là qu'il mettait en pratique avec le plus d'assiduité sa vision du communisme. Il y avait les employés de l'électricité dont le siège se trouvait plus haut dans la rue, les petites frappes du boulevard Rochechouart, ses amis proches qu'il nous forçait à saluer : Robic, surnommé ainsi à cause de ses origines bretonnes et de son amour du vélo, carburait au ballon de rouge ; Jeannot, le Bayonnais, qui fumait des Gitanes maïs, était membre du RPR. Il se fâchait souvent avec mon père, se réconciliait les jours suivants, au nom de leur amour commun du rugby et du Ricard. Il y avait aussi Janine, secrétaire chez un assureur, elle avait un faible pour mon père et marchait au guignolet.

Il prenait plaisir à leur compagnie, m'invitait à en faire de même. Je voyais se pencher au-dessus de moi des trognes aux nez poinçonnés. Leurs étreintes sentaient la cendre froide, la bibine surette. « Des hommes » me disait-il, la voix en suspens comme si derrière ce mot se cachait une fourmilière de désirs, de petitesses et de défaites. Il m'expliquait la vie. Elle se résumait à quelques mots crus, les couilles, le pognon, les couilles encore, ceux qui se font enfiler en disant merci, et les autres.

J'ai la nausée rien que de les voir défiler dans ma mémoire. Toutes ces bonnes têtes de victimes. Ces derniers jours, l'effusion des souvenirs m'a poussé à assister à une réunion de cellule de mon quartier, avec l'espoir de retrouver un pays familier – une soudaine épaisseur du passé. Comme autrefois, il y avait le dirigeant chargé de transmettre la ligne, la voix sans vie, le vieux militant qui refaisait la révolution russe, le jeune au regard dur que couvaient avec tendresse les camarades, la preuve que la jeunesse y croit encore, la femme au timbre écorché, qui portait la colère de tout un peuple. La même rhétorique sincère et creuse. La même vision déprimante qui incite à jérémier sans relâche et dessine un univers de malheur, le pauvre, victime de la société, l'Arabe ou le Noir, victime du racisme, l'ouvrier, victime de la crise. Je suis sorti avant la fin, pris de tremblements. C'est ça que tu voulais ? Dis ? Rouge du sang de l'ouvrier. C'est la canaille, eh bien j'en suis. Et nous, pauvres canuts, nous n'irons plus nus. Merde, merde, merde.

Il suivait tous les soirs le même itinéraire, rue Maubeuge, les grands boulevards, puis la rue de Richelieu jusqu'au théâtre du Palais-Royal. Dans sa loge, il déposait la boîte d'allumettes qu'il avait utilisée dans la journée le long de sa table, contre le mur. Il les entassait de la gauche vers la droite en une pile rectiligne qui mangeait peu à peu le miroir. Il ôtait ensuite ses vêtements, attendait vingt et une heures pour enfiler sa blouse de boucher à carreaux vichy, son tablier blanc, commençait à se maquiller un quart d'heure plus tard, jetait un dernier regard dans la glace, se coiffait, patientait pour son entrée en scène. « Vous prenez votre morceau. Vous le coupez en quatre », le texte, tel un automate. Les soirs où Poiret et Serrault étaient pressés, ils l'expédiaient. Quand ils se montraient en verve, leur inspiration les poussait à allonger leurs tirades. Mais pour avoir ajouté une réplique de son cru, mon père fut inscrit au tableau de service. Après la représentation, il échouait dans un des bistrots encore ouverts, rue Seveste, rue de Steinkerque, rue Gérando.

Sa vigilance à notre égard ne cessait de s'accroître. Dans la cuisine, porte fermée, il mettait ma mère en garde. « Quand ils auront dix-huit ans, ils te cracheront à la gueule ! » Nous pouvions deviner la gradation de sa cuite. Une légère ébriété suscitait un exposé lexicographique. En fait sa leçon s'arrêtait à l'étude d'un seul mot. Rouge. Selon lui, il n'en existait pas d'équivalent dans une autre langue. Rouge, prononçait-il d'un ton presque lascif, insistant sur le son « ou ». Le vrai trait de génie résidait dans l'adjonction de la syllabe finale qui donnait sa fluidité au mot, évoquant sans doute possible le sang coulant. C'était le point de départ d'un long chant d'amour à la France, n'en déplaise aux Soviétiques et même à Marx qui, au fond, restait un Allemand, malgré son génie.

La déclamation de tirades marquait une étape plus avancée. Tout son répertoire y passait, *Phèdre*, *Le Cid*, *Britannicus*, *Le Bourgeois gentilhomme*, *Georges Dandin* pour lequel il avait une tendresse particulière. La pièce qui montre l'ascension de la bourgeoisie, m'expliquait-il. Il nous récitait du Shakespeare en anglais, ou plutôt une citation qu'il avait inventée, assurant qu'elle provenait de *Richard III* : « *My Lord, my poor Lord, there's nothing new under the sky.* » Il terminait sur *Le Bateau ivre* de Rimbaud, poète que nous avions appris à détester en raison même de l'amour qu'il lui portait. Il me le donnait en exemple. À ton âge il avait déjà écrit *Une saison en enfer*.

Enfin, au dernier stade de son ivresse, il se mettait à faire la vaisselle. Trop soûl pour parler, il remontait les manches de sa chemise, prenant bien soin de faire des replis d'égales longueurs. L'eau coulait en un mince filet, accompagnait le mouvement mécanique de ses gestes. La cocotte-minute surtout était l'objet de son attention. Cela pouvait durer des heures. Il nettoyait ensuite l'évier avec méthode. Ses lèvres bruissaient comme s'il avait la lippe. Ma sœur et moi nous enfermions dans nos chambres, ce n'était pas toujours suffisant. Après s'être longuement essuyé les mains, il arrivait d'un pas lourd et incertain, nous cherchait querelle, déversait des bordées d'injures. Il venait me traquer jusque dans les toilettes où je passais des heures à lire.

Ma mère aussi y avait droit. Il se mettait en tête de lui prouver « scientifiquement » qu'il n'était pas ivre. Il lui détaillait sa soirée, démontrait qu'il n'avait eu ni le temps ni l'occasion de boire. « Scientifiquement » s'emportait-il, en butant sur le mot. J'entendais les coups sourds de ses poings sur le mur de leur chambre. Tel un lanceur de couteau, il cognait contre la cloison autour de la tête de ma mère, posée sur l'oreiller. Certains matins, nous la retrouvions au petit déjeuner avec des lunettes de soleil, victime de la science.

En 1979, nous passâmes les vacances de Pâques à Arcachon avec ma mère. Elle avait loué une petite maison sans étage en bord de mer. Mon père nous appelait tous les soirs vers dix-huit heures trente, entre son retour du café et son départ au théâtre du Palais-Royal.

Durant la conversation je fixais une marine accrochée juste au-dessus du combiné. Elle représentait une vue du bassin. Au centre, une chaloupe était échouée sur le sable. Des gens en descendaient des tonneaux. Une charrette avec un cheval brun attendait en avant. À gauche, au premier plan, un personnage sur une hauteur observait la scène.

La voix de mon père était sombre, ou plutôt triste. Ma mère redoutait de le laisser seul. Elle tentait, à travers ses réponses, de deviner son esprit.

Je lui racontai ma journée. Une tension secrète régnait dans cette marine. On ne voyait pas le visage de l'homme solitaire, masqué par son tricorne. Ceux qui s'activaient sur la plage offraient des mines aussi invisibles. Je me figurais un navire anglais mouillant à l'entrée de la passe. Le commandant avait envoyé la chaloupe à terre avec son chargement – des armes dans les barriques. J'inspectais à droite les fourrés touffus, les chênes et les pins, campés par le peintre pour y découvrir, dans le défaut de ses touches et de ses rehauts au vert plus clair, la présence de soldats français.

Il me coupa. Il s'est passé quelque chose de grave. Hier soir, après le théâtre, il s'était arrêté au café de la rue d'Orsel. Il aimait bien le patron. Il y rencontrait des gens intéressants... La nuit tout est différent, tu comprends ? Il s'était pris de sympathie pour trois Algériens. Il les avait invités à boire un verre à la maison. Si ça avait été des Blancs, je ne les aurais pas fait monter. Il accordait d'emblée, et nous avec, une affection sans faille aux homosexuels, aux Noirs et plus encore aux Arabes. Et quand l'un d'eux ne se montrait pas à la hauteur de cette image d'Épinal d'opprimés, je me souviens en particulier d'un Palestinien qui maltraitait sa femme, il invoquait l'histoire, la situation politique, pour justifier son comportement. L'interdit provoquait chez lui un secret désir de transgression. Il les accablait d'un flot de plaisanteries salaces, xénophobes, comme un type qui, redoutant de commettre une gaffe, mettait d'emblée les pieds dans le plat. Il imitait du geste et de la voix les folles, proposait à son ami maghrébin de lui donner sa fille contre trente chameaux.

Un truc dans mon whisky pendant que j'étais allé chercher des glaçons, continua-t-il. Ils ont tout volé. Même les pièces en argent de dix francs que ta grand-mère t'avait données. Il promit de me rembourser. Fugitivement l'idée que les contrebandiers du tableau soient des Algériens me réconforta. Tu sauras l'expliquer à ta mère. Il était en retard, il retéléphonerait demain. Il m'appela fils. La malchance ne doit pas entamer nos principes.

« Vous prenez votre morceau. Vous le coupez en quatre. »

Mon père annonça qu'il fallait nous ressaisir, à nouveau. Il nous coinçait dans le couloir, ou bien nous guettait quand nous venions dans la cuisine, nous réprimandait debout entre deux portes. Lorsqu'il était bien lancé, plus rien ne pouvait l'arrêter, hormis sa propre fatigue.

Deux voies s'offraient à nous, selon lui. Il commençait par la bonne, un moment de pause dans son emportement. Il nous trouvait des qualités sans nombre, faisait de nous un portrait si flatteur que nous nous prenions parfois à rêver d'y ressembler, ne serait-ce qu'un peu. Ça préludait à la description de l'autre voie, la mauvaise, que nous avions choisie. Il allumait une cigarette avant d'entamer sa péroraison. Si nous ne changions pas d'attitude, il pouvait nous prédire notre avenir. Ma sœur serait shampouineuse. Les clientes la rudoieraient. Les hommes essaieraient de lui caresser les fesses. Sa patronne acariâtre l'arnaquerait. Quant à moi, je finirais clochard. Cela revenait si souvent que ma sœur et moi nous surnommions la shampouineuse et le clochard.

Il nous faisait signe de quitter la pièce. C'était la partie la plus périlleuse. Il nous fallait, signe de sa clémence, qu'il nous rende notre baiser quand nous nous jetions à son cou. J'avais appris à travailler mes expressions, la mine contrite, les yeux vers le sol, le sourire navré du coupable qui consent à son châtiment, espère la rémission. Si nous n'y parvenions pas, la scène se prolongeait. Il nous ignorait pendant des jours. Que ma sœur ou moi nous fassions entendre, aussitôt, son visage se fermait, hostile. On aurait dit un exercice de cours de théâtre. Puis sans raison, sinon que lassé de ce petit jeu, il décidait de nous accorder son pardon.

Le ressac de la mémoire m'épuise. Je n'en dors plus. Si plein de souvenirs que je pourrais en retapisser le monde. Les vertiges m'étourdissent comme si une course de vitesse s'était engagée avec l'enfant que j'étais.

« Vous faites un roux pas trop farineux sur une petite couche d'huile. »

Je ne l'avais pas entendu entrer.

Je m'arrangeais pour arrêter d'écrire avant qu'il ne revienne du théâtre. J'étais perdu dans une histoire. Joe et Ava s'aimaient. Il était mort renversé par une voiture et elle devait réussir à remonter le temps pour empêcher l'accident.

Il poussa la porte de ma chambre, me fit signe de le suivre dans le salon.

Il régnait dans l'air un parfum de drame inhabituel. Non pas le souffle court des bêtises ou de mauvaises notes, mais l'exhalaison électrique des tragédies.

Il m'interrogea sur mon projet d'histoire de la famille. Je baissai la tête. Il commença par une diatribe sur mon indifférence envers mes proches, mon égoïsme.

Ce n'était que le prélude, je le savais. Je rentrai les épaules, pris un visage humble. Le plafonnier était éteint. Une lampe basse décrivait un cercle de lumière autour de son fauteuil, laissant le reste de la pièce dans l'obscurité.

Il avait trouvé mes petits romans.

Je m'en doutais, peut-être même l'espérais-je. Ma sœur l'avait surpris une fois à fouiller dans ses affaires et nous le soupçonnions de fourgonner dans nos tiroirs, de lire notre courrier quand nous étions sortis. J'imaginais qu'il pouvait éprouver quelque fierté en découvrant mes histoires, lui qui redoutait si fort de me voir finir employé sans ambition.

« Tu veux devenir écrivain ? »

Il faisait les cent pas le long du fauteuil, dans la pénombre. Il s'arrêtait, entrait dans la lumière. « C'est vraiment ça que tu désires ? » Puis s'évanouissait à nouveau dans l'ombre, reprenait sa marche. « Réponds-moi, est-ce pour toi une question de vie ou de mort ? » Il entrecoupait ses phrases de rasades de whisky. Il me reprocha de ne jamais ouvrir un livre, d'ignorer les classiques. Il railla mes fautes d'orthographe, mes intrigues irréalistes. La grande littérature se colletait avec la réalité. Mes personnages n'avaient aucun métier, n'appartenaient à aucune classe.

Il apparaissait, disparaissait. Le plus insupportable était mon ton de légèreté. Je souris, blessé. « Les mots doivent sortir de toi comme si tu les arrachais. » Il égrena, la voix blanche, le nom d'artistes maudits, tels des seigneurs dont il pouvait compter sur la fidélité. Il s'attarda sur Nerval, me décrivit sa folie, son errance dans les rues de Paris, le soir de son suicide. « La création, la seule, la vraie, celle qui compte, pas les petits Mickey que tu écris, est faite de souffrance. » Il me tournait le dos, observait la fenêtre, comme si dehors s'étalaient les plaines d'Elseneur. Les sanglots me gagnèrent tout à fait. Je n'arrivais pas à comprendre ma faute. La violence que mon père contenait à grand-peine suggérait qu'elle était d'importance. « Tu crois que Nerval crée avec insouciance ? L'art engage ta vie et plus encore ta postérité. Il ne faut espérer ni succès ni fortune, c'est le signe d'une escroquerie. » Il affichait la déception des pères qui découvrent la trahison des fils. Au centre de la lumière, le fauteuil vide, sous lequel étaient rangées les bouteilles d'alcool, frappait mon imagination. J'avais convoité son royaume, mon insouciance était un coup de couteau. Si tu ne connais pas l'angoisse de la page blanche, c'est que tu écris l'annuaire. Pleure ! Pleure toutes les larmes de ton corps, efface ce sourire. Il buvait au goulot. Il criait, mais c'était tout autant une colère qu'une plainte. Je n'avais rien compris. Il s'affala sur le fauteuil, les jambes posées sur les accoudoirs. « Il faut payer le prix, alors tu pourras espérer écrire quelque chose qui en vaille la peine. Pas même espérer. Tu pourras te mettre au travail. »

Je tentai de me disculper, insistai sur le plaisir que j'avais à écrire, lui parlai de mon excitation quand les phrases venaient. Il se releva, manqua de tomber. Les muscles de son cou, de sa mâchoire étaient tendus comme des épées. Le long de ses joues, je discernai des traces de son maquillage de scène. « La création n'est pas une compensation à toute cette merde, elle en est la plainte, le cri. »

Je jetai tous mes cahiers. Je songeai à mon grand-père maternel. Je lui rendais une fois par an visite à Lisieux. Il me faisait boire du cidre, nous parlions comme des hommes, assis à une terrasse. Il me tapait sur l'épaule, tel un vieux camarade. Une fois l'ivresse atteinte, il me murmurait une confidence, toujours la même, le secret de son existence. Chaque matin, il était décidé à en finir. Mais le même miracle s'opérait invariablement. Une femme croisée dans la rue qu'il suivait, sous le charme de sa silhouette, un bon repas dans un restaurant, un verre de vin, un livre à terminer le poussaient à remettre au lendemain sa décision.

Je cherchai de tels plaisirs capables de me tenir en vie. La perspective d'un western à la télévision, d'un match de rugby le samedi suivant me retinrent quelques jours. Mais la philosophie de mon grand-père, peut-être à cause de sa simplicité et de sa modération, ne pouvait longtemps m'apaiser. Chez les Aderhold, les résolutions sans grandeur ou plutôt l'héroïsme quotidien ne pouvaient tenir face à l'attrait du drame.

Je volai dans l'armoire à pharmacie une boîte d'aspirine, versai dans une gourde en ferraille le contenu des trois tubes, la remplis d'eau. Je rédigeai une lettre à mes parents pour m'excuser de ne pas avoir su me montrer à la hauteur, une autre à Mathilde pour lui léguer mon drapeau de la RDA et avalai le contenu de ma gourde. J'étais mort. Je me réveillai le lendemain, étonné d'être encore de ce monde. J'arrivai dans la cuisine, persuadé que tout ceci n'était qu'un rêve, regardai ma mère et ma sœur comme des hallucinations. Le soir même, je remis de l'eau dans ma gourde, quelques comprimés supplémentaires. J'en profitai pour écrire d'autres lettres à des amis, à mes cousins. Sans plus de résultat, je me traînai au lycée le jour suivant, dans cet état second. J'imaginais mon enterrement à Salviac. Perché sur le muret du cimetière, j'assistais à la cérémonie silencieuse. Je ne parvenais jamais à discerner avec certitude les larmes de mon père. Je me promettais en me levant d'accomplir durant ma dernière journée quelque action mémorable, de lancer aux professeurs des proclamations retentissantes sur l'inintérêt de leur matière. Les cours défilaient sans que je parvienne à secouer ma timidité, je rentrais chez moi encore plus désespéré. Au dîner, je souriais à mes parents avec un air benêt, je leur adressais la parole comme si je n'étais déjà plus parmi eux. Je me permettais de reprendre mon père, lui rappelant l'importance de l'amour entre nous. Ils me regardaient comme si j'avais fumé du hasch. Ils fouillèrent mes affaires, sans résultat. J'étais si épuisé que les réprimandes paternelles me parvenaient en un écho ouaté. Je réitérai mon geste trois soirs de suite. J'écrivis des mots à tous ceux que je connaissais. Mon réveil sonnait, je me levais, de plus en plus fatigué. Je me croyais au paradis. Ma punition consistait à revivre mon suicide jusqu'à ce que je prenne conscience de mon geste. L'aspirine en fondant avait formé au fond de la gourde une pâte compacte. Je n'en avalais chaque fois qu'une dose trop faible pour être dangereuse.

Je me rappelle ma déception de n'être pas même capable de mettre fin à mes jours. Pendant des semaines, je raillais mes misérables états d'âme qui m'avaient conduit à cet échec – petit-bourgeois, me méprisais-je. Une bouffée me submerge, m'oblige à m'allonger.

« Vous prenez votre morceau... Vous... Vous le coupez... En quatre... »

Les conseils de famille se succédaient. D'une fois sur l'autre, nous n'avions plus le temps de nous ressaisir. Tout était prétexte à réprimandes, un vêtement mal rangé, un sourire mal venu. Les revers électoraux du parti, la création de Solidarność, la mort du militant de l'IRA Bobby Sands nous valurent aussi de sévères engueulades. Ma mère n'avait plus le temps d'attendre le soir pour se confier. Elle me faisait venir dès que mon père s'absentait, s'épanchait devant Mathilde. Elle l'accusait d'être fou, inconscient, s'en prenait à son intelligence, à sa virilité. Tout remontait en un flot écumant qui emportait ses dernières retenues. Les vieilles histoires, d'autres que nous ignorions. Elle l'accablait. S'il ne buvait pas, Planchon le prendrait. L'alcool, la voilà sa malédiction, criait-elle. Un foutu alcoolique, l'artiste maudit. Elle qui ne disait jamais de mots orduriers s'abandonnait à un chapelet d'obscénités. Maigre barrage contre les débordements paternels. Elle accumulait les insultes, en un rythme toujours plus rapide. Mathilde et moi, têtes baissées, écoutions en silence.

« Moi je graisse toujours mon roux avant de... »

Les disputes se multipliaient, s'envenimaient. On aurait dit deux minuteries d'une prochaine explosion.

« Euh non... Je veux dire je graisse ma cocotte avant de faire mon roux... Et je fous cette putain d'épaule au four... Je vais te la graisser moi ta cocotte... ! »

Ma sœur et moi vivions dans l'attente de la conflagration qui marquerait la victoire définitive de l'un des deux. « ... Mon royaume pour un rôle, un vrai ! Du Brecht ! Du Shakespeare ! C'est ça, mets de l'huile connard... Ça glissera tout seul... Bandes de tarlouses ! Du théâtre ça ? De la merde oui. »

Un matin à l'aube, le fermier gagnait sa chambre, ouvrait le tiroir de la commode où il avait rangé son colt. Il en faisait tourner le barillet avant de le mettre à sa ceinture. Sa femme se tenait sur le pas de la porte, silencieuse, les yeux rougis. Il l'embrassait, montait sur son cheval, disparaissait à l'horizon.

Le téléphone sonna, vers trois heures du matin. Nous sûmes aussitôt, bien que tirés du sommeil, groggy. Une lucidité violente qui cognait dans la poitrine, oppressait la respiration. « ... Votre mari a eu une altercation avec un individu au bar Le Gérando... » Le policier détailla les faits d'une voix atone. « ... je cite d'après les témoins, "Si tu les aimes tant les Bougnoules, c'est que tu te fais enfiler par eux"... » Le récit circonstancié du fonctionnaire laissa ma mère sans réaction. Elle avait l'impression qu'il lui parlait d'un événement qui n'avait pas eu lieu, ou alors très lointain. « ... l'individu avait en sa possession une arme blanche de 6ᵉ catégorie, appelée cran d'arrêt... » La crudité du rapport ramenait la scène à une suite mécanique d'actions, de conséquences, la dépouillait de sa réalité, la lumière jaunâtre qui baignait la salle du café, les buveurs, vêtements et visages crasseux, les conversations croupies et mon père, dont le regard cherchait une mauvaise querelle comme d'autres une femme...

« Il en a porté plusieurs coups à votre mari, au niveau des mains, de l'abdomen, du visage... »

« Nous demandons à ceux qui viendront après nous non de la gratitude pour nos victoires mais la remémoration de nos défaites. Ceci est consolation : la seule consolation qui est donnée à ceux qui n'ont plus d'espoir d'être consolés. »

Walter Benjamin

Des femmes en blouse blanche pépient autour de moi. Elles notent mon nom, ma date de naissance. L'air tiède de la chambre d'hôpital entre dans mes poumons. Deux médecins discutent de mon dossier sans m'adresser un regard. L'un d'eux s'approche, s'assoit sur le bord du lit.

— Quel âge avez-vous ?

— Bientôt cinquante.

— Des enfants ?

— Deux, une fille, un fils, vingt-deux et seize ans, Pauline et Simon.

Il m'ausculte.

— Alors, qu'est-ce qu'il vous arrive ?

Il m'interroge d'un air placide, habitué aux lamentations de ses patients.

— Des visages me reviennent, nets et familiers, je lui explique. Mais je ne parviens pas à mettre un nom dessus et quand, parfois, je me le rappelle, la peur de l'oublier m'oblige à me le répéter indéfiniment. Je ne suis jamais en paix.

La présence de ces visages est si entêtante que j'imagine pouvoir intervenir sur leur histoire et même en changer le cours.

Il hoche la tête.

C'est une souffrance, c'est comme s'il ne tenait qu'à moi, un geste, une phrase, de tout rejouer, de réparer aussi. Des scènes dont je n'ai pu éteindre le regret. Avant même de deviner ce que j'aurais dû faire, un autre souvenir se présente, nouveau compte à régler.

— J'essaye en vain d'en arrêter le flux. Je ne sais jamais quel âge j'aurai en me levant le matin.

Le médecin esquisse un sourire.

— Vous souffrez de crises d'hyperthymésie, lâche-t-il. Sans doute dues à l'altération de la zone eidétique, précise-t-il à son collègue.

— Ma mémoire est un chaos.

— C'est ma faute. Je n'ai rien gardé.

Je lui raconte comment j'ai vidé la maison de mon père.

— La malédiction, j'ironise.

Il sort un carnet de sa poche, note quelques mots. Son nom est écrit sur son badge, « Pr Pommera ». Il veut que je lui parle de la crise qui m'a conduit ici.

— Un souvenir... Quand nous avons quitté mon père...

D'un léger mouvement de tête, il me fait signe de continuer.

— Je venais d'avoir dix-huit ans. C'était quelques mois après l'élection de Mitterrand.

Je lui avoue que les deux événements se confondent dans mon esprit sans doute en raison de leur importance dans ma vie, plus sûrement parce que, l'un comme l'autre, ils se produisirent sans que j'y joue aucun rôle.

Le dimanche 10 mai, à vingt heures, les contours du visage du candidat socialiste étaient apparus ligne par ligne à l'écran de la deuxième chaîne de télévision, à la façon d'une image s'affichant sur un minitel ou d'un jeu sur les premiers ordinateurs.

Mon père accourut des toilettes, s'agenouilla devant le poste, le pantalon encore défait, pleura « vingt-trois ans que j'attendais ça... ».

— Il décida de rejoindre la place de la Bastille pour fêter la victoire.

Ma sœur et moi descendîmes l'escalier de l'immeuble. La tête de la propriétaire apparut dans l'entrebâillement de la porte de l'appartement au troisième étage. « On fait la révolution, criai-je bêtement. – Faites-la en silence au moins !» me rabroua-t-elle.

— Et ce départ...? me coupe le médecin.

— Le bonheur, c'est la mort, affirmait mon père. Nous ne risquions pas de mourir. Il nous avait annoncé quelques mois plus tôt au cours d'un conseil de famille qu'il arrêtait *La Cage aux folles*. Une nouvelle vie commençait, assurait-il. Nous connûmes de nouveau les périodes de chômage, les heures devant le téléphone. Le métier lui attaquait les nerfs. Ma mère affirmait que c'était déjà un miracle qu'il puisse retravailler. Il arborait une balafre qui partait de la pommette gauche jusqu'à la mâchoire, se perdait dans le pli de la joue. Il avait beau se détourner, offrir son autre profil, elle était là entre eux, un reproche muet.

Ma mère avait perdu la partie. « Je t'emmènerai dans le Transsibérien, je te ferai voir l'Oural et le soleil sur les plaines de Sibérie. » Il lui promettait de grands voyages, s'en remettait à son verbe pour la transporter. La magie s'éventait en des disputes interminables.

— Les premières déceptions ne tardèrent pas. Aux législatives, le parti perdit la moitié de ses députés. Ils nommèrent quatre communistes à des ministères sans importance.

Je me tais un instant, pour observer la surprise du Pr Pommera.

— Chez nous, tout dépendait de la situation politique, je précise. Vitez rendit sa carte du parti en échange de la direction d'un théâtre. « Plutôt crever », clama mon père.

Je ne me rappelle plus exactement quand cela s'est produit. Sans doute vers la fin des années soixante-dix. Au début, ce fut lent, insensible, puis un jour, ça devint une évidence. Nous avions cessé de vivre dans l'avenir – le passé désormais pour toute ambition. Nous avions perdu le fil de l'histoire. Mon père n'était même plus sûr que nous verrions la révolution. Vos enfants sans doute, espérait-il. Nous ne le savions pas alors, mais le soir du 10 mai 1981, sur la place de la Bastille balayée par la pluie, nous fêtions notre défaite. En un ultime effort, la petite France des communistes, sa mémoire des luttes et sa mythologie héritée du Front populaire, avait fait la courte échelle à Mitterrand pour le porter au pouvoir. Nous disparûmes comme la buée d'un souffle en hiver.

Le docteur Pommera m'encourage à reprendre mon récit.

— Un soir d'octobre 1981, ma mère céda à nos supplications. Elle se résolut à partir. Nous avions décidé de nous enfuir pendant qu'il serait sur scène. Il jouait alors dans *Douze hommes en colère*. Nous dînâmes sans un mot. Ma sœur et moi redoutions qu'au dernier moment ma mère ne flanche. Mon père devina aussitôt que quelque chose n'allait pas. Il avait un sixième sens pour ça. Il m'observait comme s'il s'y attendait depuis le début...

Je baisse la voix.

— ... je veux dire, à ma défection... Il refusait toute idée de malédiction, au nom du marxisme, mais il croyait à une fatalité propre aux Aderhold. À chaque génération, quoi que fassent les pères, les fils finissaient par les renier. C'était écrit. Il n'y avait pas d'issue. Il le savait déjà quand il me vit la première fois à la maternité de Decazeville. J'imagine que son regard se posant sur moi, il se demandait quand ?

Je reprends mon souffle. Pommera me tend un verre d'eau.

— Mon père passa le repas à nous dévisager. Étonné par notre silence. En se levant, je m'en souviens, il ricana.

Il était certain de fléchir ma mère. Il s'occuperait de nous ensuite. Il partit au théâtre.

Nous convînmes que l'un d'entre nous devait rester, le temps que ma mère trouve un appartement. Nous avions peur que mon père fasse changer les serrures, que nous ne puissions plus revenir chercher nos affaires. Je me proposai. Il avait renoncé à me voir devenir un intellectuel marxiste. Il m'encourageait désormais à écrire. Il me suggérait des histoires véristes qui auraient montré la cruauté de l'exploitation, me faisait la liste des auteurs qu'il me fallait avoir lus. Je restais assis devant mon bureau, griffonnant des dessins géométriques.

— Je crois bien qu'au fond je voulais lui prouver ma fidélité. Certains soirs, lorsqu'il rentrait du théâtre, nous nous retrouvions tous les deux dans le salon. Il m'apprenait à boire comme un cow-boy. J'étais soûl dès le deuxième verre.

L'histoire des hommes tient dans leur cuite, disait ma grand-mère. Il me racontait les filles qu'il s'était faites, agitant son poing fermé devant sa braguette... Il évoquait son père. Il voulait que j'entende. À la fin, on pardonne, on pardonne toujours. Il se reprochait de l'avoir tant haï, la faute à sa mère.

Je m'interromps, étonné de parler à Pommera sans presque de retenue. Il a le beau visage des hommes en paix.

— Ma sœur et ma mère partirent à l'hôtel. J'attendis son retour. Allongé dans le noir. M'imaginant le jour de mon enterrement, dans le petit cimetière de Salviac. Le silence de l'appartement m'effrayait tout autant que le moindre son dans l'escalier. Le bruit de la clef dans la serrure de l'entrée me fit sursauter.

Je suis obligé de m'arrêter, la respiration coupée. Pommera me dévisage sans laisser transparaître la moindre réaction.

— On s'obstine toute son existence à achever des souvenirs, me réconforte-t-il.

Je le regarde, étonné par sa remarque.

— Mon père resta un long moment aux toilettes. Mon cœur cognait. Je me cachai sous les draps. J'entendis son pas lourd dans le couloir. L'interrupteur de leur chambre. Puis un long silence. J'imagine sa surprise devant le lit vide. Il n'avait jamais pensé que sa femme puisse le quitter. Il la chercha dans tout l'appartement, déboula dans ma chambre. Je tournai la tête vers le mur. La clarté de l'ampoule m'éblouit. « Elle est où ? » Il se pencha au-dessus de moi. Il m'écrasait de son poids. Je secouai la tête en signe d'ignorance. Il me tira du lit, me souleva par le col de mon pyjama. Mes pieds ne touchaient plus le sol. Je fermai les yeux, certain qu'il allait me décocher un coup de boule comme à tous ces types que je l'avais vu rosser. « Pourquoi m'as-tu trahi ? »

Le gris si profond de Paris m'apparaît par la fenêtre de ma chambre d'hôpital. Je ne connais pas d'autres villes qui en possèdent une telle variété. Le gris presque blanc des jours froids où l'on se demande si ça vaut le coup, celui perle des crachins qui nous imprègne d'une nostalgie douceâtre, celui marin des fins d'orage aux trottoirs sombres et beaux. Et aussi le gris aérien d'un après-midi dans les rues au bras d'une femme, le gris joyeux des courses de Noël.

Les cheminées des bâtiments en zinc, les caissons de la climatisation au vif aluminium, l'enchevêtrement de tôles et de tuyaux ressemblent à des abris de fortune. Lorsqu'il nous arrivait de nous aventurer dans les beaux quartiers, ou bien que nous visitions quelque endroit au luxe affiché, nous éprouvions un malaise, proche de l'incrédulité. Mon œil est attiré par l'endroit où la peinture s'écaille, la plaque de ciment qui colmate, comme si seuls ces éléments révélaient la réalité d'un lieu.

Mes cauchemars d'enfant sont revenus. La peur me force à rester éveillé. Dès que je ferme les yeux, des mains m'agrippent. Je me retourne, frappe sans voir mon adversaire. Il brandit son couteau. Je me redresse en sursaut.

Je me tourne vers le mur. Je pense qu'il m'est impossible dans cette position de voir si quelqu'un pénètre dans la chambre. Je résiste un moment à l'idée, tente de me convaincre de l'absurdité de ma frayeur, puis me retourne. Catherine est assise dans le fauteuil. Elle est entrée sans bruit, pour ne pas me réveiller. Je lui mens. Je vais mieux. Elle s'inquiète. Je vais mieux. Pauline doit venir. Elle le sait déjà. Et Simon ? Elle me sourit. Laisse-lui le temps... Les yeux presque clos, je la fixe.

— Quel jour on est ?

— Le 12, me répond-elle.

Je lui raconte que ma mère et ma sœur sont venues me voir. Nous avons parlé du départ de chez mon père. Quand nous sommes ensemble, c'est notre principal sujet de conversation. Nous sommes encore médusés d'avoir mis notre plan à exécution.

Catherine hoche la tête, pousse un soupir réprobateur.

Les yeux presque clos, je la fixe. Ses traits à la beauté lasse me bercent.

Je voudrais effacer la peine que je lis dans le repli de ses lèvres, dans les rides au coin des yeux. La rassurer.

Je n'ai jamais su garder mon calme avec les femmes. Aimer était pour moi un livre qu'on devait parcourir d'une traite.

Catherine fut la première à qui je n'écrivis pas de poèmes. Pour payer mes études, je me fis embaucher à mi-temps chez Larousse. « Mon fils qui travaille au *Petit Larousse*... » disait mon père, comme autrefois « mon fils qui a été en Allemagne de l'Est... ». Elle était éditrice dans le même service, le bureau en face du mien. Je l'observais derrière l'écran de mon ordinateur. Elle portait de très nombreux bijoux aux formes ouvragées, des bagues imposantes, des pendentifs au dessin serpentin, des pendants dorés, qui représentaient des Vénus, des papillons, des fleurs. Elle en arborait un différent à chaque oreille, ce qui me troublait plus que je ne saurais dire. Une grâce à la fois légère et sensuelle émanait de son visage, de son cou, de ses mains, comme une invitation à en tomber amoureux. Je ne m'enhardissais à lui adresser la parole qu'à la cantine. Nous y déjeunions avec tout un groupe. Nous évoquâmes un film qui venait de sortir, je lui proposai d'aller le voir. Je me trompai dans les horaires des séances. Nous bûmes un verre dans un café pour me faire pardonner. La discussion se poursuivit. Catherine m'invita à monter chez elle. Je rentrai chez moi au matin, déconcerté par l'absence de l'instant que je recherchais, celui de l'aveu des sentiments où je jouais ma vie.

Je n'ai jamais embrassé autant une femme. Dans le métro, dans la rue, devant la porte de chez elle quand je la raccompagnais, au supermarché où je l'aidais à porter ses courses. Elle ne pouvait placer un mot sans que je plaque ma bouche sur la sienne. Ma langue en arpentait chaque recoin. Laisse-moi respirer, protestait-elle.

Ma vie tenait en ces baisers comme un homme en fuite se blottit dans le fond d'un wagon de marchandises. L'amour est un accélérateur de l'histoire.

Catherine ne croyait pas aux promesses ni aux serments. J'y vis comme un défi. Elle rit de mes effets, ne prit pas au sérieux mes déclarations. Tu es la femme de ma vie, lui dis-je au bout d'un mois. Ne dis pas de conneries ! répliquat-elle. Je lui faisais la grande scène du II. Elle m'écoutait en silence, me plantait là pour aller se coucher. Je restais soufflé. La colère m'emportait, je remâchais toute la nuit. Au matin, elle me souriait, comme si tout avait été le fruit de mon imagination. Tu ne vas pas me demander toutes les cinq minutes. Elle m'avait murmuré une fois son amour, il n'y avait rien à ajouter, ni à craindre. J'appris la quiétude. Je cessai de lui dire qu'elle était la femme de ma vie – c'est alors qu'elle le devint.

Ma grand-mère affirmait que les hommes n'avaient l'occasion de se croire des héros que deux fois dans leur vie, quand ils partaient à la guerre et lorsqu'ils faisaient leur demande en mariage. J'épousai Catherine à l'été 1988.

Le jeudi 9 novembre 1989, vers la fin de l'après-midi, un dirigeant du parti communiste est-allemand, Günter Schabowski, annonça que les voyages à l'étranger étaient autorisés. Des dizaines de milliers de Berlinois de l'Est se ruèrent aux points de passage du Mur.

Le lendemain, mon père m'appela. Peu après la fuite massive des premiers Allemands de RDA, il s'était senti pris de vertiges. Au matin, son médecin l'avait envoyé à l'hôpital Beaujon à Clichy, pour des examens approfondis.

Dans les jours qui suivirent, le nouveau chef du gouvernement, Hans Modrow, qui remplaçait le cacochyme Erich Honecker, assista impuissant au délitement de son pays. Helmut Kohl présenta un plan de réunification des deux Allemagnes. À la télévision, les gens se pressaient au pied du mur pour en arracher un petit morceau. Je venais voir mon père le soir après le travail. Nous regardions en silence les actualités, sur le poste accroché au mur de sa chambre.

Vers la mi-novembre, la Révolution de velours mit fin au régime en Tchécoslovaquie. Václav Havel salua la foule depuis le balcon du palais présidentiel.

Mon père suivit les événements, immobile sur son lit, dans un état d'hébétement. Sa santé se dégrada. Il s'affaiblit, ne quitta plus son lit.

La Bulgarie bascula à son tour et le président du conseil d'État de la république populaire, Todor Jivkov, démissionna au moment où les Tchécoslovaques se libéraient.

Mon père maigrissait à vue d'œil, flottait dans sa veste de pyjama. Ses chairs flasques dessinaient des cercles concentriques sur son ventre. Son métier l'avait rendu insomniaque. Il ne s'endormait jamais avant quatre heures du matin, fixait des heures le plafond, sans bouger ni allumer la lumière, de peur de réveiller son voisin.

De nombreux professeurs se passionnèrent pour son cas. Ils l'interrogèrent. Avait-il fait récemment un voyage à l'étranger ? Avait-il eu des relations à risques ? Un événement particulier, n'importe quoi qui pourrait les mettre sur la voie ? Leur insistance et leur embarras le poussèrent à évoquer un souvenir. En août 1968, il se remettait de son accident de voiture à la Salpêtrière quand son état s'était brusquement dégradé. En quelques heures, sa température avait grimpé à plus de quarante degrés. À l'annonce de l'invasion de la Tchécoslovaquie par les chars russes, mettant fin au printemps de Prague, mon père avait senti une brutale accélération des battements de son cœur, puis presque aussitôt sa respiration était devenue lourde, sifflante. La tête s'était mise à lui tourner. La fièvre avait fait son apparition. Son récit provoquait les rires des chefs de service.

Ils finirent par s'accorder sur une chose. Pour une raison demeurée inconnue, l'oreille interne de mon père avait été détruite. La destruction entraînait des pertes d'équilibre et, plus gênant encore, une chute dès que la pièce où il se trouvait était plongée dans l'obscurité.

Il ne remonterait plus sur scène. Une psychologue, une jeune femme d'une trentaine d'années, le visage sec et compassé, fut chargée de lui annoncer la nouvelle. Elle lui proposa un rendez-vous pour réfléchir à sa reconversion. Il l'écouta sans réagir. Elle lui répéta tout à nouveau. Il ne réagit pas plus.

Mon père s'abandonna sans retenue à sa maladie. La médecine devint son nouveau parti. Il en suivit la ligne tout aussi aveuglément. Il ne demandait qu'une chose aux docteurs, qu'ils remplissent toute sa vie, la dirigent sans temps morts. Il coupa tout lien avec ses amis comédiens, ne mit plus jamais les pieds dans un théâtre, jeta son répondeur.

À la veille de Noël, les Ceauşescu, qui régnaient sur la Roumanie depuis près de vingt-cinq ans, furent renversés puis exécutés en quelques heures. L'état de mon père s'aggrava, comme une réaction en chaîne.

Je ne sais pourquoi, je m'imaginai qu'en lui prouvant mon indéfectible fidélité je pourrais enrayer son mal. Je décidai de suivre son exemple au lendemain de l'insurrection de Budapest en 1956, m'inscrire au parti quand tout paraissait perdu. Lorsque nous étions enfants, il nous racontait l'histoire de cet Égyptien qui, sous l'Antiquité, avait tué son fils pour lui préserver un père. Je le voyais parfois apparaître dans mes cauchemars, un couteau à la main. J'étais prêt aux regards affligés de mon entourage, au mépris qui s'attache au pauvre type accroché à une idée en déroute. Prêt à faire miens les arguments flébiles, « ça n'a rien à voir avec le communisme », « des erreurs ont été commises... », nier l'évidence avec l'entêtement morbide des vaincus. Je voulais qu'il sache. J'étais ce fils qu'il espérait.

Tout le long du chemin en venant, j'avais répété mon petit discours. « L'heure de s'engager... » Je me figurais debout devant son lit, lui expliquant ma décision. « Refuser la défaite... » Il m'écoutait, avec cet air sévère et inquiet qu'il avait quand il ignorait ce que j'allais dire. « Continuer la lutte... » Je prenais une posture un peu théâtrale pour révéler une décision qui dans mon esprit devait changer le cours de nos vies.

J'entrai dans sa chambre. L'émotion m'empêchait de parler, comme lorsque je devais me déclarer auprès d'une fille. La télévision couvrait nos voix. Je ne parvenais pas à accrocher son regard happé par les images défilant sur l'écran. J'appuyai sur la télécommande. L'arrêt de la télé le fit sursauter. Je bredouillai ma décision, quelques mots expédiés. Je m'en voulais de ne pas avoir rendu le moment plus historique. Son œil éteint me fixa un instant. Je m'apprêtai à lui répéter. Il me demanda de rallumer le poste.

En empirant, son mal prit une forme déroutante. Il se mit à perdre la mémoire, les prénoms tout d'abord, puis les noms. La sénilité, nous annonça, fataliste, son docteur. Elle semblait s'attaquer en particulier à tout ce qui touchait son engagement communiste. Sa rage, ses combats, la révolution, ce pour quoi il avait si passionnément lutté, rouge je suis rouge, tout disparut en quelques mois.

Il ne savait plus qui était président. Les numéros de son abonnement à *L'Huma* s'entassaient sur la table, le blister pas même défait. Il s'étonnait de l'évocation de ses colères devant le journal télévisé ou de ses bagarres avec les gaullistes. En de courts moments, il retrouvait un peu de lucidité. Il m'interrogeait sur le parti, ses résultats électoraux, puis oubliait.

Sa sénilité me mettait en rage bien malgré moi. Je ne pouvais m'empêcher d'y voir sa dernière pirouette pour esquiver la défaite. Et de me priver de ma seule chance.

Je ne serais jamais un bon fils. L'oubli, le renoncement étaient la preuve que ce qui avait constitué mon enfance, l'endoctrinement, la croyance en l'absolue vérité des causes que je devais défendre, les réprimandes à la moindre déviation et ma culpabilité de n'être jamais assez communiste, pouvait s'effacer, disparaître, sans que la vie s'arrête ni même que cela en modifie le cours. Une désertion, voilà ce que j'éprouvais. Une désertion.

Dehors le soleil, les gens se lèvent, se couchent, le monde est plein de trajectoires. Une tension secoue les paysages, les passants, comme des écureuils enfermés dans une cage. Ici les heures se recroquevillent au fond de mon lit. J'attends mes enfants. Pauline arrive d'ici une dizaine de jours, à la fin de ses cours à Montréal. Elle m'a promis qu'elle s'arrangerait pour amener Simon. Catherine m'a dit qu'il ne répondait pas lorsqu'elle lui posait la question.

— Vous paraissez bien songeur...

La remarque de Pommera me fait sursauter. Je ne l'ai pas entendu entrer.

Je leur dirai. C'est l'ensemble qu'il faut voir, discerner les figures géométriques que tracent les fragments de verre réfléchissant la lumière dans les miroirs du kaléidoscope. Et l'insensible déplacement d'un de ces fragments qui bouleverse le tout. Quand ils seront là, je leur dirai.

— J'essaie de me persuader que les seules choses importantes qui nous survivent sont les tics de langage, les gestes anodins, une façon de se tenir, que nous accomplissons sans y penser, comme s'ils contenaient le parfum, l'essence de notre existence.

Quand Simon était enfant, je lui pelais une pomme à la fin du repas. Le rituel s'effectuait en silence. Je coupais le fruit en quatre. J'ôtais le cœur avec les pépins en dessinant un ovale précis, épluchais la peau, lentement, sûr de mon geste. Il attendait, comme je faisais, avec le même plaisir, en observant mon père préparer une poire en dessert. Il me tendait le morceau à la pointe de son couteau. Quand il approchait de ma main le quartier au bout de la lame, je pouvais sentir une fraternité entre nous.

— Je lui ai assez répété que ce serait le seul souvenir qui lui resterait de moi. Ça le faisait rire.

Le regard de Pommera me paraît soudain presque amical.

Je n'aurais jamais osé lui dire que le moment où j'épluchais cette pomme était le seul qui me donnait l'impression consolante de prendre la suite de mon père, il témoignait d'une continuité sans embûches que Simon reproduirait, je l'espérais, à son tour.

Le train régional nous déposa dans une gare à une vingtaine de kilomètres de Berck. Un médecin y avait envoyé mon père en cure. Je convainquis Catherine des bienfaits d'une journée à la plage pour notre fille. La fin du trajet s'effectua en car. Nous descendîmes devant l'hôpital maritime. Une immense bâtisse aux toits d'ardoise en croupe, construite du temps de l'impératrice Eugénie. On aurait dit une caserne. Des rangées de fenêtres aux traverses blanches quadrillaient la façade en brique. Le vent marin qui vient à bout des intentions des hommes avait entamé par endroits les frontons des bâtiments. Ma femme refusa de m'accompagner. Elle partit avec Pauline en direction de la plage. Nous devions nous retrouver à l'arrêt du car, à dix-huit heures précises. Nous ne voulions pas rater le train du retour.

Il plastronnait sur son lit, dans une grande salle commune, le drap couvrant à peine son sexe. D'énormes bleus s'arboraient sur son ventre, sur le haut de ses fesses, qui viraient à l'orange. Malade fut son dernier rôle.

Le dortoir ressemblait aux cafés qu'il fréquentait. Les mêmes visages las, les mêmes corps en déroute. Malgré sa mémoire défaillante, sa culture impressionnait les autres malades. Ils venaient le trouver pour arbitrer un différend, ou leur expliquer les diagnostics des médecins. Ils l'appelaient Monsieur Pierre avec un mélange de moquerie et de respect. Il me les présenta, une anecdote, un drame résumait chacun, le grand livre des exploités qu'il effeuillait pour moi. Nous n'étions jamais seuls. Vers midi, nous gagnâmes le front de mer. Il refusa le fauteuil roulant, s'allongea sur un chariot brancard. Devant une baraque de fête foraine, les tireurs à la carabine et les gamins à leurs côtés nous dévisagèrent. Il les salua d'une voix plaintive. Ses pieds nus dépassaient de dessous le drap relevé jusqu'au menton. Je tirais de tout mon poids, suais sous l'effort. Il poussait de petits cris quand je donnais dans un obstacle.

Un soleil pâle baignait le rivage. Ses rayons ne parvenaient pas à percer le voile gris du ciel pourtant dépourvu de nuages. Nous nous arrêtâmes à chacune des brasseries qui bordaient la promenade. Je l'aidais à se redresser. Il interrogeait les gens aux terrasses sur les plats. Nous poursuivions notre chemin. Il demandait poliment de s'écarter, distribuait de maigres sourires. Je m'arc-boutais, troublé, sous les regards des passants. Nous atterrîmes dans une guinguette à l'autre bout. Il descendit d'un mouvement preste du chariot, à la surprise des clients, s'installa à une table sous un parasol. Il entama la conversation avec nos voisins. Je me cachais derrière le menu au récit de sa maladie. Il réclama une nouvelle portion de frites, engloutit une gaufre ruisselante de chocolat et de chantilly.

Il commanda deux whiskys, puis deux autres presque aussitôt. La partie de l'esplanade où nous étions se composait de villas de trois ou quatre étages. Leurs façades étaient lardées d'ouvertures en tout genre, baies vitrées aux stores métalliques, fenêtres gisantes, lucarnes en retrait, vasistas, comme si les habitants avaient cherché par tous les moyens à voir la mer. Le serveur laissa la bouteille sur la table. J'observais le littoral qui s'étendait en amont de la promenade. Des herbes sèches poussaient dans les dunes. Les couleurs des cabines en bois peint avaient perdu leur vivacité. Des enfants tournaient sur les chevaux aux parements éraillés d'un manège. L'hôpital imprimait sa marque au paysage. Ses émanations méphitiques, s'échappant des salles communes par les larges fenêtres et les galeries couvertes, s'étaient répandues dans la ville. Le laisser-aller propre aux maladies n'était pas seulement perceptible dans les cohortes de claudicants qui se déversaient sur la promenade, mais aussi dans le dessin des maisons, hâtivement bâties, constructions en débraillé jetées là pour pouvoir profiter du grand air, façades déboutonnées, ventres à l'air des pavillons qui débordaient des terrasses, envahissaient le haut du rivage.

Je me laissai gagner par l'alcool. Bois, mon fils, bois. La voix de mon père se fit tendre à mesure que mon regard s'éteignait. Mes plus belles cuites, je les lui dois, quand j'allais le voir chez lui, avenue Trudaine. Bois, la nuit sera longue, me disait-il. Il n'y avait plus ni père ni fils, le whisky emportait tout. Nous ne formions plus qu'un, sans rivalité ni femme pour troubler notre quiétude. Bois, bois comme un homme, jusqu'à en perdre connaissance. Il me laissait repartir ivre mort. Une fois je m'écroulai sur un quai de la gare Saint-Lazare, une fille me donna un biscuit pensant que je n'avais pas mangé depuis des jours.

À cette époque, je rêvai à un dérèglement, une souffrance qui me donnerait du talent. J'épluchai ma biographie à la recherche d'un drame, un inceste, un frère mort avant moi dont on m'aurait donné le prénom, un parent schizophrène. Je pleurai en silence de la banalité de mon histoire. L'important n'est pas de durer, clamai-je. Je collectionnai les accidents de voiture. Le dernier faillit me tuer. J'étais descendu dans le Lot. Mathilde m'avait prêté son véhicule. Je connaissais les routes, leur tracé sinueux. J'accélérai, ratai un virage, mordis sur le gravier du bas-côté. Je fis plusieurs tonneaux. Le choc m'éjecta de l'habitacle. Je finis dans un champ, contusionné mais vivant. Il me semblait que je ne serais jamais à la hauteur des excès de mon père. Ils avaient une aura sombre supérieure aux miens, ou plutôt les miens n'étaient que des rejeux appliqués.

Nous attaquâmes une deuxième bouteille.

Bois, bon dieu, bois. Mon père me consolait après mes accidents, parfois me prêtait de l'argent pour rembourser les dégâts. Bois putain ! Et je buvais sans plus m'inquiéter. Je me moquais bien de n'être ni Rimbaud ni Nerval.

Des compagnons de l'hôpital de Berck nous rejoignirent à la terrasse de la brasserie, et des malades d'autres services. Des passants, attirés par le bruit, s'arrêtèrent. Mon père les invita à se joindre à nous. Nous fûmes bientôt une dizaine. Il n'avait pas son pareil pour rallier à lui les claquedents, les pauvreteux.

Il insista pour se rendre sur la plage. Les uns tirèrent le brancard sur le sable. D'autres aidèrent mon père à descendre l'escalier. Il se laissa aller dans leurs bras. Il les écoutait, comme un chef de bande flattant ses dévoyés complices, souvent les moquait à leur insu. Encouragés dans leur médiocrité, ils perdaient toute retenue. Il savait faire sortir le pire des gens. Il me força à m'asseoir sur le chariot à ses côtés. Il avait emporté la bouteille de whisky et envoyé un de nos compagnons chercher de la gueuse et des chichis.

En avant ! cria mon père. Trois hommes nous poussèrent vers la mer. Au pied de l'esplanade, le sable avait la teinte moite et jaune clair des pommes de terre crues, la même que celle qu'on trouve dans les jardins parisiens. Complètement soûl, je fixai hébété l'horizon. Un souffle égrotant parcourait l'horizon jusqu'au ciel de crachats.

Nous nous arrêtâmes au bord de l'eau. Je croyais déceler sa souffrance, du moins je cherchais à me persuader qu'il se méprisait de cette fraternité de mauvais aloi. Univers de foutre solitaire, d'obscénités qu'aucune envolée ne pouvait racheter, ni même ajourer. Il me reprocha d'être comme ma mère, de ne pas savoir apprécier la pétulance rabelaisienne du peuple. Toi qui veux être écrivain, il te faut connaître l'âme humaine. Il me le fit remarquer devant son auditoire aviné. Je trinquai pour me disculper. Le chant dolent des mouettes me perçait. La mer, au lointain comme sur le rivage, présentait la même teinte uniforme des terrains vagues. Plus rien n'avait d'importance.

D'une voix aux sonorités féminines, il s'apitoya sur le récit de ses défaites. Ma mère concentrait toute sa peine. Il lui en voulait de l'amour qu'il lui avait porté, s'en parait comme d'une excuse. Il s'accusait d'avoir trahi pour elle ce qui comptait à ses yeux, beuglait, ne fais pas la même connerie. Ses yeux me supplièrent, puis soudain il posa sa tête sur mon épaule, me demanda de le serrer contre moi.

Notre capitulation se devait d'être une épopée. Le plus important c'était ça. Perdre en grand. Donner à cette cuite sordide l'impression d'un voyage dans le Transsibérien. Il fallait tomber en seigneur.

L'horizon était désormais d'une réconfortante tendresse. L'échec avait aux yeux de mon père une aura charnelle. Il aimait le goût, l'âcreté du goût, de la débâcle, sa violence. À l'instant de se produire, puis pendant les semaines, les mois où il en remâcherait le souvenir mortifiant, elle lui procurait une électrisation des sens, une excitation érotique si forte qu'il éprouvait, accoutumance d'opiomane, la nécessité d'y revenir.

« Debout les damnés de la terre... » Il entonna à pleins poumons *L'Internationale*, retrouvant un instant la mémoire. Catherine surgit soudain. Elle allongea mon père sur son brancard, le ramena à l'hôpital. Nous courûmes jusqu'à l'arrêt du car. Je tenais à peine debout. La réalité se revanchait avec la petitesse des épouses trompées. Ma fille m'observait, effrayée. Je pleurai comme un enfant dans les bras de ma femme.

Une odeur de prune, à l'amertume douce, se répand dans la chambre d'hôpital. Autrefois, des guêpes voletaient au-dessus du compotier dans le salon de ma grand-mère. La peau entaillée de certains fruits laissait entrevoir une chair jaune et charnue. Mon corps m'échappe, comme une voiture qui fait des tonneaux. Je suis dedans secoué, bousculé. Les cris de Catherine me parviennent. La porte de ma chambre s'ouvre. Une infirmière noire se précipite. Je voudrais lui dire qu'elle n'en fasse rien mais aucun son ne sort de ma gorge. Les contractions se répètent avec la régularité d'un hoquet. Mes muscles se contractent. Ils sont durs, si durs. Je ne peux plus bouger. Mon cœur bat, bat à tout rompre. La compression m'oppresse.

Pommera se penche au-dessus de moi. Mon regard le fouille. Il baisse un instant les yeux. Derrière lui, j'aperçois la blancheur sale des murs, les embouts verts et rouges des machines, alignés sur le côté, et les tuyaux en caoutchouc enroulés autour de crochets. Par la fenêtre, des nuages ventrus défilent à vive allure. On dirait qu'ils annoncent la neige. J'en espère la froidure mais la chaleur débilitante de la chambre me plonge dans une hébétude animale.

La main de Pommera serre la mienne.

On naît, puis on meurt.

— Les symptômes que vous développez, me dit Pommera, ressemblent étrangement à un syndrome identifié par le professeur Targowla à la fin des années cinquante. Il est assis au pied de mon lit. Je sens sous les couvertures le poids de son corps contre mes jambes. J'envie la distance avec le monde qu'il met dans chacun de ses gestes. J'attends mes enfants, je lui dis. J'espère que Simon viendra.

— Il s'agit d'une pathologie apparue notamment chez les soldats de retour d'un conflit... En gros, des souvenirs traumatisants refont surface des années plus tard, provoquant de nombreux troubles chez le patient.

Je ricane. Vous comparez mon enfance à une scène de guerre ?

— C'est le mécanisme qui compte. Vous présentez des symptômes similaires. Cauchemars récurrents, tremblements, convulsions, angoisses de toutes sortes, accès de paranoïa, interprétation exacerbée, passionnelle des faits...

Je lui demande si c'est comme ça qu'il me voit.

Il me sourit, gêné. Il s'agit de constatations cliniques, se défend-il, pas d'un jugement.

J'encaisse d'un clignement des yeux.

Il me tend deux comprimés. Je respecte sa croyance en ces petites molécules aux couleurs criardes. Nous savons tous les deux que nous tiendrons notre rôle, celui du médecin attentionné qui se battra pour trouver le bon remède et du malade digne jusqu'au bout.

Il me tape sur l'épaule.

— Je repasserai plus tard, murmure-t-il en se penchant près de mon oreille.

J'attends mes enfants comme la révolution autrefois.

L'image de mon grand-père maternel me revient. Ces derniers jours j'ai pensé plusieurs fois à lui. Sans doute l'approche du terme. Il est le seul dont j'entretiens le souvenir. Je ne sais pas pourquoi, je brûle un cierge à sa mémoire chaque fois que j'entre dans une église. Je fais parfois un détour pour gagner une chapelle, refuse de me justifier auprès de Pauline et Simon.

Il y avait dans mon esprit une similitude entre la défaite de 1940 et la chute du bloc de l'Est : l'effondrement d'un monde, et je cherchais chez mon grand-père des raisons d'espérer. Il en était revenu comme si tout ça avait glissé sur lui.

J'ai longtemps cru que c'était dû à un manque de convictions, d'engagement. Il s'agissait en fait d'autre chose, comme je le compris après sa mort à la lecture de son journal de guerre.

Les premiers mois ressemblaient à une excursion. Le lieutenant François Berthelot parcourait sur son cheval baptisé Anchois les campagnes belges et hollandaises, visitait les châteaux et les imposantes fermes flamandes, flirtait, civil en uniforme, avec une boulangère de Bruges et une lingère de Bouchotte.

Mais au lendemain de la capitulation belge, le 28 mai 1940, tout s'écroula en un fracas assourdissant. Les Stuka mitraillèrent son régiment. Le sang coula en rigoles le long des fossés. Anchois fut tué, le museau arraché par un éclat de bombe. Mon grand-père perdit sa section, abandonna son fusil, marcha pendant des jours vers Dunkerque. Il tenta de s'embarquer sur un rafiot anglais, fut rejeté à la mer. Un soldat allemand le frappa, le dépouilla de sa montre. Il consignait les faits, sans plainte ni apitoiement. Les dernières pages consacrées à son transfert en Allemagne dans son oflag brossaient le portrait d'un homme sonné, trimballé dans des trains, parqué dans des camps, écrasé – mais pas abattu.

Il y avait dans son récit une grandeur, grandeur d'autant plus forte qu'elle était sans espoir, dans sa volonté d'opposer à la destruction de son monde les gestes quotidiens de son existence d'avant. La défaite de Dunkerque ressemblait à un orage ravageant les champs, les obus, qui menaçaient de le tuer, des averses de grêle déchirant les feuilles de maïs. Et il était ce paysan qui, voyant sa récolte détruite, se préparait à semer à nouveau.

Un élan d'affection me submerge à mesure que je contemple le ciel, comme si mon grand-père était une de ces étoiles indifférentes m'observant. Nous passons notre temps à fuir. Il avait donné à sa fuite des allures de flânerie, un amour de la vie qui le poussait à débusquer un plaisir dans la moindre rencontre, le moindre hasard. J'aimerais pouvoir léguer cela à mes enfants.

La nuit forme un carré noir à la fenêtre. Mon corps se raidit à la pensée des heures qui s'annoncent. Je m'endors quelques instants, flotte dans cet état de demi-conscience. Les souvenirs se glissent dans mes rêves, mes rêves me portent vers mes souvenirs, ce sont des ricochets à la surface de mon esprit. Les Rouges s'invitent, prélude à une crise. Je sursaute. Pommera referme la porte si doucement que je n'entends pas le pêne glisser dans la gâche. Il entrouvre sa blouse. Le goulot d'une bouteille de whisky apparaît le long de sa hanche. Il s'excuse pour les gobelets en plastique qu'il sort de sa poche.

Depuis que nous savons tous les deux à quoi nous en tenir, Pommera a cessé de me décrire les effets espérés de mon traitement. Il s'attarde dans ma chambre, délaissant son ton professionnel. Il me confie parfois des souvenirs, ou reste là, silencieux, assis sur le fauteuil à côté de mon lit. Je lui demande s'il se comporte ainsi avec tous ses patients. Il me répond d'un sourire las. Je n'insiste pas. Je crois que lui aussi aime cette atmosphère de film dont la fin approche. Je lui avais avoué lors de sa visite matinale que j'aurais bien aimé boire un dernier verre, à la façon d'un cow-boy atteint d'une balle mortelle.

— Quel jour nous sommes ?
— Le 19, il me répond.

Nous buvons en silence, sans dissimuler notre envie d'être gagnés par l'enivrement.

Il plaque son doigt sur ses lèvres, tend l'oreille. Des bruits de pas résonnent dans le couloir.

— L'heure de la ronde...

Nous ricanons. Il me demande quelle est l'infirmière de garde en ce moment. La plus âgée avec le visage d'une bureaucrate de l'ex-URSS. Christine ? Je ne sais pas son nom. Elle a les cheveux courts, les yeux tristes, les lèvres fines, ne sourit jamais.

— J'aime mieux pas imaginer sa tête si elle nous trouve à boire, me coupe-t-il.

L'alcool le vieillit. Un léger empâtement souligne les rides principales. La vérité des visages jaillit souvent après quelques verres. Ses yeux perdent de leur intensité, deviennent plus chaleureux. L'ombre d'un sourire s'accroche à ses lèvres.

Il me parle des autres infirmières, à la façon d'un connaisseur débattant de sa passion. Il voudrait me convaincre que c'est la seule chose importante dans l'existence d'un homme. Il n'a jamais été tenté par l'écriture, mais il rédigerait bien un traité sur les femmes. Il espère s'y consacrer quand il sera trop vieux pour les séduire. Toutes le fascinent. Toutes ! répète-t-il. Même Christine ? Même elle, répond-il d'un air de défi. Je colle mes lèvres contre la couverture pour étouffer mon rire.

Il me parle soudain de Myrtha (« Qui ? – L'infirmière noire. »). Deux petits plis que je ne lui connaissais pas se forment aux coins de ses lèvres. Cette complicité nouvelle me touche.

— Quand deux hommes en viennent à parler des femmes, c'est qu'ils sont amis ou en passe de le devenir.

— Ou qu'ils ne le seront bientôt plus...

Son ton soudain bas, presque un murmure, et le silence traînant qui s'ensuit me poussent à lui demander de me raconter son histoire. Ma question l'a interrompu dans sa rêverie. Il me dévisage, hésitant. Il se cale dans son siège.

— J'avais un ami, presque un frère. Nous nous connaissions depuis le lycée. Nous avions fait nos études de médecine ensemble. Il devint chirurgien, moi neurologue. J'essaie de l'imaginer étudiant, son visage débarrassé des fines rides qui l'envahissent. Il n'avait pas encore la même aisance apaisée. Il était un peu trop sûr de lui, abrupt même.

— La vie, nos carrières auraient pu nous séparer. Mais les années passèrent sans que notre amitié en souffrît. Nous étions si proches, nos goûts, nos sentiments étaient si semblables que nous tombâmes amoureux de la même femme.

Je souris, croyant deviner la suite. Les deux amis tentent de la séduire. Ils le font en cachette l'un de l'autre pour ne pas risquer leur amitié.

— L'un devint son mari, l'autre son amant, sans que son ami le sût.

Il observe ma réaction.

Je n'ose lui demander. À voir son sourire triste, je parierais que Pommera est le mari trompé. Il avait sans doute remarqué l'attrait de l'autre pour son épouse. Il en était flatté comme chaque fois qu'on lui enviait ce qui lui appartenait. Il ne pouvait cependant penser que sa femme puisse céder à son ami.

— Grâce à l'épouse qui savait l'importance de cette amitié pour les deux hommes chers à son cœur, ils étaient parvenus à cloisonner parfaitement leur relation. Cela durait depuis des années...

Je l'interromps. Pas si vite. Pas si vite. Je voudrais savoir comment les deux amants s'y prenaient pour accomplir une telle prouesse. L'époux n'avait-il vraiment aucun doute ?

— Ils évitaient de se voir dans un endroit qui aurait pu leur rappeler le mari, reprend-il. De même, elle s'était acheté des vêtements qu'elle ne portait que lorsqu'ils avaient rendez-vous. Elle changeait même sa coiffure. Elle s'offrait à lui, les cheveux longs sans attache. Chez son mari, elle le recevait parée d'un chignon qui faisait ressortir l'ovale de son visage. Elle ne se parfumait pas non plus quand il venait, se maquillait à peine, à l'inverse de leurs rendez-vous en cachette.

Je me suis trompé. Pommera est l'amant. Je me le figure dans une chambre d'hôtel. Il attend sa maîtresse. Tout ce qui lui arrive est le fruit de sa volonté. Les types dans son genre règlent leur vie comme s'il s'agissait de détails, concentrés uniquement sur leurs désirs.

— Pendant des années, la liaison se poursuivit. Un ou deux soirs par semaine, les deux amis se retrouvaient dans l'arrière-salle d'un café. L'un pour l'autre n'avait aucun secret, du moins c'est ce que croyait le mari. L'amant, lui, se refusait à avouer à son ami la vérité, considérant que c'était leur parfait accord, leur complicité totale qui les avait amenés à aimer la même femme.

Son récit provoque en moi une excitation familière, l'attraction de l'histoire. Un début de récit se fait jour, avec ses mots, son rythme. Je vois des scènes, des visages, Pommera et son ami autour d'un verre, leurs phrases sans défis, peut-être une certaine lassitude, leur situation, leur rêve posés à côté d'eux comme un manteau sur une chaise.

— Un soir donc, au cours d'une de leurs discussions, le mari encouragea son ami à se marier. Pour ne pas éveiller sa curiosité, l'amant inventait parfois des aventures. L'autre lui vanta la vie avec son épouse, livrant certains détails intimes. L'amant découvrit une femme bien éloignée de celle qu'il retrouvait chaque semaine dans les chambres d'hôtel. Elle ne modifiait pas que son apparence physique.

Sa personnalité, ses goûts, son plaisir même semblaient différents selon qu'elle était avec l'un ou l'autre.

Les images qui me viennent débordent la silhouette du grand médecin à l'aisance bourgeoise, abolissent le destin prédécoupé dont j'avais affublé Pommera.
— L'amant finit par en ressentir une violente jalousie. Il se sentait à son tour trompé par sa maîtresse. Ils s'échauffèrent, le ton monta. Ils se quittèrent fâchés.
Peu à peu, toute une vie s'insuffle en lui, chair sur un squelette. Je le vois dans les bras de cette femme. Il boit un verre d'alcool. À petites gorgées. Lentement. Il fait son footing au bois de Vincennes, une dizaine de kilomètres par semaine, feint de se moquer de son temps mais n'oublie jamais de démarrer son chronomètre quand il s'élance. Il écoute du Schubert dans sa voiture. Non plutôt un groupe de rock. Dire Straits, U2. Il arrive en avance à chaque rendez-vous avec sa maîtresse. Il s'attache à lui faire oublier le côté un peu sordide de l'adultère. Il devient un personnage de roman, être singulier à l'existence aussi épaisse qu'indéterminée.

Aveuglé par la colère, l'amant décida de se venger, peu lui importaient les conséquences. Il invita son ami dans un grand restaurant pour sceller leur réconciliation. Les deux hommes se tombèrent dans les bras et le mari se réjouit à l'idée du bon repas qu'ils allaient faire ensemble. C'est alors qu'il remarqua la présence d'un troisième couvert. Tu attends quelqu'un ? demanda-t-il. Au même moment, la femme fit son entrée dans la salle. L'amant l'avait conviée, sans la prévenir de la venue de son mari. Elle repéra son amant et presque en même temps son époux assis à ses côtés. D'un geste machinal, elle porta la main à ses cheveux. Indécise au milieu des tables, elle évalua ses chances de s'éclipser avant qu'ils la remarquent. Prenant un air détaché, elle tourna les talons, gagna la sortie. Malheureusement, avant qu'elle eût atteint le hall, son mari l'aperçut.

Je l'interroge du regard. L'amant, c'était vous...?

Il hausse les épaules.

— Quelle importance ? murmure-t-il. J'ai perdu la femme que j'aimais et mon meilleur ami.

— Nous n'existons pas sans fiction.

Les traits de Pommera ont repris leur flegme habituel. Sa voix, à nouveau chaude et bien timbrée, me rappelle que nous sommes dans une chambre d'hôpital.

— Elle est au cœur de notre vie. Un exemple. La personne à qui vous avez donné rendez-vous est en retard. Vous imaginez aussitôt toutes sortes de scénarios. Ou dans le bus, la voyageuse assise en face de vous vous jette des regards... Vous vous figurez immédiatement un début de romance...

Je lève mon gobelet, salue ses propos.

— Mais le plus intéressant dans tout ça, c'est le travail de notre mémoire. Les souvenirs forment ce que j'appellerai notre roman personnel. Chacun en rédige un dans sa tête. Pour appréhender le monde, se constituer. Les imaginatifs comme vous font des épopées. Les esprits raisonnables préfèrent une version plus minimaliste. Les malades produisent du nouveau roman...

Il rit de sa plaisanterie.

— Nous passons notre existence à l'écrire, le plus souvent à notre insu. Nous comblons les blancs, nous inventons les passages qui nous manquent. C'est une œuvre interminable. Parfois le décalage avec le réel est trop important. Ce dysfonctionnement met en péril l'activité psychique du patient.

305

Il passe sa main sur sa jambe de pantalon, m'adresse un rapide regard.

— Nous ne sommes pas les seuls auteurs de notre roman personnel. Des chapitres entiers, l'intrigue même, nous sont transmis par nos parents. En fait, nous glissons nos propres souvenirs dans cette trame qu'ils nous ont léguée. Trame qui nous pousse à réagir parfois d'une façon que, consciemment, nous rejetons comme une malédiction à laquelle nous ne pouvons échapper.

Le rappel de la malédiction me fait sursauter. Les traits de mon visage se ferment.

— Ce n'est pas l'avenir qui nous a trahis mais le passé.

Pommera se frotte la lèvre du bas d'un mouvement rapide de son pouce et de son index.

— Vous ne m'avez jamais vraiment dit comment les souvenirs vous sont revenus...

— Il y a quelques années, mon père s'est installé dans la maison de ma grand-mère. Il ne dessoûlait pas de la semaine. Une couche de crasse fantastique recouvrait les meubles, le sol. Une mince ligne dégagée traçait le chemin de son canapé en bas à son lit à l'étage. Il ne chauffait plus, se couvrait de plusieurs pulls. Quand je venais le voir à Salviac, nous changions de trottoir pour éviter les commerçants chez qui il accumulait les ardoises. Sur le quai de la gare, au moment où je m'apprêtais à monter dans le train pour Paris, il me demandait de le dépanner, vingt ou trente euros. Rouge, je suis rouge ! et aussi : Je vous emmerde !

Mathilde et moi dûmes nous résoudre à le placer en maison de retraite. Je redoutais de lui rendre visite. Un silence, aussi violent que ses emportements autrefois, s'installait entre nous. Ses mimiques, ses expressions restaient les mêmes, plaquées sur un autre, vieillissant et malingre. Il s'appuyait avec peine pour se lever sur ses bras trem-blotants – enfant je pouvais deviner la moindre de ses émotions aux soubresauts de ses muscles qui agitaient les manches de sa chemise. C'était un spectacle déroutant de voir ce corps qui toute mon existence m'avait effrayé dans cet état d'abandon. Ses yeux retrouvaient par instant leur lueur. Qu'une contrariété survienne, l'éclat féroce, prélude au coup de boule, jaillissait avant de disparaître presque aussi vite. Sa vie, sa rage s'étaient réfugiées dans le mouvement de ses mâchoires, de son estomac, mastiquer, déglutir, éliminer, comme une machine sans plus d'ouvriers pour la diriger. Il vivotait à la façon d'un esquif aux voiles battantes, encalminé au milieu de l'océan de la sénilité, subsistait dans un angle mort de l'histoire.

Il y a un an, les infirmières le découvrirent dans son fauteuil, la télévision allumée, le son à fond comme il faisait toujours. Sa main serrait la télécommande.

Un sanglot m'empêche de continuer.

Peu avant son décès, j'avais quitté Larousse et fondé ma propre maison d'édition. Quand je le lui appris, son regard retrouva le même éclat glaçant que lorsqu'il pressentait à mon ton une mauvaise note. T'es patron alors ? lâcha-t-il, avant de se jeter sur la boîte de chocolats que j'avais apportée.

Les épaules de Pommera dodelinent imperceptiblement. Il esquisse un maigre sourire.

La tête de Christine apparaît dans l'entrebâillement. Elle n'a pas vu la bouteille, ou du moins a fait semblant de ne pas la remarquer.

— Il est tard, je vais vous laisser, me dit Pommera, sur un ton redevenu médical.

Il me ressert un dernier verre, avant de partir.

Je sirote mon whisky par petites gorgées.

Mon père n'a jamais joué *Othello*, la révolution n'a pas eu lieu.

La peur lentement m'a envahi, peur de ne pas être à la hauteur.

Ma mère vit seule dans un petit appartement à Quimper, près de la cathédrale. Tous les samedis, elle se pomponne un long moment avant d'aller acheter un saint-marcellin ou un crottin au fromager du marché. Le commerçant, de sa voix amène, ne manque jamais de lui glisser qu'elle est jolie ce matin ou que sa nouvelle coiffure lui va bien. Elle rentre chez elle, un large sourire aux lèvres, se délestant du fromage auprès de sa concierge ou d'une voisine.

Ma sœur vient de se remarier. Son troisième époux, ainsi que les deux précédents, est un Algérien, comme si elle continuait inlassablement de provoquer mon père et de rejouer la guerre d'Algérie avec lui. Elle s'amusait à le voir se livrer envers ses deux premiers maris à une surenchère de bienveillance, tel un regret que rien ne pourra éteindre, celui d'avoir laissé filer sa chance de vivre un moment historique.

Peur de ne pas me rappeler de tout.

Et plus encore peur de trahir à nouveau ces souvenirs.

Je ne sais même pas si mon fils viendra.

Je leur dirai.

Des théories de lendemains ont défilé sous mes fenêtres, elles n'ont pas changé le monde, je ne l'ai pas changé. Les mineurs s'en sont allés, et avec eux les militants, les bolcheviks, les Communards. Une bande de frères, une heureuse poignée d'hommes. C'est sans détour que je leur dirai la douleur de l'histoire.

Je me suis levé avant que la nuit s'achève. Le silence de l'hôpital, pareil à celui des campagnes, donnait à cet instant une solennité qui pèse sur chacun de mes gestes. Mon reflet dans la glace s'amuse de mes soins à cacher la présence envahissante de mon corps malade. J'ai rasé ma barbe, lavé mes cheveux, puis fermé le dernier bouton de ma veste. Je veux épargner à mes enfants le délitement des chairs, leur déroute.

Je me suis installé à la fenêtre. L'aube commence à peine. Des gens courbés par le froid traversent à pas pressés le jardin. Des infirmiers, des aides-soignants prennent leur service. L'homme dans sa guérite vitrée, le col remonté, des mitaines aux mains, les salue d'un léger mouvement de la tête. Ils marchent parmi les allées, comme si leurs jambes les guidaient sans qu'il leur soit besoin d'y prêter attention. Certains s'arrêtent au pied du perron ou devant un des massifs aux formes arrondies qui parsèment le parc.

Ils sortent de leurs manteaux un paquet de cigarettes, en fument une, tapant du pied le sol pour se réchauffer. Je les envie. Je les imagine dans les vestiaires. Ils enfilent leurs blouses, comptent les jours qui les séparent du prochain congé ou de leur paie, la tête pleine de ce qu'ils ont à faire. Je n'ai jamais su me plier à la répétition. Plus j'approchais des bureaux où je travaillais, chez Larousse ou ailleurs, plus mon allure ralentissait, mon corps regimbait. Je m'encourageais, me rabrouais pour franchir l'entrée, et pourtant j'en ai aujourd'hui la nostalgie comme un adulte se souvient des Noëls de son enfance. Pauline m'a dit qu'ils seraient là vers onze heures. Je ne suis plus pressé soudain. Je m'abandonne à l'attente comme un baume.

Myrtha se récrie en me voyant debout à la fenêtre, insiste pour que je me recouche. Je m'exécute sans broncher. Elle m'annonce que nous sommes le 21 décembre 2012. La fin du monde est prévue à douze heures douze. Elle s'en amuse, une légère inquiétude dans le fond de sa voix. Des bêtises, elle m'assure, mais il y a quand même cette histoire de calendrier maya et une de ses camarades syndicalistes lui a parlé de la planète Vénus qui transite dans notre ciel. Elle se tient près de mon lit, au-dessus de moi. Sa main joue avec le pavillon de son stéthoscope qui pend le long de sa poche. Le vernis de ses ongles est du même rose flashy que le fard de ses paupières. Je voudrais graver ces images dans ma mémoire. Les Mayas vivaient au Mexique, vers 2000 avant Jésus-Christ. Je me force à prendre un ton professoral. Mourir ne m'est pas le plus pénible, mais la disparition de tous ces souvenirs, les dernières bribes des autres. Je lui désigne les comprimés déposés sur ma tablette. Pas la peine que je les prenne si on meurt tous aujourd'hui.

Elle rit.

Dès son départ, je retourne à mon poste d'observation. Un jour étoffé à la blancheur terne jonche le jardin, recouvre les bâtiments d'une lumière ouateuse. Les premiers patients font leur apparition dans les allées, accompagnés par leur famille. Pommera me conseille à son tour de me recoucher. Il s'approche, se penche à la fenêtre, les coudes appuyés sur le rebord. Nos épaules se touchent. Il se réjouit pour moi de la venue de mes enfants, plaisante sur la fin du monde. Il regrette de ne pas avoir tenté sa chance auprès de Myrtha.

— Ce n'est pas la première fois qu'on prend la science en otage pour annoncer la fin du monde.

Il me fixe, goguenard. D'autres s'en sont servi pour prédire la disparition du capitalisme...

Je scrute le ciel, lui rapporte les dernières phrases de *La Garde blanche* de Boulgakov. Un bolchevik est en faction devant un bâtiment de Kiev. Il est seul dans l'obscurité, lève la tête. Les étoiles au-dessus de lui se moquent bien de sa révolution, indifférentes à l'agitation des hommes. Mon père rêvait de finir dans un Spoutnik envoyé dans l'espace, mourir dans la Voie lactée. L'espace a toujours fasciné les révolutionnaires. Blanqui a écrit *L'Éternité par les astres*. Anton Pannekoek était un astronome néerlandais rallié au communisme après avoir étudié notre galaxie.

Pommera me signale que Boulgakov était médecin.

Un physicien, Alexander Vilenkin, prétend qu'il n'y a aucune raison de penser que nous sommes le seul univers. Bien au contraire il soutient l'existence d'une infinité dans lesquels nos doubles se déplacent. À chaque événement s'offrent plusieurs conséquences dont chacune se produit dans un au moins des univers parallèles. Selon lui, dans une multiplicité de régions du cosmos, Elvis vit encore.

Les lèvres de Pommera se contractent légèrement. Il cherche mon regard pour deviner si je suis sérieux.

— Des univers où Elvis vit encore ? Et pourquoi pas aussi des astres où le communisme ne s'est pas écroulé ?

— Vous ne croyez pas si bien dire. Un des collègues de Vilenkin affirme qu'on est en train d'en finir avec la vision étroite et petite-bourgeoise de l'univers.

— La lutte des classes à l'échelle cosmique, raille Pommera.

— Imaginons, je lui dis, imaginons un instant un tel univers, où le communisme n'a pas perdu la partie, ou mieux, une planète, réplique de notre Terre, où le mur est tombé non à cause de son échec mais au contraire en raison de son triomphe !

Il se moque.

— Vous avez le sourire absent des étoiles. Il faut croire en l'univers. Le cosmos aura raison du capitalisme.

Pommera répond qu'il y a une hypothèse que je n'ai pas envisagée. Celle de la planète où ma famille et moi sommes devenus d'infâmes capitalistes, à la tête d'une grande multinationale.

— ... où vous menez une existence de patron, exploitant vos ouvriers...

Impossible, je lui rétorque. Dans aucun endroit de l'univers.

Je lui explique qu'au-delà des principes, de la philosophie, des convictions, tout ce qu'il m'en reste, je crois, est une attention sourcilleuse aux autres, une inquiétude même. Nous étions d'une politesse exemplaire, capables de remonter les étages pour dire bonjour à un voisin que nous avions oublié de saluer en le croisant, ou de revenir sur nos pas pour rouvrir la porte que nous avions lâchée sans faire attention. Souvent j'ai l'impression que mon éducation tient en ces quelques préceptes, sois poli, serviable, fais attention aux autres. C'était peut-être ça au final, être communiste. Tenir la porte, venir en aide. Une certaine décence commune, une dignité simple. Mon père se précipitait avec une joie gourmande sur le touriste ayant l'air perdu, la vieille dame hésitant à traverser, le clochard qui tendait la main. Il lui aurait semblé obscène de resquiller dans une queue. Tout au contraire, il nous enseignait à laisser les autres passer, convaincu de l'importance de donner l'exemple. Il avait menacé de casser la figure à un communiste qui essayait de se faufiler devant tout le monde à un stand de la fête de l'Huma.

Pommera pose sa main sur mon épaule. Il passera me voir dans la soirée, si le ciel ne nous est pas tombé sur la tête.

Nous sommes sans doute la première génération de vaincus qui a vu non seulement tous ses espoirs s'envoler, mais encore ses croyances détruites. Ceux d'après 1793, ceux d'après 1848 ou encore ceux d'après 1871 ont connu la violence des désastres, mais la flamme, la petite flamme continuait à brûler. Nous, nous n'avons plus rien, rien à quoi se raccrocher. Ce sont toujours les huissiers qui l'emportent à la fin.

Je leur dirai. Le passé ressemble à un dieu de l'Olympe, cruel, sans pitié. Il s'est bien vengé de notre prétention à le défier. Mon père a fini amnésique à force de le ressasser, et moi, qui réclamais l'oubli, je m'éteins noyé peu à peu sous le flot de mes souvenirs.

J'aperçois soudain Pauline. À ses côtés, je reconnais aussitôt la silhouette filiforme de Simon. Ma joie est si forte qu'il me semble que j'aie encore un avenir. Je le dévisage. Il a de minces traînées de barbe, qui donnent à ses traits l'air mélancolique des adolescents pressés de grandir.

Ils avancent dans les allées du jardin. Leur respiration exhale une éphémère fumée qui cache un instant leurs visages, ils s'en amusent, soufflent à travers leurs doigts. Ils s'arrêtent devant un banc. Elle allume une cigarette.

Pauline a les cheveux plus courts, le visage moins poupin. Chaque fois qu'elle rentre en France, j'ai peine à la reconnaître. Ce n'est pas une question de physionomie mais de ces petits gestes de l'existence qui s'évanouissent dès qu'on ne vit plus ensemble. On cherche en vain à les retrouver, pensant qu'ils sont là, nichés dans les premiers instants du quotidien, prêts à reprendre vie. Dans le RER qui nous ramène de l'aéroport, à chacun de ses retours, je me laisse bercer par un souvenir, pendant que je l'écoute. Pauline devait avoir cinq ou six ans. Nous venions de nous baigner. Nous nous promenions sur la plage. Des nuages assombrissaient par moments le ciel. Il n'y avait personne à l'horizon aussi loin que nous pouvions voir. Enveloppée dans sa serviette, elle avançait tête baissée, concentrée sur le mouvement de ses pas, les sillons laissés par la mer. Nous restions silencieux, sous l'emprise du bruit monotone des vagues. Sa main chercha la mienne, s'y glissa comme dans un gant. Nous marchâmes ainsi longtemps. Je voudrais sentir encore l'empreinte de ses doigts pleins de sable sur ma paume. Leur pression légère me murmurait tout à la fois le battement de sa vie et l'abandon.

Simon est à peine couvert, un blouson léger sur le dos. Je perçois la chaleur de son corps adolescent, il n'a jamais froid. Quand il est né, ma femme et moi hésitions entre plusieurs prénoms. Nous avions décidé de les lui murmurer à l'oreille à sa naissance, dans l'attente qu'il manifeste une réaction à l'un d'eux.

Ils rient, chahutent, se taquinent. Je ne les quitte pas des yeux. Je suis ému de les observer sans qu'ils s'en doutent. Enfants, je les contemplais dormir avec l'espoir de découvrir leur vrai visage caché derrière les traits que nos regards leur faisaient composer.

Ils se livrent sans pose, pleins d'une existence que j'aimerais écrire. Je reconnais la silhouette de Pommera, qui se dirige vers un autre bâtiment. Il s'arrête un instant, dévisage Pauline et Simon, avant de poursuivre son chemin.

J'ai souffert d'exaucer les attentes de mon père comme mes enfants ont souffert de mon refus d'attendre quoi que ce soit d'eux. J'éprouve encore le besoin de me justifier, de lutter contre ma culpabilité. Chaque proche, chaque ami, chaque personne que j'ai aimée a été tout à la fois l'accusé et le procureur, sans qu'il me soit possible de sortir du prétoire.

Je leur dirai que la malédiction réside tout entière dans la rage de faire table rase. L'histoire n'encombre que les hommes sans mémoire.

Simon sourit en secouant les épaules, lance sa tête légèrement en arrière. Pauline pince ses lèvres, retient son hilarité. Elle prend son bras, il la couve du regard, fier d'être plus grand qu'elle. La naïveté de leurs rires m'émeut. J'ai tant pensé à ce moment, les mots me débordent. Tous les deux nagent en eaux calmes dans ce monde qui est le leur. Ils trouveront, changeront à leur façon. Je n'emporterai pas avec moi les espoirs ni la peau tannée des rêves.

Je leur dirai. Je hais les alcooliques, les soiffards de toute sorte à la sensiblerie empâtée, aux élans avinés, à la lâcheté profonde. Pas de quartier, pas d'attendrissement. Des menteurs.

Je leur dirai que je les aime, je le leur dirai à jeun.

Ils me regarderont avec l'air étranger des vivants à l'écoute des mourants. Mes pensées se bousculent. Je m'en remettrai au hasard, qui déroute et envoûte nos espérances. Ils me souriront, m'embrasseront, peut-être même pleureront devant moi avec la fraîcheur des sentiments sincères, sans passé. L'idée d'ignorer quelle trace chacun conservera de moi m'apaise, tels ces univers parallèles où se meuvent nos doubles.

Pauline écrase son mégot. Ils jettent un œil aux étages. Je leur fais signe de la main sans savoir s'ils peuvent me voir. Ils se dirigent vers l'entrée du bâtiment.

C'est sans détour que je leur dirai la douleur de l'histoire. Alors c'en sera fini du chant assassin des souvenirs.

Remerciements

« Nul de nous n'a l'honneur d'avoir une vie qui soit à lui » affirmait Victor Hugo. Il me semble qu'il en est de même pour l'écriture d'un roman. Les rencontres, les discussions, les échanges, dans lesquels le hasard tient sa place, y jouent un rôle essentiel. Qu'il me soit ici permis de remercier Maryline et Franck pour leur sens de la vie si pleine d'élégance ; Muriel et Sylvain, la lectrice enthousiaste et l'homme dont j'envie la force apaisée ; Lannick et Lucie pour leur générosité si hospitalière ; Caroline pour son amitié, sa disponibilité et son aide essentielle dans l'aboutissement de ce livre ; l'ami Vincent, dont le calme et la rigueur m'évitèrent de me perdre ; et bien sûr Mike, encore et toujours, la vie d'artiste n'est pas une malédiction.

Composition et mise en pages
Nord Compo à Villeneuve-d'Ascq

Achevé d'imprimer en février 2016
par Normandie Roto Impression s.a.s., à Lonrai
N° d'imprimeur : 1600619
Dépôt légal : mars 2016

Imprimé en France